Une mère à l'épreuve

———————

La mémoire envolée

RITA HERRON

Une mère à l'épreuve

BLACK *ROSE*

éditions **HARLEQUIN**

Collection : BLACK ROSE

Titre original : HER STOLEN SON

Traduction française de CATHERINE VALLEROY

HARLEQUIN®
est une marque déposée par le Groupe Harlequin

BLACK ROSE®
est une marque déposée par Harlequin S.A.

Photos de couverture
Enfant : © 2005 ANN CUTTING/GETTY IMAGES
Paysage : © CHARLES O. SLAVENS/GETTY IMAGES

© 2011, Rita B. Herron. © 2012, Harlequin S.A.
83-85, boulevard Vincent-Auriol, 75646 PARIS CEDEX 13.
Service Lectrices — Tél. : 01 45 82 47 47
www.harlequin.fr
ISBN 978-2-2802-4662-0 — ISSN 1950-2753

1

— Monsieur, tu peux faire sortir ma mère de la prison ?

Assis derrière son bureau, Colt Mason leva les yeux et fixa le petit garçon aux cheveux noirs, surpris par sa voix et son apparition.

Il avait quoi ? Cinq, six ans ?

— J'ai pas beaucoup d'argent, poursuivit le garçonnet.

Il se hissa sur la pointe des pieds pour poser sur le bureau la tirelire en forme de cochon qu'il tenait entre ses mains. La monnaie tinta à l'intérieur tandis qu'il la poussait vers Colt.

— Mais je te donnerai tout si tu m'aides.

Colt fit la grimace. La dernière chose qu'il voulait c'était les économies du garçon.

De plus, les yeux du gosse étaient rouges et enflés d'avoir pleuré, et il respirait vite, comme s'il avait couru.

D'où venait-il ?

— Assieds-toi, bonhomme, je vais te donner un verre d'eau. Ensuite tu m'expliqueras qui tu es et ce qui t'arrive.

Le petit garçon s'assit sur une chaise, le dos rond. Colt passa dans la cuisine, y prit une bouteille d'eau et revint avant de lui tendre.

L'enfant le dévisagea avec prudence de ses grands yeux marron, mais il prit la bouteille, dévissa le bouchon et but une longue gorgée. Enfin il s'essuya la bouche du revers de la main et poussa un soupir.

— Je m'appelle Petey Stover. Ma maman m'a dit qu'on aidait les enfants, ici. Et elle a des ennuis, alors c'est pour ça que je suis venu.

Il montra du doigt la plaque sur le bureau de Colt.

— Tu as le nom d'un pistolet.

— Oui, c'est vrai.

Colt réprima un petit sourire.

— Maintenant, dis-moi ce qui t'arrive. Pourquoi ta mère est-elle en prison ?

Petey afficha une moue soucieuse.

— Hier soir, ma maman avait rendez-vous avec M. Lyle. Mais il l'a poussée contre la cheminée et ensuite il l'a prise par le cou.

Il avala sa salive et Colt remarqua que ses mains tremblaient.

— J'ai pas aimé qu'il lui fasse mal.

Colt serra les dents.

— Je n'aimerais pas ça non plus. Que s'est-il passé ensuite ?

— Elle lui a marché sur le pied et lui a donné un coup de pied dans… tu sais… là où ça fait mal.

Cette fois, Colt eut du mal à cacher son amusement.

— Oui, je sais. Et ensuite ?

— J'ai essayé de le tirer pasque, maintenant que papa est parti, c'est moi l'homme de la maison.

Après un autre long soupir, il redressa les épaules comme pour prouver qu'il était un homme.

— Mais il m'a jeté contre la porte.

De colère, Colt agrippa le bord de sa chaise.

— Il t'a frappé ?

Petey hocha la tête.

— Ensuite maman a pris le tisonnier et lui a crié de s'en aller.

Colt étrécit les yeux.

— Ta mère l'a frappé avec le tisonnier ?

— Non.

Petey prit une autre gorgée d'eau.

— Elle a fait semblant qu'elle allait le faire pasqu'elle avait peur. Alors le monsieur s'est mis en colère et il a dit qu'elle allait le regretter.

Colt n'aurait pas désapprouvé la mère si elle avait tué ce salopard.

— Et qu'est-ce qu'il a fait ?

— Il a fait des yeux méchants, mais il est parti.

Petey reprit son souffle.

— Alors, maman et moi, on est allés se coucher. Mais ce matin, pendant que je mangeais mes céréales, le shérif est arrivé et il a dit que maman avait tué le méchant M. Lyle et ils ont emmené maman. Et une dame avec des longs cheveux orange m'a emmené à la prison des enfants.

Colt en avait le tournis.

— La prison des enfants ?

Petey fit un geste en direction de la porte.

— La grande maison qui fait peur en bas de la rue.

Ah, Magnolia Manor, l'orphelinat. Les services de la protection de l'enfance avaient bien sûr été alertés.

— Mais je me suis enfui quand on est allés déjeuner pasque je voulais pas rester là, et maman devrait pas être en prison non plus.

Il redressa ses petites épaules.

— La prison c'est pour les méchants, et ma maman n'est pas méchante. Elle a tué personne.

Colt prit quelques secondes pour rassembler les faits.

— Où est ton père, Petey ?

Celui-ci regarda ses mains serrées autour de la bouteille d'eau.

— Il était policier, mais on lui a tiré dessus et il est mort.

Pauvre garçon, songea Colt. Et à présent sa mère était en état d'arrestation.

Le menton de Petey tremblait quand il releva les yeux.

— Tu vas la faire sortir, monsieur Colt ?

Colt se leva. Il ignorait si cette femme était innocente ou pas, mais il voulait plus de détails sur cette affaire.

— Je vais aller la voir et je verrai ce que je peux faire.

Petey sauta de sa chaise.

— Alors allons-y.

Colt s'agenouilla près de lui. Il n'était pas une baby-sitter. En fait, il ne connaissait rien aux enfants.

Et il n'avait pas assumé ses responsabilités quand il s'était retrouvé seul avec son propre frère…

Mais comment pouvait-il dire non à ce petit garçon ?

— Petey, mon vieux, je suis désolé, mais le shérif ne laisse pas les enfants entrer dans la prison. Un de mes amis va rester ici avec toi pendant que je vais parler à ta mère, d'accord ?

— Tu vas pas me renvoyer à la prison des enfants ? supplia Petey en posant la main sur son bras.

Colt tressaillit. Les mains de Petey étaient minuscules, tout comme le reste de sa personne. Mais il semblait porter tout le poids du monde sur ses épaules.

Lui-même avait quinze ans quand il avait perdu son père, pensa Colt, et il avait ressenti la même chose. Quelques mois plus tard, il avait manqué à sa promesse et perdu aussi son frère.

Petey était loin d'avoir cet âge. Mais il ne pouvait pas lui mentir. Il devrait appeler Magnolia Manor tôt ou tard.

— Laisse-moi aller parler à ta mère, et ensuite on verra ce qu'on fait.

Petey hocha la tête avec un abandon confiant qui donna un pincement de culpabilité à Colt. Mais il alla quand même chercher Derrick. Celui-ci pourrait appeler

Brianna au Manoir et arranger les choses. Elle devait se faire un sang d'encre.

Il se hâta vers le bureau de Gage, en s'arrêtant au passage devant celui de Derrick pour lui demander de se joindre à eux.

— Que se passe-t-il ? questionna son patron.

— Un petit garçon nommé Petey Stover est apparu dans mon bureau et m'a demandé de l'aider.

Gage alluma la télé placée dans un coin de son bureau.

— Sa mère a été arrêtée. On en parle sur toutes les chaînes.

Colt regarda le reportage spécial qu'on diffusait.

« Ce matin, Serena Stover, veuve de feu Parker Stover, un officier de police du commissariat de Raleigh, a été arrêtée pour le meurtre de Lyle Rice. M. Rice a apparemment été tué à son domicile, mais son corps n'a pas été retrouvé. Malgré l'absence du cadavre, certains indices ont rapidement mené le shérif chez Serena Stover. »

La caméra se rapprocha du shérif Gray qui passait les menottes à une belle femme aux longs cheveux cuivrés et la faisait sortir de chez elle. Elle protestait, tout en s'efforçant de se libérer pour rejoindre son petit garçon.

Petey criait et pleurait en donnant des coups de pied à l'adjoint qui le portait vers un autre véhicule. Une femme que Colt supposa être une assistante sociale essayait sans succès de calmer le petit garçon.

La caméra revint sur Serena, que le shérif poussait à l'arrière de la voiture de patrouille. Des larmes noyèrent ses grands yeux quand elle se retourna et vit son fils qui tapait sur la vitre en criant son nom.

Colt sentit ses entrailles se nouer.

— Comme vous pouvez le voir, poursuivit le reporter, l'affaire a rapidement tourné au mélodrame. Toutefois, le shérif pense que les preuves sont suffisantes pour motiver une arrestation.

La caméra se glissa à l'intérieur de la maison de la victime pour filmer la scène de crime. D'énormes quantités de sang étaient répandues sur le sol de la chambre, et les draps en désordre étaient également tachés. Un technicien souleva un coin de tissu, révélant ainsi encore plus de sang.

Le mot « Serena » avait été écrit en lettres de sang sur le plancher.

« … La police pense que Rice a gribouillé le nom de son assassin avec son propre sang avant de mourir, reprit le reporter. Nous vous tiendrons informés des développements de cette affaire… »

— Ça sent mauvais, dit Gage.

— Si Serena a tué Rice et s'est débarrassée de son corps, pourquoi n'a-t-elle pas nettoyé ? questionna Colt avec un froncement de sourcils. En outre, elle n'aurait sûrement pas laissé son prénom inscrit en toutes lettres pour que la police le trouve.

— Elle était peut-être pressée et ne l'a pas vu, suggéra Gage. L'inscription était recouverte par le drap.

Colt haussa les épaules, peu convaincu.

— On a emmené Petey à Magnolia Manor, Derrick, dit-il à son collègue. Tu veux bien appeler Brianna pour lui dire qu'il est ici, sain et sauf ?

Derrick hocha la tête.

— Elle doit être folle d'inquiétude. Je vais l'appeler tout de suite.

Il regagna son bureau pour téléphoner.

Gage tambourina des doigts sur son bureau.

— Ce n'est pas notre type d'affaires habituel.

— Je sais, répondit Colt.

Mais quelque chose chez le petit garçon et dans la scène dramatique qu'il venait de voir l'émouvait.

— Le petit est vraiment bouleversé, tu sais. Et son histoire tient debout. J'aimerais au moins m'entretenir avec sa mère.

Gage hésita puis acquiesça d'un hochement de tête.

— D'accord. Mais sois prudent. Ne te fais pas un ennemi du shérif. Jusqu'ici il a coopéré avec nous sur d'autres affaires. J'aimerais que ça continue.

Colt opina et retourna voir Petey. Il se montrerait poli avec le shérif, mais, s'il pensait que l'homme se trompait, il n'hésiterait pas à faire des vagues.

Il n'était pas question qu'il laisse séparer une mère de son enfant si celle-ci était innocente.

Serena fixa l'encre sur ses doigts, encore assommée par son arrestation et son enfermement.

Ce n'était pourtant pas la première fois. Mais elle croyait que son casier de jeunesse avait été effacé.

Il fallait qu'elle sorte de là. A la première occasion, elle s'échapperait. Puis elle retrouverait Petey et fuirait avec lui.

Et tu lui donneras quel genre de vie, Serena ? Se cacher, inventer des faux noms, avoir continuellement peur...

Non, elle ne pouvait pas faire ça à son fils.

Pauvre Petey ! Il avait déjà traversé tant de choses depuis deux ans. Le meurtre de son père, leur déménagement à Sanctuary. Elle voulait s'installer dans une petite ville tranquille où ils pourraient tous deux guérir de leurs blessures. Et c'était ce qu'ils avaient fait, ils avaient commencé à guérir.

Puis une amie au travail l'avait encouragée à recommencer à sortir avec des hommes. Une terrible erreur.

De charmant au début, Lyle Rice s'était révélé être un véritable mufle. Quand il avait poussé Petey, elle avait eu envie de le tuer.

Mais elle ne l'avait pas fait, bon sang !

Et elle ne pouvait pas s'enfuir. Elle avait renoncé à cette vie quand elle avait épousé Parker. Elle s'était promis de donner à Petey une existence plus stable que celle qu'elle avait connue…

Des pas et des ombres mouvantes dans le couloir lui apprirent que le shérif et son adjoint étaient de retour. Elle avait demandé à passer le coup de téléphone auquel elle avait droit, mais la vérité c'est qu'elle ne connaissait aucun avocat.

Bien sûr, l'Etat lui procurerait un avocat commis d'office, mais elle en avait déjà eu un autrefois et cela s'était terminé dans un centre de redressement.

Soudain, le shérif fit son apparition, accompagné d'un homme très large d'épaules, aux cheveux et aux yeux d'un noir charbon. Il émanait de lui une impression de puissance due à sa mâchoire carrée et à ses bras aussi épais que ses cuisses.

Sans aucun doute un mâle dominant, habitué à diriger tout le monde. Et, à en juger par ses cheveux courts, son regard aussi intense qu'un laser et le tatouage sur son bras, c'était un ancien militaire.

Ou alors un criminel endurci.

Serena sentit son estomac se nouer. Le shérif n'allait tout de même pas l'enfermer avec elle dans sa cellule ?

— Madame Stover, annonça le shérif, vous avez une visite.

Serena croisa les bras, l'esprit en pleine confusion. Une méfiance teintée de peur l'envahit.

Qui était cet homme et que lui voulait-il ?

Se rappelant les horribles histoires que son mari lui avait

racontées sur les méthodes d'interrogatoire tordues de la police, elle se raidit. Il fallait qu'elle se montre prudente.

Cet homme était peut-être là pour l'obliger à faire des aveux.

2

Serena plaqua une expression résolue sur son visage.

— Qui êtes-vous ?

— Mon nom est Colt Mason. Je suis enquêteur chez GAI, Guardian Angel Investigations.

Elle fronça les sourcils, encore plus perdue.

— Je ne comprends pas. Pourquoi voulez-vous me parler ?

— C'est au sujet de votre fils, Petey, annonça Mason d'un ton bourru.

Serena sentit sa bouche s'assécher et la pièce se mit à tourner autour d'elle. Elle agrippa les barreaux pour ne pas s'évanouir. La journée était déjà affreuse, alors s'il était en plus arrivé quelque chose à Petey…

Sa cellule s'ouvrit avec un déclic et l'homme marmonna quelque chose d'inaudible. Il la prit par la taille et la guida vers la couchette contre le mur. Elle avait les jambes en coton et elle s'effondra dessus avant de s'adosser au mur, prise d'un vertige intense.

— Ça va aller, Serena. Respirez à fond. Encore, lui dit Mason à voix basse. Encore.

Son ton apaisant lui fit monter les larmes aux yeux. Elle les essuya rageusement et inspira, déterminée à se reprendre. Il fallait qu'elle sache ce qui était arrivé à son fils. Mais, quand elle essaya de parler, la nausée lui monta à la gorge.

Le shérif revint et Mason lui pressa une serviette imbibée d'eau froide sur la nuque.

Bon sang. Elle devait se montrer forte. Elle avait déjà perdu Parker, elle ne pouvait pas perdre Petey. Cette femme avait promis de prendre soin de lui.

Elle releva la tête, retira la serviette et la jeta à côté d'elle. Colt Mason la fixait d'un regard intense, comme s'il essayait de lire dans son âme. Ou dans son cœur.

Mais elle ne laisserait personne y pénétrer. Plus jamais.

En fait, il était probablement en train d'essayer de décider si elle était une meurtrière ou pas.

— Où est mon fils ? demanda-t-elle en agrippant la chemise de l'homme. Il est blessé ?

— Petey va très bien, répondit Mason. Il se trouve dans mon bureau.

— Quoi ? Je croyais que l'assistante sociale l'avait emmené à l'orphelinat.

Mason recouvrit sa main de la sienne et détacha ses doigts un à un.

— Elle l'a déposé à Magnolia Manor, mais, dès que les enfants sont allés déjeuner, il s'est enfui et a couru chez nous. Apparemment, vous lui aviez dit qu'il y avait là des gens gentils qui aidaient les enfants.

Le soulagement la submergea et elle prit conscience qu'elle s'accrochait à la main de l'homme. La prudence lui soufflait de ne pas lui faire confiance, mais le fait qu'il s'agisse des mots exacts qu'elle avait employés la détendit légèrement.

— Vous avez quinze minutes, intervint le shérif.

Mason acquiesça d'un signe de tête et s'éloigna insensiblement d'elle.

— Il doit avoir tellement peur, murmura-t-elle. Vous êtes sûr qu'il va bien ?

— J'en suis certain.

Une seconde tendue s'écoula une fois qu'il lui eut lâché la main.

— Vous vous sentez mieux ?

Elle hocha la tête tout en scrutant son visage, en quête de la vérité. Il avait une expression dure et froide, autoritaire, comme s'il avait déjà vu les pires côtés des êtres humains et cherchait à savoir où elle se situait sur cette échelle. Comme s'il essayait de décider s'il devait protéger son fils d'elle. Ce regard soupçonneux lui fit l'effet d'un coup de poignard.

— Vous m'avez terriblement effrayée. Quand vous avez dit GAI, j'ai pensé…

— Qu'il avait été kidnappé, termina sombrement Mason. Je suis désolé. Un de nos agents, Derrick McKinney, le garde. Sa femme, Brianna, travaille à Magnolia Manor.

— Alors vous allez le renvoyer là-bas ?

— Nous devons nous en tenir à la loi, mais Brianna est une femme formidable, répondit Mason. Elle a un fils elle-même et elle adore les gosses. Croyez-moi, elle sera comme une seconde mère pour lui.

Il voulait visiblement la rassurer, mais la rage la reprit à l'idée que quelqu'un d'autre qu'elle s'occupe de son fils.

— Petey devrait être avec moi.

Elle balaya du regard son environnement. Un sol en béton, des murs défraîchis couverts de graffitis… Une couverture en laine rugueuse jetée sur un matelas si mince qu'elle sentait les ressorts de la couchette en dessous…

— Et je ne devrais pas être ici. Je n'ai rien fait de mal.

Mason la dévisagea.

— Petey m'a un peu raconté ce qu'il s'est passé. Mais j'aimerais entendre votre version.

Serena hésita, criblée de doutes.

— Vous avez une carte quelconque ?

Il haussa les sourcils mais prit son portefeuille et lui

montra sa carte professionnelle. Donc il était vraiment détective privé.

— Si vous pensez que je travaille pour le shérif, rassurez-vous. C'est votre fils qui m'a engagé.

Elle croisa son regard.

— Petey vous a engagé ?

Un sourire effleura les lèvres de Mason.

— Oui, il m'a offert tout l'argent de sa tirelire.

Elle sentit son cœur se serrer d'amour et de chagrin à la fois.

— Je vous paierai, dit-elle fermement. Ne prenez pas ses économies.

— Je n'ai jamais dit que je les avais acceptées, répliqua-t-il, les mâchoires serrées.

Son ton coupant la surprit. Il avait l'air offensé.

— C'est juste que... Je me sens coupable envers lui. Depuis que son père est mort, il pense qu'il doit se conduire comme l'homme de la maison.

Une expression de tristesse traversa le regard de Mason.

— Une bien lourde tâche pour un si petit garçon.

— Exactement.

La voix de Serena se brisa.

— Il ne mérite pas ce qui lui arrive. Il a déjà tant souffert...

Mason toussota.

— Alors voyons si nous pouvons éclaircir cette histoire et vous renvoyer chez vous avec lui. Racontez-moi ce qu'il s'est passé hier soir.

Serena se mordit la lèvre inférieure. Que Dieu lui vienne en aide ! Elle en voulait à Parker d'être mort. Et elle s'en voulait de se sentir aussi impuissante, de ne rien pouvoir faire pour son fils.

Pis encore, elle s'en voulait de faire confiance à un

inconnu. Après tout, le meurtre de Parker lui avait appris au moins une chose : ne jamais s'en remettre à personne.

Colt observait Serena Stover avec nervosité. Il comprenait ses réticences et sa méfiance. Si le petit Petey lui avait dit la vérité, Lyle Rice était probablement un salopard qui avait mérité son destin.

Mais les enfants mentaient tout le temps pour protéger leur mère Serena s'était-elle servie du tisonnier pour tuer l'homme ? Ou bien était-il revenu après que Petey s'était couché et s'étaient-ils battus ? Dans ce cas, elle pouvait prétendre à la légitime défense.

A moins qu'elle n'ait poursuivi Rice dans l'intention de le tuer…

Cependant, tout ce qu'il voyait d'elle, de son ossature délicate à sa chevelure rebelle en passant par ses yeux remplis de terreur, lui criait qu'elle était une victime.

— Serena ? reprit-il.

Elle continua à mordiller sa lèvre inférieure pendant un moment, puis inspira à fond.

— Comme je vous l'ai dit, le père de Petey est mort depuis quelques années. Il était policier et a été tué dans l'exercice de ses fonctions.

Il ne savait pas ce que cela avait à voir avec l'affaire, aussi hocha-t-il simplement la tête, la pressant silencieusement de continuer.

— Je… Je n'étais sortie avec personne depuis sa mort.

Elle tira sur un fil qui dépassait de la couverture usée.

— Je n'en avais pas envie. J'avais toujours du chagrin.

— Mais vous avez décidé de sortir avec cet homme, Lyle Rice ?

Elle hocha la tête, le visage tiré par une expression de remords.

— La pire erreur de ma vie.

Il laissa ce commentaire flotter entre eux.

— Continuez.

Elle leva le regard sur lui, les yeux pleins de larmes.

Ce regard blessé fit à Colt l'effet d'un coup de poing. Il eut envie de l'attirer dans ses bras pour la réconforter et de lui promettre qu'il allait tout arranger.

Mais c'était une promesse qu'il n'était pas sûr de pouvoir tenir.

— Serena, vous n'avez pas à vous reprocher d'avoir eu envie de sortir avec un homme. C'est normal, c'est humain.

Elle soupira et détourna le regard. Il comprit qu'elle se jugeait sans indulgence. Qu'elle se sentait coupable comme si elle avait trompé son mari, alors qu'il était mort et ne reviendrait jamais. Elle devait l'avoir aimé profondément.

— Quoi qu'il en soit, Lyle et moi sommes sortis ensemble plusieurs fois, dit-elle doucement. La première fois pour prendre un café, ensuite pour aller voir un film. Mais, hier soir, nous sommes allés au restaurant et j'ai senti qu'il voulait passer à la vitesse supérieure.

— Vous voulez dire, faire l'amour ?

Une rougeur monta à ses joues et une ombre de peur lui assombrit les yeux.

— Oui.

— Mais vous n'étiez pas prête…

Elle secoua la tête.

— Non. Pas du tout.

Elle avala sa salive et s'humecta les lèvres.

Il se sentit soudain mal à l'aise en prenant conscience que c'était une femme sensuelle et fragile.

— Quand il m'a ramenée à la maison, il est entré pour un dernier verre, ce que je n'aurais jamais dû lui permettre, ajouta-t-elle dans un souffle. Puis il m'a fait des avances. Je lui ai tout de suite dit que cela ne marcherait pas entre nous et je lui ai demandé de partir.

Les images qui se formaient dans l'esprit de Colt étaient perturbantes.

— Mais il n'est pas parti…

Elle tordit la couverture entre ses mains.

— Non. Il s'est mis en colère et il est devenu agressif. Je lui ai de nouveau demandé de partir, mais il n'arrivait pas à admettre mon refus et il m'a poussée contre la cheminée.

Elle fit une pause, en respirant plus vite.

— Ensuite Petey est entré et…

L'émotion rendait sa voix rauque.

— Il s'en est pris à lui, mais Lyle l'a repoussé brutalement.

Elle serra les poings sur la couverture.

— Alors j'ai saisi le tisonnier et je lui ai ordonné de partir.

— Et il est parti sans discuter ? Vous ne vous êtes pas battus ?

— Non, mais je lui ai donné un coup de genou dans l'aine. Après ça, il est parti.

Elle fit courir une main dans ses cheveux.

— Il était furieux et, avant de franchir la porte, il m'a dit que je le regretterais et que je ne savais pas à qui j'avais affaire.

Elle laissa tomber sa tête entre ses mains.

— Seigneur, je regrette vraiment. Pas de lui avoir dit de partir, mais d'être sortie avec lui.

Jusque-là, son histoire concordait avec celle de Petey.

Colt agrippa le rebord de la couchette pour s'empêcher de l'attirer à lui. Elle tremblait, et sa lèvre inférieure était bleue d'avoir été tellement mordillée.

— Que s'est-il passé après qu'il est parti ?

Elle ne cessait de bouger en essuyant ses joues sillonnées de larmes.

— Petey était bouleversé, alors je l'ai consolé pendant un moment, puis je me suis allongée à côté de lui jusqu'à ce qu'il s'endorme. Ce matin, nous prenions le petit déjeuner quand le shérif a frappé à la porte.

Elle fit un geste de la main.

— Ensuite ils ont pris Petey et m'ont arrêtée.

— Lyle n'est pas revenu durant la nuit ? Il est peut-être entré par effraction pour vous agresser…

— Non, le coupa Serena. Il n'est pas revenu. Je ne me suis pas battue avec lui et je ne suis pas allée chez lui. En fait, je ne suis jamais allée chez lui.

Elle haussa le ton.

— Et je n'aurais jamais laissé Petey tout seul. Jamais !

Colt fronça les sourcils.

— Vous avez une preuve de ce que vous dites, quelqu'un qui peut vous servir d'alibi ?

— Petey, mais il dormait.

— Vous avez passé un appel téléphonique pendant la nuit ? Vous vous êtes servie de votre ordinateur ?

— Non, je me suis endormie à côté de Petey, puis je me suis réveillée vers 4 heures du matin et je suis allée me coucher.

Bon sang. Des habitudes typiques d'une mère célibataire mais rien qui puisse servir d'alibi.

Colt réfléchit en tapotant le sol du pied.

— Le shérif a-t-il fait allusion aux preuves qu'il a contre vous ? A la manière dont il a découvert que vous connaissiez Rice ?

Serena plissa le front.

— Non.

— Et la cause ou l'heure de sa mort ?

Elle secoua la tête.

— Non, il ne m'a rien dit du tout.

Une situation qu'il veillerait à rectifier.

— Dites-m'en plus sur Rice. Quel était son travail ? Comment l'avez-vous rencontré ?

Serena laissa échapper un soupir.

— Il m'a dit qu'il était à son compte, qu'il faisait des investissements dans de petites sociétés. Je suis comptable, et l'un de mes clients m'avait recommandée à lui au cas où il aurait besoin de mes services.

Il fallait qu'il se procure davantage d'informations sur ce Rice, songea Colt.

— Vous avez déjà appelé un avocat ?

Elle parut submergée par une vague de désespoir.

— Non, je n'ai pas encore pu appeler.

Sa voix se brisa de nouveau.

— Et je ne sais pas qui engager. Je n'ai jamais eu besoin d'un avocat auparavant.

Elle tourna le regard vers la porte de la cellule.

— Je n'arrive pas à croire que j'en aie besoin maintenant.

Colt renonça à ses efforts pour rester à distance et lui prit les mains.

— Ecoutez-moi, Serena. Je connais une bonne avocate, je vais l'appeler pour vous.

Les pas du shérif résonnèrent à l'autre bout du couloir et Colt se leva.

— Tenez bon. Je vais appeler cette amie pour qu'elle s'occupe de votre caution. Et je vais questionner le shérif pour en savoir plus au sujet du meurtre de Rice.

Gray apparut derrière les barreaux et fit tinter ses clés en direction de Colt.

Serena se leva et l'attrapa par le bras.

— S'il vous plaît, Colt. Dites à Petey que je l'aime.

Et ne le laissez pas se perdre dans ces institutions. J'y ai grandi moi-même et je sais comment c'est.

Colt avait été policier assez longtemps pour savoir ce que cela signifiait. Mais la loi était la loi et il avait les mains liées.

Petey allait devoir retourner à Magnolia Manor.

Serena se mit à faire les cent pas dans sa cellule, avec une impression d'étouffement. L'odeur nauséabonde de sueur, d'urine et de crasse la faisait presque suffoquer.

Elle se sentait piégée. En pleine panique. Et folle d'inquiétude pour son fils.

Le visage de Colt Mason s'imposa à son esprit et un frémissement de frayeur la parcourut des pieds à la tête. Il avait une mâchoire puissante et carrée qui semblait toujours serrée par la colère. Son nez busqué, la cicatrice sur son front et ses yeux noirs lui donnaient l'air menaçant.

Mais elle avait perçu de la tendresse dans sa voix quand il avait parlé de Petey. Et s'il travaillait avec GAI — elle avait vu sa carte — alors il devait répondre de ses actions devant son patron et ses collègues, ce qui signifiait qu'il se devait de rester dans la légalité.

Ses questions sur Lyle l'avaient fait aussi s'interroger. Qu'allait lui dire le shérif sur l'affaire ? Gray devait avoir des éléments pour la retenir. Mais quel genre d'indices pouvait-il bien avoir contre elle ?

Elle avait le corps douloureux de fatigue et de tension. Elle s'écroula sur la couchette, malade de dégoût à l'idée de devoir passer la nuit là. A la pensée de Petey dormant dans un orphelinat ou une famille d'accueil où il pouvait lui arriver Dieu sait quoi…

Il était si petit, si jeune. Il ne saurait pas se défendre contre les brutes et les enfants des rues. Et il n'aurait pas assez de force pour se protéger si un membre du personnel s'en prenait à lui.

Les souvenirs d'une famille d'accueil où elle avait été agressée par le père lui revinrent et elle frotta inconsciemment la cicatrice au-dessus de sa clavicule.

La femme… était tout aussi méchante. Une grenouille de bénitier qui avait sacrifié Serena à son mari afin de se préserver de ses vils attouchements. C'était la volonté de Dieu, avait-elle dit.

Mais Dieu ne voulait pas qu'on fasse du mal aux enfants.

Ses larmes menaçaient de se remettre à couler, mais elle les retint et se réfugia dans un coin de son esprit, comme elle le faisait quand elle était enfant. Rien de mal ne pouvait lui arriver quand elle s'y trouvait.

Elle n'était plus une petite fille. Elle était solide. Elle avait trouvé l'amour. Elle avait un fils et elle donnerait sa vie pour le protéger.

Soudain épuisée, elle s'allongea et ferma les yeux. Mais, au moment où elle allait s'endormir, le visage de Lyle Rice se présenta à son esprit. Puis celui de son tuteur.

Sauf que cette fois il faisait équipe avec Rice et que tous deux poursuivaient Petey…

Elle se releva en sursaut, tremblant de tous ses membres, le corps parcouru de frissons glacés.

Je vous en prie, Colt, aidez-moi. Et faites vite…

Petey pivotait dans le grand fauteuil, les jambes pendantes. M. Colt était parti depuis longtemps.

Il gardait le regard fixé sur la porte, espérant que Colt allait arriver à tout moment.

Espérant que sa mère serait avec lui, qu'ils rentreraient à la maison, et que cette horrible journée serait finie.

L'ami de M. Colt, M. Derrick, posa un bloc de papier et des crayons de couleur sur la table basse.

— Tu veux dessiner un peu en attendant que Colt revienne ?

Il fixa les objets un instant. Il savait bien dessiner, mais il n'en avait pas envie. Son estomac tressautait et gargouillait tellement il avait faim.

Il aurait peut-être dû s'enfuir de prison après le déjeuner seulement.

Il secoua la tête.

— Non. Je veux aller chez moi.

M. Derrick hocha la tête.

— Je sais. Quand Colt reviendra, il nous dira quand toi et ta mère vous pourrez rentrer chez vous.

Des pas firent grincer le plancher. Le cœur de Petey se mit à battre plus vite. Il se redressa. Sa maman arrivait. Elle allait le serrer fort contre elle, puis ils iraient déjeuner, manger une glace et oublier ce jour affreux.

Mais ce fut Brianna qui franchit la porte.

Petey se figea.

M. Colt ne l'avait pas du tout aidé. Il lui avait menti.

Les larmes lui montèrent aux yeux. Il l'avait cru parce qu'il avait le nom d'un pistolet dont son père lui avait parlé.

Mais M. Colt avait téléphoné à la prison des enfants pour qu'on vienne le chercher.

Allaient-ils lui mettre ces trucs en métal sur les mains comme ils avaient fait à sa maman pour l'empêcher de s'enfuir encore une fois ?

3

Le commentaire de Serena sur le système avait perturbé Colt. Que lui était-il arrivé pendant qu'elle était en famille d'accueil ? Quelqu'un lui avait-il fait du mal ?

Sachant que c'était très possible, il se sentit tourmenté à l'idée que son fils doive demeurer à l'orphelinat ou dans une famille d'accueil le temps que cette histoire soit éclaircie et Serena innocentée.

Si elle était innocentée.

Dieu sait qu'il avait vu suffisamment d'affaires tourner mal pour ne pas faire complètement confiance à la justice.

Il pénétra dans le bureau de devant et appela Kay Krantz, une avocate qu'il avait rencontrée quand il était dans la police. Elle était sympathique, avait de la compassion et la ténacité d'un pitbull. Dès qu'il lui eut expliqué que Serena était une mère célibataire dont le mari avait été tué dans l'exercice de ses fonctions, elle donna son accord pour se charger de l'affaire.

Ensuite, il appela Benjamin Camp chez GAI. Ben était leur ressource technique. S'il n'arrivait pas à pirater ou à tracer quelque chose, alors c'est qu'il n'y avait rien à faire.

— Ben, c'est Colt. Tu as parlé à Derrick ?

— Oui, il a mis Gage et tous les collègues au courant de ton affaire. Où es-tu ?

— Au bureau du shérif. Je viens de voir la mère du petit garçon et je crois à son histoire.

Il lui narra les avances de Rice, le refus de Serena et le coup que l'homme avait donné au garçon.

— Comment est-il mort ?

— Je n'ai pas encore les détails, mais je vais interroger le shérif maintenant. J'ai aussi appelé Kay Krantz et elle est d'accord pour représenter Serena. Elle est en route.

— Donc tu crois à l'innocence de cette Mme Stover ?

Colt hésita. Il avait déjà été trompé par des femmes auparavant. Mais pas longtemps. L'un des avantages de travailler sous couverture était de lui avoir donné une bonne perception des personnalités, en bien comme en mal.

— Oui, j'y crois.

— Alors je vais voir ce que je peux trouver sur Rice. S'il a des squelettes dans le placard, je les dénicherai.

— Merci, Camp. Je te tiendrai au courant quand j'aurai parlé à Gray.

Colt se dirigea vers le bureau du shérif et frappa à la porte. Gray leva les yeux du dossier posé sur son bureau et lui fit signe d'entrer.

— Je ne m'attendais pas à vous croiser dans cette enquête, déclara le shérif sans préambule.

Colt haussa les épaules.

— Le fils de Mme Stover nous a présenté une affaire intéressante.

Gray hocha la tête d'un air troublé.

— Je ne l'ai pas encore interrogée. Elle était trop bouleversée quand nous l'avons amenée ici.

Donc le shérif était accessible à la pitié. S'il avait été convaincu que la femme était une meurtrière de sang-froid, il lui aurait sauté à la gorge avant qu'elle ait le temps de concocter une version arrangée des faits.

Colt croisa les bras.

— Alors, quels sont les éléments en votre possession qui ont motivé son arrestation ?

Gray se renversa dans son fauteuil et posa les pieds sur le bureau.

— Vous savez bien que je ne suis pas forcé de vous dire ça.

— C'est vrai. Mais j'ai le sentiment que vous allez quand même le faire.

— Mme Stover a-t-elle un avocat ?

— Elle est en route.

Gray hocha la tête, comme s'il s'y attendait.

— Alors il vaut mieux en parler tous ensemble.

Mais Colt voulait des réponses immédiatement.

— Aux nouvelles, ils ont dit que vous n'aviez pas trouvé le corps de Rice. Vous l'avez découvert maintenant ?

Gray tripota un stylo sur son bureau.

— Non.

Colt fronça les sourcils.

— Alors comment pouvez-vous être certain qu'il y a bien eu meurtre ?

— Il y a d'autres éléments incriminants, répondit le shérif d'un ton qui laissait entendre qu'il n'avait pas l'intention de discuter ni de révéler les informations en sa possession.

— Et la cause de la mort ?

Le visage du shérif se ferma.

— Je vous ai dit que nous en parlerions avec Mme Stover et son avocate. A présent, il faut que je passe un coup de fil.

Colt hésita. Il avait envie d'insister, mais le shérif lui indiquait la porte et il se souvint que Gage lui avait demandé de rester en bons termes avec lui.

Impatient que l'avocate arrive, il sortit dans la rue pour l'attendre. Mais les questions taraudaient son esprit. Qu'avait donc le shérif contre Serena ?

Quoi que ce soit, ce devait être fichtrement convaincant.

Une décapotable rouge déboucha à toute allure dans la

rue et se glissa sur une place de parking devant le bureau du shérif. Kay Krantz. Un instant plus tard, elle sortit de voiture avec une allure toute professionnelle dans son tailleur bleu sombre. C'était une très belle femme, mais elle était d'une férocité redoutable dans son travail et Colt admirait cela.

Pourtant il n'y avait rien eu entre eux, en dehors de l'amitié et d'un sain respect pour leurs jobs respectifs. Comme Serena, Kay était toujours en deuil de son mari. Un jour, sans doute, elle surmonterait son chagrin et ferait un heureux.

Pour le moment, Colt voulait seulement qu'elle aide Serena Stover et son petit garçon.

— Tu as parlé au shérif ? demanda-t-elle en remontant la bandoulière de son attaché-case en cuir noir sur son épaule.

— Il voulait t'attendre.

Il lui ouvrit la porte et elle se faufila à l'intérieur.

— A propos, il n'a pas encore interrogé Serena. Elle était trop bouleversée quand il l'a arrêtée.

Kay haussa un sourcil mais continua à marcher en repoussant une mèche de longs cheveux noirs derrière son oreille.

Quand elle pénétra dans le bureau du shérif, les yeux de celui-ci s'éclairèrent.

— Kay Krantz, dit-elle en tendant la main.

Gray se leva et la lui serra.

— Vous représentez Serena Stover.

— C'est cela.

Ses doigts se refermèrent autour de la bandoulière de son sac.

— J'aimerais voir le mandat d'arrêt.

En fronçant les sourcils, le shérif le tira d'une pile de papiers sur son bureau et le lui tendit.

— Je peux vous assurer que tout est en ordre.

Kay l'étudia un moment puis le reposa sur le bureau.

— D'accord. A présent, je veux voir ma cliente.

— Naturellement, répondit Gray. Je vais la transférer dans la salle d'interrogatoire et nous nous réunirons là-bas.

Il jeta un coup d'œil à Colt.

— Attendez ici.

— Il est avec moi, dit Kay.

Elle sourit en voyant le shérif plisser les yeux.

— C'est mon assistant.

— D'accord, marmonna Gray en faisant tinter ses clés avant d'aller chercher Serena.

Cinq minutes plus tard, ils étaient tous assis dans la salle d'interrogatoire. Serena et Kay étaient d'un côté de la table, face au shérif, tandis que Colt s'était assis à un bout. Gray lui avait déjà intimé l'ordre de se taire.

Il espérait s'en accommoder, mais il ne pouvait rien promettre.

Pourtant, il affichait son expression de joueur de poker, celle qu'il adoptait quand il travaillait sous couverture. Quelquefois, les gestes des gens en disaient plus long que leurs paroles. Il espérait seulement que Serena allait dire la vérité.

Et qu'il n'y avait rien dans son passé que le shérif pourrait utiliser contre elle.

Serena serra ses mains moites de toutes ses forces, s'attendant à être mise en pièces par les questions du shérif.

Kay Krantz lui pressa le bras et elle inspira profondément. Quand l'avocate s'était présentée, Serena s'était rappelé avoir entendu son nom à propos d'une grosse affaire à Raleigh.

L'avocate avait gagné.

Elle espérait qu'elle avait autant de talent que le prétendait l'article qu'elle avait lu.

— Bien, shérif, commença Kay. Montrez-nous ce que vous avez.

Gray garda une expression solennelle en ouvrant un dossier et en étalant devant eux des photos de la chambre saccagée. La lumière était faible, les meubles usagés et passés de mode, mais c'était le désordre qui attira l'œil de Serena. Des vêtements étaient éparpillés partout, une lampe renversée, un verre à vin cassé sur la moquette décolorée.

Puis son regard tomba sur le lit et elle sentit son estomac se retourner. Les draps emmêlés étaient trempés de sang.

— Nous pensons que M. Rice a été tué dans sa chambre.

Le shérif désigna les taches pourpres sur les draps et le plancher.

— Comme vous le voyez à la quantité de sang, il a apparemment été poignardé à plusieurs reprises et il a saigné abondamment.

Serena ne pouvait détourner son regard. Personne ne pouvait survivre à une telle perte de sang.

Kay désigna les autres photos.

— Dans ce cas, où est le corps de Rice ?

Le shérif se tourna vers Serena et lui adressa un regard soupçonneux qui fit courir un frisson le long de sa colonne vertébrale.

— Nous espérons que Mme Stover va nous le dire.

— Je n'en ai aucune idée, balbutia Serena. Je…

— Chut, ne dites rien pour le moment, murmura Kay en posant sa main sur celle de Serena pour la calmer.

— Et l'arme du crime ? questionna-t-elle tout haut.

Le shérif désigna un couteau de cuisine à dents de scie sur le sol, près des draps emmêlés.

Une peur glacée envahit Serena. Seigneur… Ce couteau

ressemblait comme deux gouttes d'eau à l'un de ceux que les parents de Parker leur avaient offerts en cadeau de mariage.

— Le sang est celui de Rice. Et nous avons trouvé les empreintes de Mme Stover sur le couteau ainsi que sur le verre à vin.

Serena eut un hoquet.

— Mais je ne suis jamais allée chez cet homme !

Le shérif se pencha en avant, les mains à plat sur la couverture du dossier. Il tira une autre photo de la pile et leva un sourcil.

— Alors comment se fait-il que vos sous-vêtements et vos empreintes se trouvent dans sa chambre, madame Stover ?

Serena fixa la culotte de dentelle noire d'un air stupéfait.

— Je n'en ai aucune idée. Je vous répète que je ne suis jamais allée chez lui…

L'expression du shérif se durcit.

— Tout comme vous ne vous êtes pas rendue coupable d'agression quand vous étiez adolescente.

Serena en eut le souffle coupé.

— Je ne l'étais pas. De plus, mon casier est censé avoir été effacé.

Kay couvrit de nouveau sa main pour la faire taire.

— Serena, je vous en prie. Laissez-moi gérer cela.

Celle-ci jeta un regard implorant à Colt, cherchant son soutien, mais son visage était semblable à un masque de granit.

Il fallait qu'ils la croient. Elle n'était pas allée chez Lyle.

Bien sûr, elle n'avait pas non plus agressé ce type quand elle avait quinze ans. Elle se défendait. Mais le garçon venait d'une famille riche qui avait payé très cher un avocat pour la traîner dans la boue et elle avait atterri dans un centre de redressement pour jeunes délinquants.

Mais comment sa culotte, ce couteau et ses empreintes étaient-ils arrivés chez Lyle ?

Le shérif posa une autre photo devant eux.

— Ceci provient de l'ordinateur de M. Rice.

Il étala plusieurs captures d'écran devant elle et se servit de son stylo pour les désigner.

— Lisez donc ces e-mails, madame Stover.

En tremblant intérieurement, Serena se pencha pour déchiffrer le message, et Kay fit de même.

> Je t'aime, Lyle. Je ne te laisserai pas me quitter. Je te tuerai plutôt que de te laisser partir.
> Tu es à moi pour toujours.
> Serena

La nausée l'envahit tandis qu'elle lisait une dizaine de messages semblables. Chacun d'eux proclamait son amour, suppliait l'homme de ne pas la quitter, et les derniers devenaient de plus en plus menaçants.

Mais elle ne les avait pas envoyés.

— A en juger par ces e-mails, il semble que vous étiez obsédée par Lyle Rice.

La chaise du shérif grinça quand il s'appuya contre le dossier en l'observant.

— Rice n'était pas furieux à cause de votre refus, madame Stover. C'est l'inverse. Vous le harceliez.

— Non… Ce n'est pas vrai…

— Du calme, Serena.

Les doigts de Kay se resserrèrent autour des siens.

— Shérif, comment savez-vous que ces e-mails viennent de ma cliente ? Vous aviez un mandat pour fouiller son ordinateur ?

Gray sourit.

— Je ne suis pas idiot, comme vous semblez le penser, maître Krantz.

Il sortit une enveloppe marron d'un classeur de bureau et la jeta sur le bureau avant d'en tirer le téléphone portable de Serena enfermé dans un sac en plastique.

— Quand nous avons incarcéré Mme Stover, nous avons prélevé ses objets personnels. Ces e-mails proviennent de son téléphone portable.

Le cœur de Serena se mit à battre à se rompre.

— Ce n'est pas possible !

— Quelqu'un d'autre peut s'être servi de ce téléphone pour feindre une correspondance, souligna calmement Kay.

Le shérif haussa les épaules puis se tourna vers Serena.

— Mais vous les avez envoyés, n'est-ce pas, madame Stover ? Vous recherchiez désespérément une attention masculine après la mort de votre mari, alors vous êtes tombée amoureuse du premier homme qui passait. Et vous n'avez pas pu supporter que Rice rompe, alors vous l'avez harcelé, puis vous êtes allée chez lui et vous l'avez poignardé.

Sa voix se durcit.

— Maintenant, dites-nous où vous avez mis le corps et nous pourrons peut-être passer un marché.

— Il n'est pas nécessaire de parler de marché. Ma cliente est innocente, déclara Kay avec un regard de défi à l'adresse du shérif. Regardez-la. Elle ne pèse pas plus de cinquante kilos. Rice était bien plus grand et fort, n'est-ce pas ?

Elle se tourna vers Serena.

— Combien pesait-il ? Quatre-vingt-dix, cent kilos ?

Serena hocha la tête.

— Premièrement, il est hautement improbable que Serena puisse vaincre un homme de cette taille et lui donner des coups de couteau. Deuxièmement, même si elle l'avait fait, il se serait défendu et elle porterait des blessures.

Kay comptait les arguments sur les doigts de sa main.

— Troisièmement, même si elle avait surmonté ces obstacles évidents et s'était débrouillée pour le tuer, comment aurait-elle pu se débarrasser du corps ?

Le shérif posa le doigt sur la première photo de la scène de crime.

— Vous voyez ces marques sur le sol ? Il y avait un tapis à cet endroit. Elle s'en est servie pour envelopper le corps.

Il lança un regard de condamnation à Serena.

— Ensuite vous l'avez tiré dehors et vous l'avez mis dans votre voiture pour le jeter quelque part. Où ? Dans un ravin ? Dans la rivière ?

Kay leva les yeux au ciel.

— Il est impossible que ma cliente ait soulevé toute seule le corps de Rice pour le mettre dans son véhicule.

Gray pencha la tête.

— Vous seriez surprise de ce qu'on peut faire quand on est dopé par l'adrénaline.

Kay bondit de son siège avec une expression sarcastique.

— Shérif, c'est ridicule ! Maintenant vous allez l'accuser d'avoir eu un complice. C'est peut-être son petit garçon de six ans qui l'a aidée à se débarrasser de son corps, pendant que vous y êtes !

— Pourquoi ne laissez-vous pas votre cliente nous dire où elle a mis le corps de Rice ? suggéra Gray.

Serena le fixa en ravalant une réplique mordante. A ce stade, hurler et discuter ne ferait que lui donner l'air encore plus coupable.

— Comme je vous l'ai dit, ma cliente est innocente, intervint Kay.

Elle saisit son attaché-case.

— Cet interrogatoire est terminé. J'exige que vous relâchiez Mme Stover.

— C'est le juge qui en décidera, demain matin, riposta le shérif.

— Mais vous n'avez tout simplement pas de dossier, martela Kay en le fusillant du regard. Vous n'avez pas de corps, donc pas de preuve qu'un crime ait été commis, surtout un meurtre. Et toutes les autres sont circonstancielles.

— Elles sont peut-être circonstancielles, répliqua le shérif, mais elles sont suffisantes pour détenir votre cliente et pour la mettre en accusation. Et, pour votre information, j'ai un mandat pour saisir le véhicule de Mme Stover et le faire fouiller.

Il jeta un coup d'œil à sa montre.

— En fait, il est probablement déjà saisi à l'heure qu'il est.

Une pure panique s'empara de Serena. Elle voulait nier que le shérif trouverait quoi que ce soit de compromettant dans sa voiture. Mais il avait des preuves qui dépassaient son entendement. Des preuves fabriquées.

Qui voulait donc lui mettre un meurtre sur le dos ?

Si elle était condamnée, Petey serait obligé de vivre dans une famille d'accueil. Elle ne pouvait pas le perdre et passer le reste de sa vie en prison pour un crime qu'elle n'avait pas commis.

— Madame Stover, avez-vous quelque chose à déclarer ? demanda le shérif.

Serena regarda Colt. Il l'observait, s'efforçant sans doute de décider s'il devait la croire ou pas.

Pour une raison quelconque, cela lui fit plus mal que les accusations flagrantes du shérif.

Elle se redressa et mit autant de sincérité qu'elle le put dans sa voix.

— Seulement que je suis innocente. Je n'ai pas tué Lyle Rice, je le jure.

Le shérif se leva comme pour les congédier.

— Maître Krantz, l'audition préliminaire de votre cliente est fixée à 10 heures demain matin. Nous nous verrons là-bas.

Les yeux de Kay s'assombrirent de colère, mais elle hocha la tête et se tourna vers Serena.

— Tenez bon jusqu'à demain. Nous allons vous tirer de là aussi vite que possible.

— Mais mon fils ? balbutia Serena en serrant les poings.

Elle aurait peut-être dû voler ces clés, finalement, s'emparer de Petey et s'enfuir.

— Il a peur, il a besoin de moi.

— Vous auriez dû y penser avant de tuer Rice, marmonna Gray.

— Ça suffit, shérif !

Colt s'était avancé vers Gray.

— Pendant que vous perdez votre temps à terroriser une innocente, le véritable meurtrier, s'il y a effectivement eu meurtre, est en train d'échapper à la justice.

Le shérif lui lança un regard noir puis agrippa le bras de Serena pour la ramener en cellule.

L'idée de laisser Serena en prison pour la nuit tourmentait Colt. Gray s'était montré un vrai salopard. Mais bon sang, le casier de Serena ne facilitait pas les choses !

Il fallait qu'il découvre les faits à l'origine de cette arrestation.

Tout de même, il espérait que Gray n'allait pas mettre un autre prisonnier dans la même cellule que Serena, surtout un prisonnier violent.

Le visage de Petey lui traversa l'esprit. Le petit garçon devrait passer la nuit à Magnolia Manor.

Il n'aimait pas ça, mais il avait les poings liés. Et

trouver le meurtrier de Rice, ou Rice lui-même s'il était toujours en vie, était la meilleure manière d'innocenter Serena et de lui rendre son fils.

Circonstancielles ou non, les preuves que Gray avait étaient plutôt convaincantes.

On t'a déjà trompé, lui rappela une voix. *Et tu as failli en mourir.*

Seulement, cette fois-ci, il se montrerait plus habile. Cette fois, il ne s'impliquerait pas personnellement. N'approcherait pas de Serena ni de son fils.

Mais il irait jusqu'au bout de l'affaire. Le fait qu'il n'y ait pas de corps et uniquement des preuves circonstancielles le titillait. De même, il ne voyait pas Serena harceler quelqu'un.

Bien sûr, il y avait son casier judiciaire…

Pourtant, cela s'était passé des années auparavant et elle avait dit qu'elle avait grandi en institutions. Il avait besoin d'écouter son histoire avant de donner crédit à cette condamnation.

Pour le moment, il allait s'entretenir avec quelques-uns de ses clients, amis et voisins, et essayer de comprendre qui était la Serena adulte. Il ne croyait pas une minute qu'elle ait laissé son fils seul, conduit jusque chez Rice pour le tuer et traîné ensuite son corps jusqu'à sa voiture pour s'en débarrasser.

Pas ce petit brin de femme qui adorait son fils et ne supportait pas l'idée qu'il aille en famille d'accueil.

S'efforçant de se débarrasser des images d'elle, seule dans cette horrible cellule et dormant sur cette couchette inconfortable, qui lui peuplaient l'esprit, il monta dans sa Range Rover et retourna à son bureau. Il fallait qu'il mette l'équipe au courant, qu'il voie ce que Ben avait trouvé et qu'il commence à interroger tous ceux qui connaissaient Serena pour dresser son portrait moral.

Il fallait aussi qu'ils passent au peigne fin le voisinage de Rice en quête de témoins. Quelqu'un avait peut-être remarqué une autre voiture la veille ou bien entendu une altercation qui pourrait les mener à la vérité.

Les ombres de la fin d'après-midi s'allongeaient et le soleil était en train de disparaître derrière l'horizon. Colt sentit ses entrailles se nouer.

La nuit serait longue pour Serena.

Ainsi que pour Petey.

Il se gara et, rassemblant ses forces, pénétra dans l'immeuble qui abritait les bureaux des Guardian Angel Investigations. Il se dirigea directement vers le bureau de Derrick. La voix de Brianna s'élevait à l'intérieur et il entendit le bébé babiller.

En contournant l'angle du couloir, il vit Petey, avachi sur le canapé, en train de regarder le bébé, son petit visage crispé d'inquiétude. Derrick leva les yeux quand il entra, de même que Petey.

Le visage du petit garçon s'allongea.

— Je croyais que tu allais ramener ma mère.

Colt avala sa salive pour faire passer le nœud qui s'était formé dans sa gorge et s'arrêta devant lui.

— Je viens de la voir, mon vieux, et elle va bien. Mais elle ne sera relâchée que demain.

— Non !

Petey sauta sur ses pieds et serra les poings.

— Non, il faut qu'elle vienne me chercher pour qu'on aille à la maison et qu'on fasse des hot dogs, et qu'elle me lise des histoires et qu'on joue avec mes personnages.

Il s'arrêta pour reprendre son souffle dans un sanglot.

— Je suis désolé, Petey, dit Colt. J'ai fait tout ce que j'ai pu. Mais le juge ne l'entendra que demain matin. Elle sera libérée sous caution et elle pourra rentrer à la maison.

— Mais je veux qu'elle soit là aujourd'hui, gémit Petey.

— Petey, dit doucement Brianna, souviens-toi de ce que je t'ai dit au sujet de Magnolia Manor. Ce n'est pas un mauvais endroit. Les enfants sont gentils, et tu pourras jouer avec eux. En plus, Rosalie te lira des histoires.

Petey frappa la poitrine de Colt de ses petits poings.

— Non, tu mens. Tu vas m'envoyer à la prison des enfants. Je veux pas aller en prison.

Colt sentit son cœur se serrer, mais il laissa le petit garçon exprimer sa colère, acceptant ses coups jusqu'à ce que Petey s'écroule contre lui dans un accès de sanglots.

Brianna et Derrick l'observaient avec un air de compassion. Le bébé arrêta aussi de jouer pour regarder Petey, la lèvre tremblante comme s'il allait fondre en larmes lui aussi.

— Colt, déclara Derrick, au lieu de renvoyer Petey au manoir, Bri et moi pourrions le prendre à la maison pour cette nuit.

Brianna frictionna le dos de Petey qui gisait toujours contre la poitrine de Colt, épuisé.

— C'est une idée géniale, Petey. Tu pourras dormir avec Ryan dans sa chambre.

Colt leur adressa un regard reconnaissant. Brianna avait de l'expérience avec les enfants et était bien plus compétente que lui pour s'occuper d'un gosse effrayé et en colère.

— Merci. Je suis sûr que sa mère serait soulagée de le savoir chez vous.

En outre, il ne pouvait garder le petit garçon et enquêter en même temps. Pourtant, tenir Petey contre lui remuait en son for intérieur des instincts primitifs qu'il ignorait posséder.

— Petey, murmura-t-il. Tu ne retournes pas au manoir tout de suite. Derrick et Brianna t'invitent à passer la nuit chez eux avec leur bébé.

Petey hoqueta mais ne répondit pas.

Colt le transporta jusqu'à la voiture de Derrick et le déposa sur la banquette arrière. Le petit garçon planta ses yeux rouges et gonflés dans les siens, comme s'il le haïssait.

— Je sais que tu m'en veux, souffla Colt.

Le regard accusateur de Petey le faisait se sentir terriblement coupable.

— Mais tu m'as demandé de faire sortir ta mère de prison, et c'est ce que je vais faire. Je te le promets.

Il se pencha en avant.

— J'ai besoin de ton aide. Ton boulot, c'est d'être sage avec Brianna et Ryan. Comme ça, le papa de Ryan pourra m'aider à innocenter ta mère.

La lèvre inférieure de Petey se mit à trembler.

— Si mon papa était là, il ne les aurait pas laissés emmener ma maman ou moi.

Colt serra les dents. C'était sans doute vrai. Mais son père était mort.

Et à présent Serena et Petey n'avaient que lui.

Colt fourra la main dans sa poche et en tira un petit sifflet argenté. Il n'avait jamais oublié le jour où son père le lui avait donné. Le jour où un policier était venu à l'école pour parler des inconnus aux enfants.

Il le tendit à Petey.

— Mon père m'a donné ça quand j'avais à peu près ton âge. Il m'a dit de siffler si j'avais besoin d'aide. Il est à toi. Mais rappelle-toi de t'en servir uniquement en cas de nécessité.

Petey referma une main tremblante sur l'objet.

Colt regarda Derrick et Brianna s'éloigner, hanté par le petit visage de l'enfant.

*
**

Il passa la soirée à quadriller le quartier de Rice, mais personne ne savait rien. Selon une femme âgée vivant deux appartements en dessous, l'homme avait emménagé un mois auparavant mais n'avait frayé avec personne. D'autres prétendaient qu'ils l'avaient vu seulement aller et venir. Personne ne lui avait vraiment parlé.

Et personne n'avait rien entendu la veille au soir. Pas de voiture, pas de dispute, pas de cris.

Le bon côté des choses, c'était que personne n'avait vu non plus Serena Stover ou sa voiture dans les parages.

Qu'était-il donc arrivé à Rice ?

Et qui voulait faire tomber Serena ?

Une dizaine de questions au moins se pressait en dans le cerveau de Colt tandis qu'il engloutissait une pizza. Il passa deux heures en ligne à faire des recherches mais ne trouva presque rien sur Rice.

Ce qui soulevait d'autres questions. Un homme d'affaires faisant partie de plusieurs sociétés aurait dû avoir une visibilité sur internet.

Il tapa l'adresse du site Web de Serena et nota les numéros de deux de ses clients, qu'il appela ensuite. Tous deux lui firent une description dithyrambique de Serena en insistant sur le fait qu'elle était sympathique, professionnelle et qu'elle adorait son fils. Tous deux étaient choqués par son arrestation.

Il essaya une tactique différente pour Rice, en recherchant dans le passé de l'homme plutôt que dans son présent, et il était toujours en train de travailler quand le téléphone sonna à 2 heures du matin.

Il fronça les sourcils et s'empara du combiné.

— Colt, c'est Derrick.

Son collègue avait une voix blanche et tendue.

— Qu'est-ce qui se passe ?

— C'est Petey. Il s'est finalement endormi autour de

minuit et nous sommes allés nous coucher aussi. Mais j'ai entendu du bruit quelques minutes après et je me suis levé… Bon sang, Colt !

Le cœur de Colt se mit à tambouriner dans sa poitrine.

— Quoi ?

— Il a fugué.

4

— Petey n'est plus là ?

— Non, répondit Derrick d'une voix bouleversée.
Nous avons fouillé la maison et le jardin, mais il n'est
nulle part.

— Bon sang, il s'est de nouveau enfui.

— C'est ce que j'ai pensé. Je vais prendre la voiture
et quadriller le voisinage.

Derrick laissa échapper un bruyant soupir.

— Bri a déjà appelé Rosalie au manoir, mais je ne
crois pas que Petey y retournera.

— Moi non plus.

Alors où irait le gosse ?

— Il était furieux après moi, dit Colt. Il va peut-être
venir ici.

— Et comment saurait-il où tu habites, mon pote ?

Colt se passa une main sur le visage.

— C'est vrai. Ça n'a aucun sens.

— Il est peut-être allé à la prison, suggéra Derrick.

Colt envisagea cette possibilité.

— Peut-être, mais nous lui avons dit que les enfants
n'ont pas le droit d'y entrer.

Il s'efforçait de se mettre dans la peau d'un petit garçon
de six ans.

— Il va probablement aller quelque part où il se sent
en sécurité.

— Quelque part où il se sent proche de sa mère, murmura Derrick.

— Chez lui.

Colt s'empara de ses clés et se dirigea vers la porte.

— Je vais chez Serena. Tu vérifies le quartier, et j'appelle le shérif pour lui dire que Petey a disparu au cas où il se montrerait à la prison.

— Tu vas lui demander de le dire à Serena ? questionna Derrick.

Colt sauta dans sa Range Rover et mit le contact.

— Non, pas tout de suite. Elle serait terrifiée. Voyons d'abord si nous pouvons le trouver avant de lui imposer cette épreuve.

Colt raccrocha et composa le numéro du shérif. Celui-ci répondit à la troisième sonnerie.

— Gray, ici Colt Mason. Nous avons un problème.

— Vous savez quelle heure il est ?

— Petey Stover a disparu.

Un silence tendu suivit.

— Que s'est-il passé ?

— Il était bouleversé que je n'aie pas ramené sa mère. Derrick McKinney et sa femme ont proposé de le prendre chez eux pour la nuit.

— Je croyais qu'il était placé.

— Brianna travaille à Magnolia Manor. Nous avons pensé qu'il serait mieux avec eux pour la nuit. Mais Derrick vient de me téléphoner pour me dire que le petit est parti. Il fouille le voisinage, mais j'ai pensé que vous devriez vérifier à la prison au cas où il irait là-bas rejoindre sa mère.

Le shérif fit claquer sa langue.

— L'adjoint Alexander est à la prison en ce moment. Je vais l'appeler, faire passer un avis de recherche et patrouiller en ville.

Colt soupira.

— Merci. Je me rends chez Serena au cas où Petey rentrerait chez lui.

Le shérif raccrocha et Colt prit la direction de la maison de Serena. Il priait pour que Petey y soit au lieu d'errer tout seul dans la rue à cette heure-là.

Serena avait fini par s'endormir, mais les cauchemars ne cessaient de se succéder dans son esprit. Elle était enfermée dans un puits infernal avec des criminels endurcis, des femmes qui l'injuriaient et des gardiens qui la brutalisaient.

Elle se réveilla en sursaut et frissonna dans l'obscurité glaciale. L'odeur d'urine et de sueur des prisonniers précédents flottait autour d'elle, lui rappelant que c'était la lie de l'humanité qui atterrissait en prison.

Elle en ferait bientôt partie si Kay Krantz et Colt Mason ne découvraient pas qui avait tué Lyle Rice. Son casier de jeunesse pourrait lui coûter très cher cette fois-ci.

— Je suis navrée, Parker, murmura-t-elle.

Elle lui avait promis de prendre soin de leur fils et elle avait misérablement échoué, tout ça à cause de ses besoins égoïstes. Elle s'était sentie solitaire et avait invité Rice dans leur vie.

Elle ne ferait plus jamais passer ses propres besoins avant ceux de son fils.

L'image de Petey frappé de terreur et en larmes, pressant son visage contre la vitre de la voiture qui l'emportait, la tourmentait. Qui s'occupait de son fils cette nuit ? Quelqu'un lui avait-il lu une histoire ? S'était-on assuré qu'il s'était brossé les dents ?

Qui l'avait bordé, lui avait chatouillé le ventre et lui avait souhaité bonne nuit ?

Tremblant d'une colère renouvelée, elle repoussa la couverture miteuse, incapable de supporter plus longtemps son odeur épouvantable.

Mais elle était trop fatiguée pour s'asseoir ou faire autre chose que fixer les obscénités gravées sur les murs.

Une araignée tissait sa toile dans un coin de la cellule et elle la regarda travailler, méditant sur la complexité de son piège.

Elle aussi était comme une mouche prise dans la toile.

Parce que quelqu'un avait mis au point un piège élaboré pour l'impliquer dans le meurtre de Lyle.

Elle avait mal à la tête à force d'essayer d'assembler les morceaux du puzzle. Qui avait tué Lyle ? Et pourquoi vouloir lui mettre ça sur le dos ?

Comment pourrait-elle prouver que les preuves que le shérif avait contre elle avaient été fabriquées ?

Tout en roulant vers la maison de Serena, Colt balayait du regard les rues et les ruelles, espérant apercevoir Petey. Mais l'obscurité limitait sa vision et renforçait son inquiétude. Les montagnes se dressaient au-dessus de la ville, massives, pleines de dangers et de cachettes.

Petey savait-il au moins comment se rendre de chez Derrick à chez lui ?

Et s'il se perdait ? Ou bien si un conducteur heurtait accidentellement l'enfant ?

Il n'aurait jamais dû mettre Petey dans cette voiture. Il aurait dû le ramener chez lui.

C'était à lui que Petey s'était adressé, et il l'avait trahi en appelant le manoir puis en l'envoyant chez Derrick. Mais il avait pensé que Petey se sentirait à l'aise avec Brianna.

Les rues étaient calmes et, en dehors d'une voiture occasionnelle, la circulation était pratiquement inexistante.

Il tourna dans la rue de Serena en restant attentif aux passants éventuels, mais tout ce qu'il vit fut un chien errant dans un jardin. Une bagarre de chats éclata quelque part derrière une maison, leurs miaulements aigus déchirant le silence de la nuit.

Une lumière solitaire brillait ici et là, mais la plupart des maisons étaient obscures, attestant du fait que tout le monde était au lit.

Là où Petey aurait dû être.

Il se glissa dans l'allée de Serena et survola le terrain du regard. Un joli petit bungalow blanc avec un jardin clôturé. Une balançoire sur le porche d'entrée, un scooter d'enfant et un ballon de foot donnaient à l'endroit une ambiance familiale, rappelant qu'une mère et son fils vivaient là.

Une mère et son enfant dont les vies avaient été dévastées ce matin-là. La question était : pourquoi ?

Il coupa le moteur puis avança calmement vers la porte d'entrée, en vérifiant les portes et les fenêtres. La maison était enveloppée d'obscurité.

Si Petey était revenu, se cacherait-il dans le noir comme ça ?

Il décrivit un cercle autour de la maison pour entrer par-derrière, en vérifiant aussi les fenêtres. Elles étaient toutes fermées, de même que la porte de derrière. Il voulait entrer, mais il répugnait à casser une fenêtre ou forcer une serrure. Une pensée plus rationnelle lui vint et il pivota pour fouiller le patio arrière, dans l'espoir de trouver un double de la clé, caché par Serena.

Un fort de bois avait été érigé dans la cour et une bicyclette d'enfant gisait à côté. Des pots de fleurs débordant de géraniums et d'impatiens flanquaient les deux côtés du patio.

Il s'accroupit pour soulever le premier, mais il n'y avait

rien. Trois autres pots et sa main se referma sur la clé. Il s'en servit pour ouvrir la porte et fit halte, à l'écoute. Aucun signe de Petey.

Le tic-tac d'une horloge résonnait quelque part dans la maison, accompagné des vrombissements bas du réfrigérateur et de la climatisation.

— Petey, c'est Colt.

Ne voulant pas effrayer l'enfant s'il était là, il avança doucement et traversa la pièce pour allumer.

— Petey, si tu es là, s'il te plaît, sors de ta cachette. Je promets que je ne te ramènerai pas au manoir.

Pas de réponse.

Il se faufila dans le salon et alluma une lampe en cillant dans la lumière soudaine. La pièce était peinte dans un jaune pâle, avec un sofa vert foncé et des fauteuils confortables disposés autour de la cheminée. Des livres d'enfant et des jouets occupaient un coin. Des photos de famille ornaient le mur. Il fit une pause pour regarder une photo de Petey et de son père, et ses entrailles se nouèrent. Serena avait dit que son mari était mort dans l'exercice de ses fonctions.

Ses vieux instincts lui revinrent. Le travail d'un policier était dangereux. Le meurtrier de son mari avait-il été arrêté ? Sinon, celui-ci avait-il décidé de s'en prendre à Serena et Petey pour une raison quelconque ?

Si c'était le cas, pouvait-on relier cela au meurtre de Rice et au fait que quelqu'un avait piégé Serena ?

Il se frotta la nuque. Il allait peut-être trop vite en besogne, mais cela valait la peine d'explorer cette piste.

Il jeta un coup d'œil dans la pièce de droite et comprit qu'il s'agissait du bureau de Serena. Un bureau bien rangé, un classeur à archives, un ordinateur.

Mais pas de Petey.

De l'autre côté, un petit couloir menait aux deux chambres.

Il actionna l'interrupteur et entra dans la première. La chambre était peinte en rouge, avec des rideaux rayés rouges et une couette blanche. Manifestement, la chambre de Serena.

— Petey, tu es là, mon vieux ? Si oui, sors s'il te plaît et viens me parler. Je veux t'aider.

Le plancher grinça quand il s'agenouilla pour regarder sous le lit. Il fouilla ensuite le placard et la salle de bains. Rien.

Bon sang !

La chambre de Petey. Le gosse se cachait peut-être là. Il entra et survola la pièce du regard. Un lit-mezzanine avec une couette de super-héros, un coffre à jouets, des Action Man, un ballon de softball.

— Petey ?

Mais il savait instinctivement que le gamin n'était pas là. Il ouvrit tout de même la penderie. Des jouets et des vêtements débordaient des étagères et un gros camion de pompiers était posé sur le sol.

Il referma la porte et s'apprêtait à quitter la chambre quand une autre photo de Petey et de son père attira son regard. Parker Stover était grand et brun. Il avait posé le bras sur les épaules de son fils mais, sur cette photo-ci, il n'avait pas l'air aussi bien mis. Ses cheveux étaient longs et emmêlés et il portait la barbe. Colt repéra quelque chose de familier dans l'expression de ses yeux.

Comme s'il était un flic infiltré.

Il aurait dû comprendre. Stover avait laissé pousser ses cheveux et sa barbe et s'était fait faire des tatouages, tout l'attirail nécessaire pour passer inaperçu au milieu de la faune à laquelle il était censé appartenir.

Curieux d'en apprendre plus sur Parker Stover, Colt revint dans le bureau de Serena pour chercher plus d'informations à son sujet. Il fouilla dans son classeur, mais tout ce qu'il trouva concernait le travail de la jeune femme.

Avait-elle jeté toutes les affaires personnelles de son mari ?

Il avait remarqué une porte dans le couloir et il se demanda sur quoi elle donnait. Peut-être sur un grenier.

Une supercachette pour un petit garçon.

Avec un regain d'énergie, il alluma et grimpa l'escalier. Quelques vieux meubles étaient stockés dans un coin : un fauteuil, un autre lit. Des cartons de jouets et de vêtements, sans doute trop petits pour Petey, s'entassaient contre l'autre mur.

Du côté opposé, sous la fenêtre, se trouvait un vieux coffre. Juste assez grand pour qu'un enfant s'y glisse.

Il traversa la pièce et l'ouvrit, espérant y découvrir le petit garçon. Deux couvertures usagées recouvraient une grosse bosse.

— Petey ?

Il tâtonna mais sentit un sac de sport sous ses doigts.

Fronçant les sourcils, il le sortit et l'ouvrit. Le sac était rempli d'argent liquide.

En liasses de billets de cent dollars.

Son estomac se noua. Pourquoi, au nom du ciel, Stover avait-il tout cet argent dissimulé dans son grenier ? Serena connaissait-elle son existence ?

Et d'où venait-il ?

Il compta la première liasse et l'inquiétude remonta le long de sa colonne vertébrale tandis que son instinct policier complétait les blancs.

Une quantité pareille d'argent liquide suggérait que Stover était un flic corrompu.

*
* *

Incapable de dormir, Serena sentait monter la colère en elle. Mais elle avait été femme de policier, avait entendu Parker parler de ses affaires, avait observé son esprit méthodique aux prises avec la résolution de crimes.

Il fallait qu'elle fasse la même chose pour s'en sortir.

Elle appela l'adjoint, qui apparut un instant plus tard à la porte de sa cellule.

— Il faut que vous dormiez, grogna-t-il.

Serena saisit les barreaux.

— Je ne peux pas. Vous voulez bien me donner un stylo et une feuille de papier ?

Il plissa les yeux.

— Qu'est-ce que vous voulez en faire ? Essayer de vous enfuir ?

Elle leva les yeux au ciel.

— Ne soyez pas ridicule ! Je ne pourrais pas prendre le dessus sur vous, même si j'essayais.

Elle se força à esquisser un sourire féminin.

— Mais j'aimerais essayer de comprendre qui m'a tendu un piège. Je me suis dit qu'en faisant une liste de tous ceux qui sont venus chez moi durant ces dernières semaines, je me souviendrais peut-être de quelque chose.

L'adjoint l'étudia pendant un long moment.

— J'imagine que ça peut se faire.

Il repartit et revint une minute plus tard avec un bloc de papier jaune et un stylo.

— Merci.

Il lui adressa un signe de tête brusque, mais elle sentit son regard glisser sur elle comme s'il la jaugeait.

C'était ce salopard qui l'avait menottée et arrachée à son fils, et elle ne pourrait jamais l'oublier.

Il lui lança un dernier regard et s'éloigna. Elle poussa un soupir de soulagement. Elle était peut-être un peu paranoïaque. Son passé lui avait appris qu'il fallait rester vigilante et ne faire confiance à personne.

Dès qu'il eut disparu par la porte menant au bureau, elle s'assit sur la couchette et posa le stylo sur le papier en réfléchissant. A sa connaissance elle n'avait aucun ennemi. Mais Lyle en avait, manifestement. Il lui avait peut-être menti sur son activité professionnelle. Ou bien il avait trompé quelqu'un dans les affaires et cette personne voulait se venger.

Elle demanderait à Colt et à Kay de fouiller dans le passé de Lyle. Colt était peut-être déjà en train de le faire.

A présent, les preuves. Sa culotte et ses empreintes se trouvaient chez Lyle. Et le shérif avait saisi sa voiture pour l'examiner. Et s'ils trouvaient quelque chose dedans ?

Elle fronça les sourcils. Ses empreintes avaient pu être prélevées sur n'importe quoi, une tasse de café ou une bouteille d'eau. Lyle et elle avaient bu un café à leur premier rendez-vous. Elle essaya de se souvenir : était-ce un gobelet en plastique ou une tasse ? De la céramique. Elle avait aussi mangé un bagel, mais elle avait jeté les restes après avoir fini, en laissant la tasse sur la table.

Lyle et elle étaient-ils sortis ensemble, ou bien s'était-il attardé pour glisser la tasse dans sa poche ?

Sa mémoire se mit lentement en route. Il avait reçu un appel et était resté, tandis qu'elle était partie chercher Petey à son entraînement de foot.

Elle mit aussitôt de côté tous les gens du centre d'animation. La plupart d'entre eux étaient de jeunes étudiants bénévoles ou des femmes. L'entraîneur avait deux garçons à lui et aucune raison de lui en vouloir.

Donc Lyle aurait pu relever ses empreintes sur la tasse, mais, s'il était mort, c'était quelqu'un d'autre qui l'avait laissée chez lui. Quelqu'un l'avait-il observé et avait-il planifié son meurtre, puis décidé qu'elle ferait la coupable idéale après les avoir vus ensemble ? Si c'était le cas, c'était cette personne qui avait relevé ses empreintes sur la tasse.

Elle ferma les yeux pour se remémorer les détails de son second rendez-vous avec Lyle, au cinéma. Elle avait commandé un soda et jeté le gobelet dans la poubelle en sortant. Mais cela semblait tiré par les cheveux que quelqu'un les ait suivis dans le cinéma et se soit ensuite emparé du récipient. Pourtant, si le tueur possédait détermination et sang-froid, c'était possible. Un point que Kay Krantz pourrait souligner durant le procès.

Les e-mails la perturbaient aussi. Mais Kay avait insisté sur le fait que quelqu'un avait pu se servir de son portable pour les envoyer. Ou bien ils avaient l'air d'avoir été envoyés depuis son téléphone mais ne l'étaient pas.

Enfin, son slip posait un gros problème. Il avait forcément été volé chez elle. Elle rumina la question. Elle n'avait remarqué aucun signe d'effraction durant les dernières semaines.

Donc qui était entré chez elle ? Deux de ses clients étaient venus déposer du travail, mais aucun d'eux n'était resté ni même entré. Petey et elle étaient depuis si peu de temps à Sanctuary qu'ils ne s'étaient pas encore fait d'amis. Ils avaient été trop occupés à s'installer.

Seul Lyle Rice était venu la chercher avant le cinéma et était entré après pour prendre un verre.

Ce qui signifiait que quelqu'un s'était introduit chez elle et avait volé son sous-vêtement sans qu'elle s'en aperçoive. Cette pensée fit monter une autre vague de peur en elle.

Quand elle serait relâchée, elle allait faire changer toutes les serrures. Elle ferait aussi installer un système d'alarme. Si Petey ou elle avaient été là quand l'intrus s'était introduit dans la maison, ils auraient été en danger.

Elle ferait n'importe quoi pour garder son fils en sécurité.

Colt voulait en savoir davantage sur le mari de Serena et les raisons de son assassinat. Sa mort était-elle liée d'une façon ou d'une autre au meurtre de Rice ?

Ce sac plein d'argent et ces deux morts le chiffonnaient.

Il jeta un coup d'œil à l'horloge. 5 heures du matin.

Bon sang, il fallait qu'il trouve Petey. Le petit garçon était quelque part dehors, seul et vulnérable.

Ses yeux étaient irrités par la fatigue et il se les frotta. Si quelque chose arrivait à Petey, il ne pourrait jamais se le pardonner.

Une fois encore, il essaya de se mettre dans la peau du garçonnet. Colt avait cru qu'il était rentré chez lui. Cela aurait été le choix le plus logique, mais Petey était intelligent et il avait peur. Il avait sans doute compris que la police allait venir fouiller la maison. Où avait-il pu aller ?

Il s'était peut-être tourné vers un de ses copains d'école. Ou bien une amie de Serena, ou encore sa baby-sitter…

Il allait devoir rendre visite à Serena et lui avouer que son fils avait disparu.

Il envoya un SMS à Derrick disant qu'il se rendait à la prison. Puis il ferma la maison et se mit en route. Une minute plus tard, Derrick répondit qu'il le retrouverait au bureau du shérif.

Seuls quelques camions de livraison croisèrent sa route tandis qu'il se dirigeait vers la prison. Le soleil se levait derrière les montagnes et l'air était encore frais. Mais la chaleur de juillet se ferait sentir dans l'après-midi et la température s'envolerait.

Il prit une profonde inspiration en se morigénant de nouveau. En pénétrant dans le bureau du shérif, il vit l'adjoint Alexander qui somnolait sur une chaise. Celui-ci se réveilla en sursaut et se frotta les yeux.

— Que faites-vous ici à cette heure-ci ?

— J'ai besoin de parler à Serena Stover. Tout de suite.

Alexander posa ses pieds bottés sur le sol.

— Vous avez retrouvé son fils ?

— Non.

Un sentiment de culpabilité renouvelé monta en Colt.

— Il n'est pas rentré chez lui et j'ai besoin de demander à Serena si elle sait où il aurait pu aller.

Alexander hocha la tête et se leva avant d'attraper les clés. Celles-ci tintèrent dans le silence tandis qu'ils franchissaient la porte à double battant conduisant aux cellules. Le couloir était obscur et d'un calme irréel. Colt se demanda si Serena avait fini par s'endormir. Il s'en voulait de la réveiller, mais elle serait de toute façon furieuse qu'il ne soit pas venu plus tôt.

Assise sur la couchette où elle gribouillait sur un bloc, elle leva les yeux à son arrivée. Elle avait l'air épuisée, comme si elle n'avait pas fermé l'œil de la nuit. Ses yeux étaient rouges et son mascara avait coulé.

Bon sang ! songea Colt. Son cauchemar était sur le point d'empirer.

— J'ai fait une liste de questions, dit-elle en se précipitant vers lui.

Mais l'expression de Colt devait être parlante car elle s'immobilisa immédiatement.

— Quoi ? Que se passe-t-il ?

L'adjoint ouvrit la porte de la cellule et Colt pénétra à l'intérieur.

— Serena, je suis désolé de vous annoncer cela, mais Petey s'est de nouveau enfui.

— Quoi ? Non !

La colère et la frayeur se peignirent sur son visage, et elle recula en trébuchant avant de s'effondrer sur la couchette.

— Quand ? Où est-il ?

— Je ne sais pas, répondit Colt. Derrick m'a dit que Petey s'était endormi vers minuit et que Brianna et lui étaient allés se coucher à ce moment-là. Il a entendu du bruit vers 2 heures du matin et s'est levé pour aller voir, mais Petey était parti.

— Non…

Elle secoua la tête dans un geste de déni.

— Ecoutez, Serena…

Colt s'accroupit près d'elle et lui saisit le bras.

— J'ai cru que Petey était rentré chez vous. J'y suis allé. J'y suis même resté toute la nuit dans l'espoir qu'il se montre.

Elle prit une inspiration tremblante.

— Mais il n'est pas venu ?

— Non. Derrick a ratissé les rues du voisinage, et le shérif a fait de même dans le reste de la ville. Avez-vous une idée de l'endroit où il aurait pu aller ? Chez un ami ou sa baby-sitter, quelque part où il se sent en sécurité ?

Les yeux de Serena se remplirent de larmes.

— Non… Nous ne sommes pas ici depuis assez long-temps pour nous être fait des amis.

Elle hoqueta.

— Le seul endroit où il allait, c'était au centre de loisirs pour des activités de vacances.

L'adjoint Alexander s'éclaircit la gorge.

— Je vais appeler le shérif pour lui demander de vérifier.

Colt le remercia d'un signe de tête.

Des pas se firent entendre derrière eux. Derrick s'adressa à l'adjoint puis apparut à la porte de la cellule.

— Vous… vous étiez censé vous occuper de lui ! cria Serena en le voyant.

Le remords et l'inquiétude s'affichèrent sur son visage.

— Je sais… Je suis désolé, Serena. Brianna et moi sommes bouleversés.

Il adressa un regard à Colt.

— Je peux te parler une minute seul à seul ?

Serena sauta sur ses pieds et repoussa la main de Colt.

— Quoi que vous ayez à dire, vous pouvez le dire devant moi. Je suis la mère de Petey et j'ai le droit de savoir ce qui se passe.

L'expression de Derrick devint encore plus torturée.

— Je… j'ai cherché partout et je ne l'ai pas trouvé. Alors je suis retourné à la maison et j'ai essayé de comprendre comment il avait pu se faufiler dehors.

Le pouls de Colt s'accéléra subitement.

— Et ?

— La fenêtre était ouverte. Au début, j'ai pensé qu'il l'avait escaladée, mais j'ai un système d'alarme et je ne comprenais pas pourquoi celui-ci ne s'était pas déclenché. Alors j'ai fureté un peu et j'ai découvert des traces de pas à l'extérieur.

— Celles de Petey ? murmura Serena d'une voix rauque.

Derrick secoua la tête.

— Non, elles étaient trop grandes. C'étaient celles d'un homme.

Colt sentit son sang se glacer dans ses veines quand il comprit l'inéluctable. Quelqu'un avait coupé le système d'alarme de Derrick et laissé ses empreintes à l'extérieur.

Petey ne s'était pas enfui. Il avait été kidnappé.

5

Serena tremblait de tout son corps, l'esprit en déroute. Elle avait cru avoir atteint le fond, mais les choses ne faisaient qu'empirer.

Petey avait été kidnappé.

Pourquoi tout cela arrivait-il ? Qui aurait voulu s'emparer de lui et qu'allait-on lui faire ?

— Alerte le shérif, Derrick, dit Colt d'un ton pressant. Nous avons besoin d'une équipe de techniciens chez toi immédiatement et il faut réviser l'avis de recherche.

— Je vais le faire tout de suite. Je voulais te mettre au courant d'abord.

Derrick regarda Serena avec une expression pleine de remords.

— Je suis vraiment navré, Serena. Brianna et moi voulions seulement vous aider. Je ne sais pas comment cet homme a pu entrer sans que nous l'entendions…

Sa voix se brisa.

— Brianna est malade d'inquiétude.

Serena ne pouvait articuler un mot. Elle avait fait confiance à ces gens alors que la confiance n'était pas quelque chose de facile pour elle et, à présent, la situation s'était compliquée au-delà de toute prévision.

Colt lui frictionna les bras.

— Je vous promets que nous allons le retrouver, Serena. Je vous le jure.

Avant l'arrivée de Derrick, elle avait réussi à se reprendre suffisamment pour penser rationnellement. A présent, tout ce dont elle était capable c'était de le fixer en se demandant ce qui était arrivé à son fils.

— Je dois faire quelque chose, dit-elle d'une voix entrecoupée. Je vais le chercher. Je pourrais peut-être passer à la télévision et lancer un appel...

Colt jeta un coup d'œil à l'horloge murale.

— Je vais appeler Kay et la mettre au courant. Vous allez voir le juge dans quelques heures.

Parcourue par une brusque poussée d'adrénaline, elle saisit le bras de Colt.

— Dans quelques heures ? Dans quelques heures, mon fils sera peut-être déjà mort, Colt.

Ses yeux noirs flamboyèrent : il savait qu'elle avait raison.

— Etant donné la situation, je vais voir si Kay peut obtenir le report de votre mise en accusation.

Elle hocha la tête, s'accrochant à ce fil d'espoir ténu.

— Prenez la photo de Petey dans mon sac et faites-la passer aux médias. Quelqu'un l'a peut-être vu.

— Je vais appeler Kay et Gage et mettre le shérif au courant, dit Derrick avant de s'éloigner en toute hâte pour aller voir ce dernier.

— Pendant que la police met les recherches en route, nous devrions essayer de comprendre ce qui se passe, dit Colt. Le soi-disant meurtre de Lyle, votre arrestation, l'enlèvement de Petey... tout ça est sans doute lié.

Serena mit quelques instants à comprendre les implications de sa remarque.

— Vous voulez dire que quelqu'un a tué Lyle afin de me mettre hors circuit et de pouvoir enlever Petey ?

Colt fit un geste d'impuissance.

— C'est possible, mais c'est un peu tiré par les cheveux.

Il n'y avait pas besoin que vous soyez en prison pour le kidnapper. On aurait pu tout aussi bien s'emparer de lui chez vous que chez Derrick.

C'était vrai. De plus, il était risqué de s'introduire dans le domicile d'un détective privé.

Serena sentit son estomac se nouer.

— Ce qui signifie que le kidnappeur avait l'intention d'enlever Petey pour une raison particulière.

— Serena, vous connaissez quelqu'un qui pourrait vous vouloir du mal ?

Elle secoua la tête.

— Non.

— Et votre casier judiciaire, le garçon que vous avez agressé ?

Un frisson la parcourut, suivi d'une bouffée de colère.

— Je n'ai pas agressé cette ordure. C'est lui qui m'a sauté dessus, expliqua-t-elle. Son riche papa a payé le juge, lequel m'a envoyée dans un centre de redressement.

— Est-ce qu'il était assez revanchard pour revenir vous faire du mal maintenant ?

Elle fit un geste de déni.

— Je n'ai pas entendu parler de lui depuis des années. La dernière fois que j'ai eu de ses nouvelles, il menait une vie de play-boy en Californie. J'ai du mal à croire qu'il prenne le temps d'élaborer un plan comme celui-là.

— Ça me semble en effet improbable, admit Colt.

Elle lui montra ses notes.

— J'ai essayé de déterminer qui aurait pu vouloir me mettre ça sur le dos. Mes empreintes ont pu être prises en public, soit sur la tasse de café que j'ai laissée sur la table quand j'ai bu un verre avec Lyle, soit sur la cannette de soda que j'ai bue au cinéma. Mais mon slip a forcément été volé chez moi. Et, en dehors de Lyle, personne n'est entré dans la maison depuis que nous y avons emménagé, Petey et moi.

— Et un réparateur ? Un représentant ?

Un souvenir émergea dans la conscience de Serena.

— En y réfléchissant, la semaine dernière, j'ai vu une camionnette du câble dans le quartier, mais ils ne sont pas entrés chez moi.

Son pouls s'accéléra.

— Il y avait aussi un homme qui nettoyait les gouttières sur les toits, l'autre jour. Mais je ne lui ai pas ouvert la porte.

— Est-ce que vous vous souvenez de quoi ils avaient l'air ? Ils avaient des véhicules professionnels ?

— Le type du câble travaillait pour une société locale dont le logo était sur le flanc de sa voiture. Mais le nettoyeur de gouttières conduisait un pick-up cabossé. Pas de logo sur les côtés.

— Ce n'est peut-être rien, mais je demanderai à Ben de vérifier.

Il fit une pause.

— Que vous a dit Rice sur lui-même ? A-t-il mentionné sa famille ? L'endroit où il est né ?

Serena se tordit les mains en réfléchissant.

— Il m'a dit que ses parents étaient morts depuis des années. Et qu'après ça il avait beaucoup bougé.

— A-t-il reçu des appels bizarres ou suspects pendant que vous étiez avec lui ? Peut-être un coup de fil qui l'aurait mis en colère ?

— Pas exactement, dit-elle tandis qu'un incident lui revenait à l'esprit. Mais, le jour où nous avons pris ce café ensemble, son téléphone a sonné au moment où nous sortions. Il a paru irrité et il a fait demi-tour pour rentrer dans l'établissement et prendre l'appel.

— Vous n'avez pas entendu à qui il parlait ?

— Non.

Elle soupira.

— Je suis désolée. Je ne vous aide pas beaucoup.

— Vous m'êtes au contraire très utile.

Colt lui adressa un sourire hésitant.

— Serena, il y a quelque chose dont nous devons parler, dit-il d'un ton troublé.

— Quoi ?

— Votre mari. Vous avez dit qu'il était mort dans l'exercice de ses fonctions. Que s'est-il passé exactement ?

Serena sentit son chagrin se raviver.

— Il travaillait pour les stups sur une mission d'infiltration. La police ne m'a pas expliqué exactement ce qui s'est passé, mais en gros il enquêtait sur un important trafic et les choses ont mal tourné.

— Il s'agissait donc de drogue. Est-ce qu'il vous racontait ce qu'il faisait ?

Elle secoua la tête.

— Non, mais, les derniers mois, il était préoccupé. Il ruminait et il était de mauvaise humeur. Il était plus secret qu'auparavant.

Secret au point qu'ils ne communiquaient plus. Elle avait senti du parfum sur lui à plusieurs reprises et s'était demandé s'il avait une liaison.

— J'ai senti qu'il y avait quelque chose d'important qu'il ne me disait pas, mais quand je l'ai interrogé il s'est seulement… renfermé sur lui-même.

— Son assassin a-t-il été arrêté ?

Serena se tordit de nouveau les mains.

— Oui, il est en prison actuellement.

Un muscle tressauta sur la mâchoire de Colt, et Serena sentit un frisson de peur remonter le long de sa colonne vertébrale.

— Pourquoi me posez-vous toutes ces questions sur Parker ?

Colt détourna les yeux et elle comprit qu'il gardait quelque chose pour lui.

— Colt, dites-le-moi.

Il se frotta le menton.

— Quand je cherchais Petey chez vous, j'ai fouillé le grenier et j'ai trouvé un sac plein d'argent liquide.

D'étonnement, Serena ouvrit la bouche toute grande.

— Du liquide ? Combien ?

— Au moins une centaine de milliers de dollars, Serena. Cela pose question quant à ce que votre mari faisait.

— C'était peut-être de l'argent pour une transaction en tant qu'agent infiltré, suggéra-t-elle.

Colt lui adressa un regard neutre.

— Peut-être. Mais pourquoi le cachait-il chez vous ?

Son cœur se mit à palpiter. Elle ne savait que répondre à cela.

Colt ne savait pas si l'argent ou l'enquête de Parker Stover étaient liés à Rice et à la disparition de son fils, mais il y avait trop d'éléments qui ne concordaient pas.

Il jeta un nouveau coup d'œil à l'horloge.

— Serena, je m'en veux de vous laisser seule, mais j'ai besoin d'aller au bureau et de parler à Ben pour voir ce qu'il a trouvé sur Rice. Si c'est son meurtrier qui a kidnappé Petey, chaque minute compte.

Serena redressa les épaules et hocha la tête.

— Oui, bien sûr. Tout ira bien. Allez-y, je vous en prie.

Devant son regard tourmenté, Colt sentit son cœur se serrer. Il lui prit le visage entre ses mains.

— Je vous promets que je découvrirai le fin mot de

cette histoire. Et je serai de retour pour votre mise en accusation.

— Retrouvez Petey, murmura Serena d'une voix rauque. C'est tout ce qui compte.

— Je le ferai.

Incapable de résister, il l'attira contre lui un instant, autant pour son propre apaisement que pour lui procurer du réconfort.

— Tenez bon, d'accord ?

Serena fit signe que oui contre sa poitrine et il crut sentir ses larmes mouiller sa chemise. Mais, quand il recula, ses yeux étaient secs et elle affichait un air déterminé.

L'adjoint Alexander apparut de l'autre côté des barreaux mais se tint à distance.

Serena se crispa quand elle remarqua qu'il les observait.

— Allez-y, maintenant.

Oui, il le fallait. Les statistiques démontraient que, plus les heures passaient, plus les chances de retrouver Petey vivant diminuaient.

L'adjoint s'éclaircit la gorge.

— Le shérif est en train de modifier l'avis de recherche, dit-il dans un souffle.

— Merci.

Colt fit une pause.

— Ne la harcelez pas, Alexander.

L'adjoint lui lança un regard froid.

Colt se dirigea vers la sortie. Le bruit de fermeture de la cellule résonna dans le silence derrière lui.

Il croisa le shérif à l'entrée.

— Toutes les forces de police de l'Etat cherchent le garçon à présent. Les adjoints du comté sont en train d'organiser des équipes de recherche. S'il est en ville ou dans les montagnes, nous le trouverons.

Un léger sentiment de soulagement se faufila dans sa poitrine.

— Merci. Nous aurons besoin de toute l'aide que nous pouvons obtenir.

— La mère n'a aucune idée de qui aurait pu enlever son fils ?

Colt secoua la tête.

— J'ai la sensation que la disparition de Petey, la mort supposée de Rice et l'arrestation de Serena sont liées.

Gray ajusta sa ceinture.

— Nous avons trouvé des fibres provenant d'un tapis acrylique dans le minivan de Mme Stover, dit-il. Les techniciens du labo sont en train de les comparer au tapis de Rice. Mais je parie que le sang est le même.

— Est-ce que ça ne vous paraît pas un peu trop facile ? demanda Colt. Vous n'avez pas l'impression que quelqu'un essaie à tout prix d'impliquer Serena dans le meurtre et d'en faire une affaire résolue avant même qu'elle ne commence ?

Le shérif se mordit l'intérieur de la joue.

— P'têt' bien.

— Ce n'est pas un peut-être, riposta Colt en franchissant le seuil. N'importe quel imbécile pourrait le voir.

Il s'arrêta devant la porte et adressa un regard apaisant à Gray.

— Et je sais que vous n'êtes pas un imbécile, shérif.

— Je ferai mon travail, marmonna celui-ci. Faites donc le vôtre.

L'enquête progresserait plus vite s'ils coopéraient. Mais, au moment où Colt tomberait sur le salopard qui avait piégé Serena et kidnappé son enfant, il préférait ne pas avoir un représentant de l'autorité à proximité.

Ne voulant pas perdre de temps, il sauta dans sa Range Rover et fila vers son bureau. Heureusement, l'immeuble était proche de la prison et la circulation matinale débutait tout juste. Non pas que Sanctuary ait beaucoup de circulation de toute façon. Les rares personnes debout à cette heure-là s'étaient déjà engouffrées dans un restaurant pour prendre leur petit déjeuner avec saucisses et biscuits maison.

Après s'être garé, il pénétra en hâte à l'intérieur et trouva Gage et Derrick qui l'attendaient.

— Je n'arrive toujours pas à croire qu'on a enlevé le gosse sous mon nez, dit Derrick d'une voix chargée de culpabilité. Le salopard a désarmé le système d'alarme. Seigneur, Brianna et Ryan étaient là aussi.

— Ne te fais pas de reproches, vieux. Ce type est malin et déterminé, répondit Colt. Il a orchestré tous les détails pour piéger Serena, alors il doit surveiller chacun de nos mouvements.

— Allons dans la salle de réunion, proposa Gage.

Quand Colt entra, il vit qu'une autre équipe était déjà là. Slade Blackburn, Amanda Peterson, Levi Stallings et Brock Running Deer. Le seul qui manquait était Caleb Walker. Il était en voyage de noces avec sa nouvelle femme, Madelyn. Ben était assis dans un coin, pianotant sur son ordinateur portable dans l'espoir de trouver quelque chose sur Rice.

— Gage nous a mis au courant, dit Amanda. La mère tient le coup ?

— Elle est bouleversée bien sûr, mais c'est une femme solide, répondit Colt.

Slade contempla ses mains.

— Bien sûr.

Colt commença par l'arrestation de Serena et se servit du tableau blanc pour noter la chronologie des événements depuis le moment où Petey lui avait demandé de l'aider jusqu'aux rendez-vous de Serena avec Rice et sa confrontation avec lui la nuit du meurtre supposé. Ensuite il énuméra les preuves que le shérif avait réunies contre elle.

Slade donna un coup de botte sur le sol.

— Pas de doute, ça sent le piège.

— Un plan élaboré pour enlever un petit garçon, commenta Amanda.

— Il y a autre chose, reprit Colt. Le mari de Serena, Parker Stover, travaillait pour les stups en mission comme agent infiltré. Il a été tué il y a deux ans lors d'une opération qui a mal tourné.

— Son meurtrier a été arrêté ? demanda Gage.

Colt fit signe que oui.

— Il est en prison.

Levi se pencha en avant, les sourcils froncés.

— Tu penses que le meurtre de Stover est lié à celui de Rice ?

— Je ne sais pas encore, répondit Colt. Mais, quand je fouillais la maison de Serena à la recherche de Petey, j'ai trouvé un sac de sport plein de liquide caché dans le grenier. Une centaine de milliers de dollars.

Slade émit un sifflement. Les autres haussèrent les sourcils.

— Serena le savait-elle ? demanda Derrick.

Colt nota ce dernier détail sur le tableau et l'entoura d'un cercle.

— Non. Elle a nié être au courant de la présence de cet argent.

— Je m'avance peut-être un peu, dit Gage, mais Rice était peut-être un récidiviste ou un drogué et connaissait Stover. Ou bien il avait un acolyte qui était au courant pour l'argent et qui a enlevé le gosse pour s'en emparer.

Amanda fit la moue.

— Alors on doit s'attendre à une demande de rançon.

Colt hocha la tête.

— Mais, si le partenaire de Rice voulait l'argent et pensait que Serena l'avait, pourquoi ne pas attendre qu'elle soit sortie et fouiller la maison au lieu de prendre le risque d'être condamné pour kidnapping ?

— Tu n'as pas dit qu'on lui avait volé des sous-vêtements chez elle ? questionna Brock. Il a peut-être fait chou blanc en fouillant la maison et il a eu cette idée d'enlèvement et de rançon.

— C'est plausible.

Mais Colt sentait que certaines pièces du puzzle manquaient.

— Mais, dans ce cas, qui a tué Rice ?

Derrick s'éclaircit la gorge.

— Son associé ?

Colt considéra cette idée en remuant la tête. Il se tourna vers Ben.

— Tu as trouvé quelque chose ?

— Rien sur les camionnettes dans le quartier de Serena, dit celui-ci. Et, au début, pas grand-chose sur Rice. Mais je me suis servi d'un logiciel de reconnaissance faciale et regardez ce que ça a donné.

Il fit pivoter son ordinateur pour montrer ses découvertes aux autres.

Des photos de Rice sous divers déguisements, avec des couleurs et des coupes de cheveux variées s'étalaient sur l'écran.

— Lyle Rice n'est pas son vrai nom, résuma Colt en parcourant les données rassemblées. En fait, tout ce qu'il a dit à Serena était un mensonge. Il a plusieurs alias.

— Et un casier chargé, souligna Ben. Il a purgé une peine pour fraude.

Le cœur de Colt se mit à tambouriner dans sa poitrine.

— Et regardez qui a procédé à son arrestation.

— Parker Stover, compléta Ben.

Colt émit un sifflement.

— On dirait bien que nous venons de trouver le chaînon manquant.

— Et s'il ne me libère pas sous caution ? demanda Serena.

Kay Krantz lui prit les mains et les lui frictionna pour réchauffer ses doigts glacés.

— Ne vous inquiétez pas. Il le fera. Vous avez des économies ?

Serena pensa à l'argent que Colt avait trouvé au grenier. Mais elle se raisonna : c'était sans aucun doute de l'argent sale et elle ne voulait rien avoir à faire avec.

Elle avait la police d'assurance vie de son mari. Mais elle l'avait mise de côté pour les études de Petey et répugnait à y toucher.

— Serena ?

— Je peux hypothéquer ma maison.

Elle prit une grande inspiration.

— Je préférerais garder le liquide au cas où j'en aurais besoin pour la rançon.

Kay hocha la tête.

— Bien sûr. Je soulignerai ce point. Nous demanderons un montant faible, mais, s'il faut se servir de la maison, c'est ce que nous ferons. Colt m'a appelée au sujet de votre fils, enchaîna-t-elle d'une voix émue. Je suis vraiment navrée, Serena. Mais je connais les enquêteurs de Guardian Angel Investigations. Ce sont des pros et ils ne renonceront pas avant de l'avoir retrouvé.

Serena hocha la tête, la gorge serrée. Elle priait pour que Petey soit vivant quand ils le retrouveraient. Elle avait vu trop de reportages terrifiants pour ne pas imaginer le pire.

Mais il fallait qu'elle reste positive. Qu'elle fasse tout ce qu'elle pouvait pour retrouver son fils. Cela signifiait rester forte et aider Colt à comprendre qui pouvait avoir enlevé son petit garçon.

Dix minutes plus tard, ils se tenaient face au juge. Serena écouta le procureur lire les charges qui pesaient contre elle dans une sorte de brouillard.

Kay requit une caution fixée à cinq mille dollars, en arguant du fait que Serena avait un travail, et que son fils avait été kidnappé.

— Shérif ? dit le juge en se tournant vers Gray.

— Il s'agit d'une accusation de meurtre, répondit celui-ci. Nous n'avons aucune raison de penser que Mme Stover ne cherchera pas à s'enfuir.

Kay lui lança un regard assassin.

— Laissez-la tranquille, shérif. Son fils a disparu.

Colt saisit le bras de Kay et lui murmura quelque chose à l'oreille. Kay approuva de la tête et s'éclaircit la gorge.

— Pour satisfaire la cour et le shérif Gray, déclara-t-elle en lui adressant un regard appuyé, nous proposons que Mme Stover soit libérée sous la tutelle de Colt Mason.

Serena se crispa, mais le juge approuva la proposition et abattit son marteau.

Kay lui donna l'accolade.

— Vous êtes libre, Serena. A présent, il nous faut trouver le véritable meurtrier pour que vous le restiez.

Avant qu'elle comprenne ce qui se passait, Colt lui prit la main et l'entraîna vers la sortie.

— Venez, Serena, il faut que nous parlions.

— Vous avez retrouvé Petey ?

— Non, pas encore.

Il la guida vers le parking attenant au tribunal.

Soudain un coup de feu retentit.

Serena poussa un hurlement et Colt la jeta à terre.

Petey avait mal à la tête et à la gorge. Il ouvrit les yeux, mais il faisait si noir qu'il ne voyait rien. Il comprit qu'il avait un bandeau sur les yeux.

Où était-il ?

Il essaya de remuer, mais il avait les mains et les pieds ligotés. La journée de la veille et la nuit traversèrent son esprit. D'abord on lui avait arraché sa maman pour l'emmener en prison.

Ensuite c'était lui qui était allé en prison. Puis à la maison de Bri.

Il était en pleurs quand ils étaient arrivés et il voulait sa maman, mais le lit était confortable et il était tellement fatigué, et M. Colt lui avait dit qu'il devait être sage. Et puis Bri lui avait donné un des nounours de Ryan et il l'avait pris dans ses bras et s'était endormi.

Mais il s'était réveillé et il y avait un homme dans la chambre…

Il renifla. Il n'était plus chez Bri.

L'endroit où il était sentait mauvais, comme un fruit pourri ou comme quelqu'un qui avait fait pipi.

Le bruit d'un moteur se fit entendre et il comprit qu'il était dans une voiture ou une camionnette. Il fallait qu'il sorte de là !

Il rampa sur le ventre en cherchant une portière. Mais il se heurta à une paroi métallique.

Il rampa de l'autre côté et se cogna à l'autre paroi.

Ensuite le moteur se mit en marche et la camionnette commença à rouler. Non…

Comment sa maman allait-elle le retrouver si le méchant l'emmenait ailleurs ?

6

Qui donc était en train de leur tirer dessus ?

Colt se coucha sur Serena pour la protéger et releva la tête pour balayer le parking et les abords du bâtiment du regard. Une autre balle fila près de son épaule et il saisit son Glock dans sa veste.

— Serena, ça va ?

— Oui. Qui nous tire dessus ?

— Je n'arrive pas à le voir, mais il est dans la ruelle.

Il lui agrippa la main.

— Venez, courbez-vous et restez derrière moi.

En l'abritant, il l'entraîna vers son 4x4. Une nouvelle balle les effleura et se ficha dans la carrosserie du véhicule. Soudain des gardiens émergèrent du tribunal, l'arme au poing, et commencèrent à quadriller la rue.

Colt leva la tête et se déplaça en direction de la ruelle. Il entendit des pas et vit un homme vêtu de noir sauter dans une berline noire.

— Rentrez dans le 4x4, hurla-t-il à Serena, et verrouillez les portières.

Il lui lança les clés et se mit à la poursuite du tireur. Il entendit les pas d'un gardien qui s'élançait derrière lui, martelant l'asphalte.

Mais la voiture accéléra dans la ruelle en direction de la sortie la plus proche. Colt fit feu en visant les pneus.

Le véhicule vira à droite et disparut derrière l'angle du pâté de maisons.

Colt s'arrêta de courir en jurant, et s'efforça de reprendre son souffle.

Le gardien haletait aussi lorsqu'il atteignit sa hauteur.

— Vous l'avez eu ?

— Non.

Le gardien pressa le bouton du micro de sa radio et demanda de l'aide.

— Des coups de feu au tribunal. Le tireur conduit une berline noire en direction de l'est. Il sort de la ville. Armé et dangereux. Vous êtes capable de le décrire ? demanda-t-il ensuite à Colt.

Celui-ci essuya la sueur qui lui coulait sur la tempe.

— Je n'ai pas vu son visage, mais il était grand et costaud.

Il pivota sur lui-même, fouillant la rue du regard.

— Ramassez les cartouches. Je vais aller voir Mme Stover.

Laissant le gardien passer la scène au peigne fin, il revint en courant vers le parking. Le temps de rejoindre Serena, il était furieux.

Et encore plus convaincu que celui qui avait piégé la jeune femme et enlevé son fils avait quelque chose à voir avec le meurtre de Rice. Et que c'était lié au mari de Serena et à l'argent dans le grenier.

Pour la première fois depuis que les coups de feu avaient retenti, il lui vint à l'idée qu'il y avait peut-être eu un deuxième tireur et une peur rétrospective le saisit. Il atteignit le 4x4 et soupira de soulagement en voyant Serena blottie sur le siège avant.

Mais, quand elle leva sur lui ses grands yeux terrifiés, il ouvrit la portière et ne put s'en empêcher. Il la prit dans ses bras et la serra contre lui.

*
* *

Serena se laissa aller contre Colt, pleine de gratitude pour le réconfort qu'il lui apportait. Il lui caressa lentement le dos, la respiration encore haletante.

— Vous l'avez rattrapé ? murmura-t-elle.

— Non, mais l'un des gardiens a passé un appel et la police le recherche.

— Qui était-ce ?

— Je ne sais pas encore. Je n'ai pas vu son visage. Mais tous ces événements doivent avoir un lien.

Serena aspira son odeur masculine et savoura la sensation de sa puissante musculature. Elle se sentait en sécurité dans ses bras, et cela ne lui était pas arrivé depuis très longtemps.

Même durant ces derniers mois avec Petey, elle avait la sensation que quelque chose ne tournait pas rond.

Mais la pensée de se rapprocher de quelqu'un, surtout d'un homme, lui donnait des frissons de peur. Elle ne pouvait pas s'impliquer avec Colt. Il était détective privé, ce qui était plus ou moins la même chose que policier.

Et elle s'était juré de ne plus jamais se lier à un policier. Leur boulot était trop dangereux.

C'était la raison pour laquelle elle avait vu en Rice une liaison possible. C'était un homme d'affaires. Du moins l'avait-elle cru.

Quelle terrible erreur !

Le shérif apparut sur le perron du tribunal, de même qu'un autre gardien. Elle les vit courir vers eux et se força à relâcher Colt. Mais le réconfort de ses bras lui manqua immédiatement.

Colt se redressa à l'approche de Gray et baissa sa vitre.

— Que s'est-il passé ? demanda le shérif.

— Quelqu'un nous a tiré dessus quand nous sommes

sortis. Je l'ai pourchassé dans la ruelle de derrière, mais il a sauté dans une voiture noire et filé.

— Vous n'avez rien tous les deux ?

Colt hocha la tête, de même que Serena, bien que la colère ait remplacé la peur qui l'avait envahie un peu plus tôt.

— Qu'allez-vous faire à ce propos, shérif ? demanda-t-elle. Depuis que vous m'avez arrêtée pour un crime que je n'ai pas commis, mon fils a été enlevé et maintenant quelqu'un essaie de me tuer. Vous croyez toujours que c'est moi la coupable ?

Le shérif remonta ses lunettes de soleil sur son nez.

— Je ne sais pas ce qu'il se passe, madame Stover. Mais j'ai bien l'intention de découvrir la vérité.

Serena s'apprêtait à répliquer quand Colt lui pressa le bras. Elle recouvra son sang-froid.

— Je vais raccompagner Serena chez elle, dit-il. Tenez-moi au courant si vous retrouvez le tireur ou si vous avez de nouveaux éléments sur le meurtre.

— Ecoutez-moi, Mason, riposta le shérif les dents serrées. Je sais que vous enquêtez aussi, alors ne m'oubliez pas. Si vous interférez avec l'enquête, je vous ferai arrêter pour obstruction.

— Je n'ai aucune intention d'interférer, répondit abruptement Colt. Je veux seulement prouver l'innocence de Mme Stover et retrouver son fils.

Serena avait le cœur serré, mais le ton déterminé et confiant de Colt apaisa un peu ses inquiétudes.

Pourtant, Petey avait disparu et ils n'avaient toujours aucune idée de qui l'avait enlevé ni de ce qu'on lui voulait.

Sur le chemin de la maison de Serena, Colt téléphona à Ben et lui fit part de la fusillade qu'ils avaient essuyée.

— Tu peux m'envoyer le dossier que tu as constitué avec le logiciel de reconnaissance faciale ? Je voudrais que Serena l'étudie.

— Bien sûr. Les chaînes télé sont en train de diffuser des reportages sur l'arrestation de Serena et le kidnapping de Petey. Nous leur avons envoyé des photos de Rice et nous avons aussi obtenu une ligne rouge.

Colt soupira.

— Merci.

Ben hésita.

— Le FBI va probablement débarquer d'une minute à l'autre.

— S'ils aident à retrouver Petey, ils sont les bienvenus, répondit Colt.

Il tourna dans la rue de Serena et avisa une camionnette de la télévision garée devant la maison. Le début du cirque médiatique.

— Bon sang. La presse est déjà là.

Ben émit un grognement.

— Ça ne peut pas faire de mal que le public voie la mère abattue et terrifiée.

Colt lança un regard à Serena.

Elle avait des cernes violets sous les yeux, ses cheveux étaient emmêlés par leur course et elle n'avait pas dormi durant les dernières vingt-quatre heures. En outre, elle portait toujours le jean et la chemise qu'elle avait quand le shérif l'avait traînée hors de chez elle la veille.

Elle avait l'air trop épuisée et sous le coup de l'émotion pour pouvoir se débrouiller face à la presse.

— Oh ! mon Dieu, murmura-t-elle au même moment. Ils vont placarder mon visage aux nouvelles et me dépeindre comme une criminelle.

Colt lui prit la main.

— Quand vous sortirez de voiture, ne dites rien. Il ne

faut pas parler de votre arrestation ou de l'affaire sans la présence de votre avocate.

Elle lui pressa la main en retour.

— Mais je peux leur demander de chercher mon fils, et c'est ce que je vais faire.

Plaquant une expression résolue sur son visage, elle ouvrit la portière et sortit de voiture.

Une jeune femme aux courts cheveux bruns bouclés, vêtue d'un tailleur-pantalon rouge, s'approcha d'elle le micro à la main, suivie d'un cameraman replet.

— Madame Stover, je m'appelle Lydia Feldman et voici Renny Delaney.

Elle fit un geste en direction de la camionnette de la chaîne.

— Est-il vrai que vous avez été arrêtée pour le meurtre d'un homme appelé Lyle Rice ?

Colt se précipita aux côtés de Serena.

— Mme Stover n'a pas la liberté de discuter des charges retenues contre elle.

Lydia haussa un sourcil.

— Etes-vous son avocat ?

— Non, je suis détective privé et je recherche son fils qui a disparu.

Il lui adressa un regard appuyé.

— Toutefois, Mme Stover aimerait parler de cet enlèvement.

A cette mention, la lueur d'irritation dans les yeux de la femme fit place à l'intérêt. Elle savait que le public était friand de détails sur les kidnappings d'enfants.

Elle afficha un air de sympathie approprié.

— Madame Stover, que pouvez-vous nous dire sur l'enlèvement de votre fils ?

Serena se redressa de toute sa hauteur.

— Quelqu'un s'est introduit dans la maison où il passait la nuit et l'a enlevé dans son lit.

Elle rougit sous le coup d'émotions mêlées, et Colt lui frictionna le dos en un geste de soutien silencieux.

— Avez-vous reçu une demande de rançon ? interrogea la journaliste.

Serena pâlit légèrement.

— Non, pas encore. Mais je veux que celui qui a kidnappé Petey sache que je ferai n'importe quoi, paierai tout ce qu'il faut pour qu'il revienne à la maison sain et sauf.

Sa voix se brisa.

— Ce n'est qu'un petit garçon. S'il vous plaît, ne lui faites pas de mal. Rendez-le-moi…

Le regard de la reporter s'adoucit et elle les observa tour à tour.

— Avez-vous une idée de l'identité de l'auteur de ce kidnapping ?

Colt fit un pas en avant et parla dans le micro.

— Pas encore, mais nous soupçonnons que celui qui a enlevé Petey est aussi à l'origine des soupçons qui pèsent sur Mme Stover. Je demande à tous ceux qui possèdent des informations sur Lyle Rice de se mettre en contact avec la police. Nous avons adressé des photos de Petey et de Rice aux médias. Soyez cependant vigilants, car Lyle Rice a plusieurs identités et change fréquemment d'apparence. Toute information en rapport avec son passé ou la personne à l'origine de son meurtre est la bienvenue.

Serena essuya une larme et saisit le bras de Lydia.

— Et je vous en prie… je vous en prie, si vous savez quelque chose sur l'endroit où se trouve mon fils ou celui qui le détient, appelez la police. J'ai besoin de lui et…

Elle s'arrêta pour ravaler un trop-plein d'émotions.

— Il n'a que six ans… Il a besoin de sa mère.

Colt indiqua que l'interview était terminée. Serena avait dit ce qu'elle avait à dire et elle l'avait parfaitement fait.

En entrant chez elle, Serena se sentit vidée. Le silence soudain était un rappel brutal du fait que son fils avait disparu. Il n'allait pas accourir pour lui dire bonjour. Ses petits pieds ne martèleraient pas le plancher. Elle n'entendrait pas son rire.

Il n'y avait plus que le vide dans son ventre, dans sa maison… et dans son cœur.

Elle survola la cuisine du regard. Le bol de céréales de Petey était toujours sur la table, de même que sa propre tasse de café sur le comptoir, lui rappelant qu'ils avaient été traînés hors de chez eux sans pitié.

Elle se sentit brusquement souillée et avide de solitude.

— Je vais prendre une douche, annonça-t-elle.

Colt soupira.

— Bien sûr. Si vous avez besoin de vous reposer, allongez-vous un moment. Nous parlerons après.

Elle eut envie de lui demander quelles questions il pouvait encore avoir à lui poser, mais elle savait qu'il restait de nombreux aspects de l'affaire. Des choses auxquelles il fallait qu'elle réfléchisse. Le passé de son mari. Ce mystérieux argent, dans son grenier.

Lyle Rice et ses alias.

Pourtant, elle n'avait pas l'énergie de s'y mettre tout de suite et elle se dirigea vers la salle de bains. Quand elle passa devant la chambre de Petey et vit ses jouets, son lit défait et le panda géant avec lequel il aimait dormir, elle sentit son cœur chuter dans sa poitrine.

Des larmes se mirent à couler à flots sur ses joues et elle se précipita dans sa chambre pour se débarrasser de ses vêtements et les jeter dans le panier à linge. Elle ne pourrait plus jamais porter ce jean et cette chemise sans se rappeler la nuit qu'elle avait passée en prison.

Un instant plus tard, elle était sous une douche brûlante. Elle se savonna jusqu'à ce que sa peau soit presque à vif. La puanteur de la cellule et ces fichues marques d'encre sur ses doigts l'obsédaient.

Fermant les yeux, elle imagina que quand elle sortirait de la douche Colt l'attendrait dans la chambre, le sourire aux lèvres. Alors il lui dirait que son fils était rentré à la maison et ce cauchemar prendrait fin.

L'eau finit par refroidir. Elle sécha son corps et ses larmes et enfila un pantalon en jersey et un T-shirt à manches longues. Puis elle se sécha les cheveux et les attacha en queue-de-cheval.

L'odeur d'un bouillon de poulet flottait dans le couloir et elle trouva Colt dans la cuisine en train de remplir deux bols à l'aide d'une louche. Apparemment il avait fait un raid dans son placard. Il posa des crackers sur la table tandis qu'elle s'effondrait sur une chaise, épuisée.

— Mangez, Serena, dit-il. Il faut que vous repreniez des forces.

Engourdie, elle lui obéit. Pas parce qu'elle avait faim, mais parce qu'il fallait continuer. Elle devait rester solide pour prêter main-forte aux recherches entreprises pour retrouver son fils.

S'ils ne le retrouvaient pas, elle mourrait.

Colt la rejoignit à table, et le silence s'étira entre eux tandis qu'ils mangeaient ce repas tout simple.

— Merci, dit-elle quand elle eut réussi à finir son bol.

Après tout, peut-être avait-elle faim, qui sait ? Ses émotions ne cessaient de jouer aux montagnes russes.

Colt hocha la tête et se leva pour rincer les bols. Puis il les plaça dans le lave-vaisselle.

— Si vous avez besoin de dormir un peu, c'est parfait

pour moi. Je vais appeler le bureau et voir s'ils ont des pistes.

Elle posa la tête dans sa main, terriblement lasse.

— Je ne peux pas dormir, j'ai besoin de faire quelque chose, m'occuper, essayer de comprendre pourquoi tout cela est arrivé.

Il eut l'air de la comprendre.

— Alors je voudrais vous montrer ce sac de sport, pour que vous me disiez si vous le reconnaissez.

Résignée, elle le suivit au grenier. Il se dirigea vers le vieux coffre et l'ouvrit. Il en sortit deux couvertures avant de prendre un sac noir.

Elle fronça les sourcils en le regardant et fouilla sa mémoire pour se souvenir si elle l'avait déjà vu auparavant.

— Vous le reconnaissez ? demanda Colt.

Elle secoua la tête et le regarda silencieusement ouvrir la fermeture Eclair. Les liasses de billets apparurent, lui causant un choc.

— Je n'arrive pas à croire que Parker ait caché cela ici.

La colère monta en elle et elle s'approcha de la lucarne pour regarder au-dehors. Les nuages s'amoncelaient dans le ciel, annonciateurs de tempête. Le ciel était aussi lugubre et morose que son humeur.

Un muscle tressauta sur la mâchoire de Colt.

— Avait-il déjà apporté du liquide à la maison comme ça ?

— Non, du moins pas que je sache.

— S'il avait réussi son infiltration, dit Colt, il avait peut-être l'intention de s'en servir pour une transaction puis d'arrêter le dealer. Mais il a été tué avant de pouvoir le faire.

C'était le scénario auquel Serena aurait voulu croire, mais les soupçons ne la lâchaient pas, exactement comme elle savait qu'ils ne lâchaient pas Colt.

— Je commence à me demander si je connaissais vraiment mon mari.

Elle observa un écureuil qui escaladait un arbre dans le jardin, l'arbre dans lequel Parker et Petey avaient construit une cabane. Son estomac se contracta.

— Les dernières semaines, Parker se comportait d'une drôle de manière. Je me faisais du souci. Je me demandais si sa mission d'infiltration l'avait changé. Il semblait de si mauvaise humeur, distant, secret… Je… j'ai pensé…

Elle laissa sa phrase en suspens.

— Vous avez pensé quoi, Serena ?

Elle soupira et se passa une main dans les cheveux.

— Qu'il prenait peut-être de la drogue lui-même.

Colt fit la grimace.

— Quelquefois les agents infiltrés sont forcés de faire des choses qu'ils ne feraient pas normalement, uniquement pour tenir leur rôle.

Elle haussa les épaules.

— Son boulot était en train d'élever une barrière entre nous. Quand il était là — ce qui n'était pas fréquent —, nous nous disputions sans arrêt. Je l'ai même soupçonné… d'avoir une liaison.

— Qu'est-ce qui vous a fait penser cela ?

— Des appels discrets à toute heure de la nuit. Des gens qui raccrochaient quand c'était moi qui répondais.

Elle gratta de l'ongle une tache sur la vitre.

— Deux fois, j'ai senti des traces de parfum sur ses vêtements. Et une fois j'ai pris son portable qui sonnait et y ai lu le nom d'une femme, Dasha.

— Vous le lui avez dit ?

— Il a prétendu que c'était quelqu'un avec qui il travaillait.

— Cette femme faisait peut-être partie de sa couverture, suggéra Colt. Laissez-moi vous montrer quelque chose d'autre.

— Seigneur, qu'est-ce que c'est encore ?

Il lui adressa un regard de sympathie.

— Descendons.

Elle s'efforça de contrôler son sentiment de panique.

Si Petey avait disparu parce que Parker avait fait quelque chose d'illégal, elle ne le lui pardonnerait jamais.

Colt posa son ordinateur sur la table de la cuisine et l'alluma, puis ouvrit un dossier.

— Regardez cette photo. Est-ce le Lyle Rice que vous avez rencontré ?

Elle hocha la tête.

Il tapa sur quelques touches et plusieurs photos de l'homme, sous des déguisements variés, apparurent à l'écran.

— Voici ses autres identités, du moins celles que nous avons découvertes jusqu'ici, expliqua-t-il. Il avait aussi des passeports sous de faux noms.

Serena observa avec une fascination morbide les transformations de l'homme. Certaines étaient subtiles, d'autres radicales.

— Je n'arrive pas à y croire. C'est un artiste du maquillage.

Colt hocha la tête.

— Il a été arrêté pour fraude et a passé cinq ans en prison. Et devinez qui a procédé à son arrestation…

La vérité se fit jour dans son esprit et son pouls se mit à battre plus fort.

— Parker ?

Elle se pencha plus près pour lire les détails de l'arrestation.

— Alors Rice voulait se venger de mon mari ?

Colt approuva d'un signe de tête.

— C'est un mobile, assurément. De plus, s'il connaissait l'existence de l'argent, il s'est peut-être rapproché de vous dans l'espoir de mettre la main dessus.

— Et puis quelqu'un l'a assassiné, conclut Serena.

— Vous dites que l'homme qui a tué Parker est en prison. J'aimerais lui rendre visite pour voir ce qu'il a à dire. Il connaissait peut-être Rice, ou bien c'est l'un de ses compices qui l'a tué.

— Alors le complice de Rice m'a piégée afin de me mettre hors circuit et de pouvoir récupérer l'argent ?

Elle se massa les tempes.

— Mais pourquoi enlever Petey ?

Colt haussa les épaules.

— Il va peut-être demander une rançon.

Serena se mordit la lèvre inférieure.

— Alors pourquoi n'a-t-il pas déjà appelé ? Et pourquoi essayer de me tuer ?

A moins que l'argent ne soit pas le mobile principal et qu'il ne cherche qu'à se venger de Parker, songea-t-elle.

Ce qui ne serait pas de bon augure pour Petey.

7

Colt appela Ben pour discuter des liens entre le meurtre de Parker Stover et Rice.

— Derrick est là. Je te mets sur haut-parleur, lui indiqua Ben.

— Colt, nous n'avons trouvé aucune empreinte digitale à l'extérieur ni à l'intérieur de la chambre où dormait Petey.

Derrick fit une pause.

— Mais j'ai fait faire des moulages des traces dans la terre. C'étaient des chaussures de pointure 43.

S'ils pouvaient trouver les chaussures, ils trouveraient l'homme. Ou vice versa.

— Merci, dit Colt. J'ai l'intention d'aller chez Rice, mais je vais attendre qu'il fasse noir.

Il ne voulait pas se faire surprendre par le shérif en train de fouiller illégalement une scène de crime.

— Et je veux aller voir le meurtrier de Stover. Tu peux me trouver cette info ?

— Ne quitte pas.

Suivit le bruit des touches du clavier de Ben.

— Il a avoué et a été condamné à mort, dit-il. Son nom est Hogan Rouse.

— Merci.

Colt se massa la nuque.

— Il pourra peut-être nous éclairer sur la mission de Stover ou sur Rice.

— Comment va Serena ? demanda Derrick.

Colt soupira.

— Elle s'efforce de tenir bon.

Mais il savait qu'elle souffrait. Elle fixait toujours le jardin comme si elle espérait que Petey allait apparaître comme par magie sur sa bicyclette.

Et le fait qu'aucune demande de rançon ne leur soit parvenue jusque-là lui mettait les nerfs à vif.

— Bri et moi nous sentons terriblement responsables, déclara Derrick d'une voix tendue. Dis-nous si nous pouvons faire quoi que ce soit.

— Vois si tu peux trouver quelque chose sur les compagnons de cellule de Rice. L'un d'eux pourra peut-être nous donner des tuyaux.

— Je m'y mets tout de suite.

Colt serra le téléphone.

— Et mets les lignes téléphoniques de Serena sur écoute. Si elle reçoit une demande de rançon, on pourra peut-être tracer l'appel.

— Compris, marmonna Ben.

Derrick émit un bruit de gorge.

— Il faut que nous trouvions Petey, Colt. Bri et moi savons exactement ce que Serena ressent et nous n'arrêtons pas de nous faire des reproches. Je suis détective, pour l'amour du ciel, et je l'ai laissé partir !

— Ce n'est pas ta faute, Derrick.

Colt avala sa salive, un nœud dans la gorge. Petey était venu le voir, lui, et il l'avait laissé tomber.

— Restons positifs et concentrés. Nous le trouverons. Il le faut.

Il priait pour que l'auteur du kidnapping ne lui ait

pas fait de mal. Il ne pourrait jamais se pardonner si c'était le cas.

Colt raccrocha et s'approcha de Serena. L'expression de ses grands yeux tristes lui serra le cœur.

— Petey adore jouer à la balançoire, dit-elle. Son père et lui ont passé des heures à construire ce fort. Ils ont même campé dedans le week-end où ils l'ont terminé. Nous avons fait griller des hamburgers et des guimauves et nous avons pique-niqué. Ensuite nous nous sommes glissés dans des sacs de couchage et nous avons regardé les étoiles à travers les arbres. Je me souviens que Parker voulait que Petey entre chez les scouts quand il était petit.

Elle soupira.

— Petey disait qu'il voulait être exactement comme son père quand il grandirait.

— Votre mari aimait beaucoup Petey, visiblement, dit Colt.

Soudain il comprit qu'il enviait le mort à cause de cette famille qui l'avait tant aimé.

— Tellement qu'il a mis nos vies en danger.

La douleur traversa le regard de Serena quand elle se tourna vers lui.

— Dans quoi nous a-t-il entraînés, Colt ? Qu'y avait-il de si important pour qu'il risque sa vie et la nôtre ?

Elle fit les cent pas dans la pièce en balançant les bras.

— Etait-il tombé sous l'emprise de la drogue ? Etait-il soudain devenu cupide au point de vouloir tout cet argent ? Ou bien avait-il l'intention de me quitter pour une autre femme ?

— Serena, arrêtez…

Colt traversa la pièce et lui prit les bras pour la forcer à croiser son regard.

— Ne vous torturez pas ainsi. Nous ne savons pas ce qu'il s'est passé. Parker avait peut-être de très bonnes raisons pour cacher cet argent et pour agir comme il le faisait. Quand on travaille comme agent infiltré, il est plus prudent de ne pas parler de ce qu'on fait à ceux qu'on aime. Garder son travail secret était sa manière de vous protéger.

Bon sang, il ne savait pas pourquoi il défendait cet homme, sauf qu'il avait autrefois fait le même travail et qu'il était bien placé pour savoir combien il était difficile de mener cette vie-là. Combien il était difficile de mener une double vie sans rien laisser filtrer. Et avec quelle rapidité de dangereux criminels pouvaient s'en prendre à votre famille en guise de représailles.

Serena laissa retomber sa tête et poussa un gros soupir.

Il l'attira contre lui et l'enveloppa de ses bras. Elle s'appuya contre lui et il la berça gentiment. Elle sentait la crème et les pêches et il eut envie de l'embrasser.

Mais cela aurait été une folie. Elle était toujours en deuil de son mari, et terrifiée par la disparition de son fils.

— Je vais rendre visite à son meurtrier en prison, annonça-t-il d'un ton bourru. Derrick et Ben recherchent aussi les anciens compagnons de cellule de Rice. Tout ça nous donnera peut-être une piste.

Serena releva la tête et le regarda.

— Je vais avec vous.

Elle fit mine d'aller prendre son sac, mais il referma doucement les doigts sur son poignet. Il ne voulait pas que Serena entre en contact avec la vermine de la prison de haute sécurité.

— Non, vous serez plus en sécurité ici. Essayez de vous reposer.

Elle frémit.

— J'espère que vous pourrez le faire parler.

Il éleva doucement la main et caressa sa joue du pouce.

Une lueur de désir traversa les yeux de Serena. Colt sentit son corps réagir et son esprit lui hurla de s'éloigner d'elle.

Mais le reste de son être n'écoutait plus.

Il pencha la tête et referma doucement ses lèvres sur les siennes. Au premier contact, sa tête se mit à tourner. Elle était si forte par certains côtés, et si douce et tendre par d'autres ! Il avait envie d'apaiser son chagrin et de la sentir tout contre lui.

Serena s'accrocha à lui et laissa échapper un soupir. Le besoin de se rapprocher encore d'elle saisit Colt.

Serena se sentit parcourue de frissons de désir quand Colt lui taquina les lèvres et introduisit sa langue dans sa bouche. Il était audacieux et très viril. Le contact des muscles de sa poitrine sur ses seins éveilla une soif qu'elle n'avait pas ressentie depuis longtemps.

Une soif qu'elle n'espérait plus ressentir de nouveau.

Elle fut envahie par la peur à cette seule idée. Mais Colt émit un gémissement bas et le son se répercuta dans sa gorge avec une sensation si délicieuse qu'elle ne put s'éloigner de lui. Les deux derniers jours avaient été un vrai cauchemar et, seulement un instant, elle voulait oublier son chagrin.

Colt posa une main sur son visage et approfondit son baiser. Elle vint à la rencontre de sa langue avec la sienne et savoura l'intimité de leur contact. De l'autre main, il lui caressait le flanc puis il attira son bas-ventre entre ses cuisses. La bosse dans son jean était dure comme la pierre et lui donna envie de se coller encore davantage à lui.

Mais la sonnerie du téléphone les ramena à la réalité. Le cœur battant et le souffle court, ils se séparèrent dans un sursaut.

Se rappelant brusquement que son fils avait disparu,

Serena se sentit envahie par la culpabilité. Prise de panique, elle courut répondre.

— Allô ?

Colt s'approcha d'elle, les yeux toujours pleins de désir mais la bouche plissée par une moue inquiète.

— Serena, c'est Joyce Hubbard. Mon Dieu, j'ai vu le journal télévisé. Je n'arrive pas à croire ce qui est arrivé à Petey. Vous avez des nouvelles ?

— C'est lui ? articula silencieusement Colt.

La déception enfla dans la poitrine de Serena et elle secoua la tête pour lui indiquer qu'il ne s'agissait pas de la demande de rançon.

— Non, Joyce. Rien du tout pour le moment.

Elle recouvrit l'émetteur de la main.

— C'est une de mes clientes, murmura-t-elle à Colt.

— Dites-lui que vous devez garder la ligne disponible, chuchota-t-il.

Elle hocha la tête.

— Joyce, je vous remercie de votre appel, mais je dois laisser la ligne téléphonique libre au cas où le kidnappeur appellerait.

— Oui, oui, bien sûr. Faites-moi seulement savoir si je peux vous aider en quoi que ce soit.

La voix de Joyce était bouleversée.

— Entretemps, je vais démarrer une chaîne de prière.

— Merci, je vous en suis très reconnaissante, dit Serena.

Toutes les prières seraient les bienvenues.

Colt l'observait de ses yeux mi-clos quand elle raccrocha. Elle sentit ses lèvres la picoter, avides de ses baisers. Elle avait envie de réconfort, de se perdre en lui, de sentir son souffle sur son visage et ses mains sur son corps.

Elle avait besoin d'oublier le vide qui grandissait en elle à chaque seconde. Elle avait perdu Parker. Elle ne pouvait pas perdre son fils.

Colt ouvrit la bouche et inspira, mais elle secoua la tête. Elle ne voulait pas parler de ce qui venait de se passer entre eux.

Elle voulait seulement recommencer.

Et l'oublier en même temps.

Parce qu'elle ne pouvait pas combler ce besoin avec Colt Mason. C'était un homme dangereux. Elle devait se protéger et protéger son fils d'hommes comme lui.

Il allait l'aider à localiser Petey. Mais, ensuite, leur relation devrait se terminer.

En reprenant son 4x4, Colt se maudit intérieurement d'avoir pris Serena dans ses bras. L'envie de l'embrasser lui avait fait perdre l'esprit. Il avait oublié son boulot et le fait qu'il travaillait pour elle.

Ce dont elle avait besoin, c'était de réconfort, pas d'un homme qui était censé retrouver son enfant mais en profitait pour s'imposer à elle.

Il ne pourrait jamais remplacer son mari.

Il n'avait rien contre le mariage et la famille, mais elle et Petey aimaient toujours Parker. Il ne devait pas l'oublier et s'impliquer émotionnellement.

Un instant, il avait oublié que c'était une cliente. Il avait été consumé par la pensée de s'occuper d'elle, de retrouver le petit Petey et de les aider à reprendre leur vie ensemble.

Une vie dont il ferait partie.

Bon sang ! Il se frotta le menton. Il se conduisait comme un imbécile.

Il démarra et traversa Sanctuary avant de prendre l'autoroute qui menait hors de la ville. La prison était à deux heures de route, il avait bien besoin de ce temps pour s'éclaircir les idées.

Le fait que Serena était la femme la plus sexy qu'il ait rencontrée, et que lui-même soit fatigué du danger et d'une double vie dans laquelle il s'était presque perdu, ne signifiait pas que Parker Stover s'était perdu aussi. Cela ne signifiait pas automatiquement qu'il était devenu corrompu.

Ni que lui, Colt, pouvait avoir la femme et le fils qu'il avait laissés.

Autant qu'il sache, Parker Stover était peut-être un véritable saint. Il avait été scout, après tout. Avait travaillé comme agent infiltré. Mis sa vie en danger pour le bien public, pour rendre le monde meilleur. Il avait construit un fort avec son fils, fait griller de la viande et donné sa vie pour sa mission.

Colt ne marcherait pas sur ses traces, parce qu'au grand jour son image pâlirait à côté de la sienne.

Réprimant ses émotions comme on lui avait appris à le faire dans son travail, il se concentra sur la conduite et sur la rencontre à venir. Sachant que les visites nécessitaient de prendre rendez-vous, il appela la prison et expliqua qu'il avait besoin d'interroger Rouse.

— J'ai entendu parler du kidnapping, lui dit le gardien en chef Pierce. Rouse est un tueur de flics. Croyez-moi, ça ne le rend pas très populaire ici. Mais, ne vous attendez pas à ce qu'il vous ouvre son cœur. Ce n'est pas un bavard.

— Et son compagnon de cellule ? Ou un autre prisonnier auquel il aurait pu se confier ?

— Il a tué son dernier compagnon de cellule et il sort tout juste d'isolement.

Le gardien soupira.

— Rouse n'a pas de copains de toute façon. C'est un solitaire endurci.

Colt fit la grimace. Interroger Rouse se révélerait

peut-être une perte de temps, mais il devait suivre chaque piste jusqu'au bout.

— Merci. Je serai là dans deux heures environ.

Il appuya sur l'accélérateur. La vie de Petey était entre ses mains.

Exactement comme l'avait été celle de son frère.

Il avait échoué à sauver son frère, mais il ne laisserait pas tomber ce gosse.

Dans un effort désespéré pour oublier le baiser de Colt et décharger son énergie nerveuse, Serena se mit à nettoyer la cuisine. Des larmes lui brouillèrent la vue quand elle prit le bol de céréales de Petey. Et s'ils ne prenaient plus jamais leur petit déjeuner ensemble ?

Elle ferma les yeux et se représenta mentalement son fils assis à la table, laissant tomber des raisins secs et des pépites de chocolat pour simuler des yeux et une bouche sur ses pancakes. Elle se força à croire qu'il était toujours vivant. Qu'il reviendrait à la maison et qu'ils feraient d'autres pancakes, iraient choisir un potiron à l'automne et décoreraient des biscuits pour Noël.

Elle jeta le lait et les céréales dans la poubelle, puis rinça la vaisselle avant de la ranger dans le lave-vaisselle avec sa tasse à café. Ensuite elle récura l'évier et essuya le plan de travail et la table, souhaitant que le parfum du produit de nettoyage dissipe la puanteur de la veille.

Prise de frénésie, elle s'attaqua ensuite aux restes du réfrigérateur, les jeta, lava les boîtes et essuya les étagères.

Mais, tandis qu'elle s'activait, le souvenir de cet argent dans le grenier revint la tourmenter. Pourquoi Parker avait-il laissé autant d'argent liquide dans la maison ?

Et, s'il avait dissimulé cette somme, que lui avait-il caché d'autre ?

Assaillie par les questions, elle se sécha les mains, jeta le torchon sur le comptoir et courut au grenier. Les ombres de la fin d'après-midi dessinaient des bandes de lumière sur le plancher et les murs. Des grains de poussière dansaient dans les rayons du soleil couchant et l'odeur de la naphtaline flottait dans l'air.

La tension lui noua l'estomac quand elle vit le coffre. Colt avait remis l'argent sous les couvertures et l'avait verrouillé.

Elle fit halte au centre de la pièce, observant les objets remisés et essayant de se remémorer quelles affaires de Parker elle avait gardées.

Les premiers mois qui avaient suivi sa mort, le chagrin l'avait presque paralysée. Mais elle avait fini par prendre conscience qu'il ne reviendrait jamais et elle avait emballé ses vêtements pour les donner à une association de charité. Les parents de Parker étant morts dans un accident de voiture des années auparavant, elle n'avait pas pu leur remettre ses certificats de mérite et ses médailles, et elle les avait rangés dans une boîte en se disant qu'un jour Petey voudrait les avoir en souvenir du courage de son père.

De nouveau déchirée par le chagrin, elle eut peur de ce qu'elle pourrait découvrir.

Mais la vie de Petey était dévastée et, pour le sauver, il fallait qu'elle affronte ce qu'avait fait Parker.

Deux cartons dans un coin attirèrent son regard. L'un était plein des souvenirs de leurs premiers rendez-vous. Elle l'ouvrit et retrouva des dizaines de photos de Parker et elle à un match, jouant au minigolf, à un marché régional, en vacances dans les Outer Banks, sur la côte de Caroline du Nord. Sous les photos se trouvaient une boîte à cigares remplie de billets de cinéma et de concerts, un menu de leur lune de miel et un bracelet tissé de la Jamaïque, là où il l'avait demandée en mariage.

Un soupçon se glissa dans son esprit. Il avait disparu pendant des heures, ce jour-là, en Jamaïque. Enquêtait-il sur un trafic de drogue ?

Arrête, Serena. Parker était un homme bon. C'est le criminel qui voulait se venger de lui qui t'a fait du mal, pas lui.

Elle referma la boîte à cigares et ouvrit l'autre carton. Le maillot de foot préféré de Parker, une balle de base-ball signée. Des insignes de scout, ses diplômes de l'Académie de police et une photographie encadrée de Parker recevant une médaille des mains de son capitaine.

Rien de bizarre là non plus.

Partiellement soulagée, elle passa au troisième carton. Celui-là contenait des manuels traitant de comportement criminel, la guitare de Parker et la veste militaire que Petey voulait absolument porter un jour. Elle pressa le cuir usé contre sa joue, remplie de nostalgie par l'odeur familière de l'eau de toilette musquée de Parker.

Déterminée à poursuivre ses recherches, elle le mettait de côté quand un agenda tomba d'une des poches intérieures. Curieuse, elle le feuilleta et parcourut les dates et les heures, essayant de déchiffrer ses notes.

Des initiales ne cessaient de revenir, avec des heures et des lieux de rendez-vous inscrits en rouge.

D.M. ?

Le nom qu'elle avait lu sur le téléphone de Parker lui revint à la mémoire.

Dasha ?

La colère la prit en comptant le nombre de fois où il avait retrouvé cette femme, toujours à des heures avancées de la nuit, et toujours dans des bars ou des motels.

Son cœur se mit à battre douloureusement. Elle ne s'était pas trompée.

Parker avait bien une liaison.

L'argent devait sans doute lui servir à recommencer sa vie quand il les aurait quittés, Petey et elle.

8

Colt montra sa carte au gardien et expliqua la raison de sa visite. Celui-ci communiqua par radio avec le gardien en chef qui autorisa son entrée. Il franchit le portail en voiture et se rangea dans le parking des visiteurs.

La prison était un établissement de haute sécurité abritant de dangereux criminels et une aile réservée aux condamnés à mort. Bâtie en blocs de granit découpés dans une carrière à l'est de la prison et située sur quinze hectares de terrain, elle avait l'apparence d'un fort et était entourée d'une double clôture de fil barbelé.

Colt enferma son arme dans la boîte à gants de son véhicule puis marcha jusqu'à la réception. Il fit halte au bureau d'enregistrement et montra sa carte d'identité. On lui remit un passe numéroté très usé, à porter dans le bâtiment principal. Un ascenseur l'emporta à l'étage supérieur, où un gardien le guida jusqu'au parloir, une pièce spacieuse divisée en box individuels pour permettre une certaine intimité. Ce n'était pas un jour habituel de visite et il lui apparut très vite qu'il se trouverait en tête à tête avec Rouse.

Il prit une chaise et regarda le gardien ouvrir la porte et guider un type massif, menotté et enchaîné, de l'autre côté de la paroi en Plexiglas. Rouse avait la tête rasée et des muscles deux fois plus gros que les siens. Ses chaînes cliquetèrent en traînant sur le lino avant qu'il s'assoie.

Il avait des cicatrices sur les bras et les mains, son nez avait été récemment cassé et une sorte de tatouage d'inspiration tribale s'enroulait comme un serpent autour de son bras droit, jusqu'à sa gorge et son menton.

Colt était un homme impressionnant, mais ce type le dépassait largement. Il devait peser au moins cent cinquante kilos. Le regard sans vie de ses yeux marron donnait aussi une idée de sa méchanceté.

— Mon nom est Colt Mason, commença-t-il. Je suis venu vous parler du meurtre de Parker Stover.

Rouse le fixa simplement, comme s'il avait été interrompu dans une activité importante. Il était peut-être en train de réfléchir au prochain prisonnier qu'il tuerait. Pour un homme condamné à mort, que représentait un meurtre de plus ou de moins ?

— Il y a deux jours, sa femme a été arrêtée pour le meurtre d'un homme appelé Lyle Rice, poursuivit Colt.

Il observa sa réaction, mais le langage corporel de Rouse n'indiquait rien de particulier.

— Pendant qu'elle était en prison, son fils a été kidnappé.

Un bref clignement de paupières de la part de Rouse lui confirma qu'il avait retenu son attention.

— Je pense que le meurtre ou la disparition de Rice et ce kidnapping sont liés.

Rouse ne bougea pas un muscle.

— Vous avez avoué avoir tué Parker Stover ?

Rouse réagit enfin, avec un léger haussement d'épaules.

— J'aimerais connaître les détails. Pourquoi l'avez-vous tué ?

Rouse grogna.

— Eh, vous savez lire ? Tout est dans le dossier.

— Je sais ce qu'il y a dans le dossier, répliqua Colt, les dents serrées. Vous lui avez tiré dessus de sang-froid. Ce que je voudrais savoir, c'est pourquoi.

— Ça aussi, c'est dans le dossier.

— Il y est dit que vous avez été payé pour le faire, mais pas pourquoi l'homme qui vous a payé le voulait mort.

— J'y ai pas demandé.

Colt serra les poings.

— Qui vous a payé, Rouse ?

Celui-ci fit claquer ses dents.

— Connais pas son nom. Y m'a envoyé dix mille dans une enveloppe avant le coup et dix mille après.

— Vous ne l'avez jamais rencontré ?

Rouse grogna de nouveau.

— Ça fonctionne pas comme ça.

Colt croisa les bras et se renversa sur sa chaise.

— A la lumière de l'enlèvement de l'enfant, j'ai pensé que vous vous découvririez un cœur et que vous vous souviendriez de quelque chose que vous n'avez pas mentionné au procès.

Rouse détourna le regard une seconde mais, quand il revint à Colt, la lueur froide et morte était de retour dans ses yeux.

— Nan. Peux pas me souvenir de c'que j'ai pas vu.

La patience de Colt s'épuisait.

— Donc la personne qui vous a engagé ne vous a jamais donné ses raisons de faire tuer Stover ?

— C'est ça.

Rouse croisa son regard.

— Et pourquoi j'aurais voulu savoir ? Vingt mille, c'est vingt mille.

— Est-ce que cela avait à voir avec le trafic de drogue ? demanda Colt.

Rouse abattit les deux poings sur la table.

— J'vous ai dit que je savais pas.

Le directeur avait raison, pensa Colt. Rouse était un salopard sans cœur.

Il se mordit l'intérieur de la joue.

— Et Rice ? Vous le connaissiez ? Est-ce lui qui vous a engagé ?

Les menottes de Rouse cliquetèrent tandis qu'il croisait les mains.

— Jamais entendu c'nom.

Colt sortit une impression photo des différentes apparences de Rice et la plaqua contre la vitre.

— Vous deviez le connaître sous un autre nom. Il se servait de plusieurs identités. Il a purgé une peine pour fraude. C'est Stover qui l'a arrêté.

Rouse grogna.

— Stover était flic. Y a personne ici pour pleurer sur sa mort.

Colt se creusa l'esprit pour trouver quelque chose à offrir à Rouse en échange de ses informations, mais que pouvait-il promettre à un homme qui attendait la mort ? Surtout une ordure telle que lui.

— Donc un autre prisonnier aurait pu piéger la femme de Stover et kidnapper son fils pour se venger ? Mais pourquoi se donner toute cette peine étant donné que son mari est mort ?

Il attendit de voir si Rouse allait mentionner l'argent, mais ce dernier ne mordit pas à l'hameçon.

Au lieu de cela, il afficha un air parfaitement indifférent.

Colt avait peine à contrôler sa colère devant son attitude.

— Ecoutez, Rouse, si vous savez quelque chose au sujet de Stover ou de Rice, ou de celui qui a piégé la veuve de Stover et kidnappé son fils, accouchez. Vous vous en fichez peut-être du père et de la veuve, mais pensez au gosse.

Pendant une seconde, il crut voir quelque chose s'adoucir dans les yeux mornes du prisonnier. Mais la lueur disparut et l'expression glacée revint.

Rouse pressa son visage contre la paroi en Plexiglas et parla à voix basse.

— V'faites fausse route, dit-il d'une voix impassible. Stover a pas été tué à cause de la dope.

Colt fronça les sourcils.

— Alors à quoi était-il mêlé ?

Une veine saillit sur le front de l'homme, accentuant sa vilaine cicatrice.

— Sais pas, mais j'ai entendu des types causer de quèque chose de plus gros.

— Quoi ? demanda Colt.

Rouse se leva en faisant sonner ses chaînes.

— Faites votre boulot et vous trouverez. Moi, j'ai des trucs à faire ici.

— Quels trucs ? demanda Colt, furieux. Vous attendez la mort. Vous pourriez sauver votre âme en aidant cet enfant.

— Z'êtes sourd ou quoi ?

Rouse lui lança un regard de mépris.

— J'vous l'ai dit : trouvez c'que fichait Stover et vous trouverez l'gosse.

Serena étudiait l'agenda de son mari, encerclant les dates et les heures de ses rendez-vous avec D.M.

Pourquoi Parker s'était-il lancé dans une liaison ? Ne lui donnait-elle pas satisfaction d'une façon ou d'une autre ? Son amour ne lui suffisait-il pas ?

Ou bien commençait-il tout simplement à s'ennuyer avec elle ?

Arrête de tirer des conclusions trop hâtives.

D.M. était peut-être un homme. Mais Dasha était une femme. Elle avait entendu sa voix.

C'était peut-être une dealeuse…

Mais pourquoi avait-elle raccroché quand Serena avait pris le téléphone si elle n'était pas la maîtresse de Parker ?

La seule idée que son mari lui ait menti, qu'elle ait passé tant de nuits à l'attendre, à se faire du souci pour lui pendant qu'il s'envoyait en l'air avec quelqu'un d'autre, la mettait en furie.

Son téléphone sonna et elle sursauta. Elle courut répondre mais vérifia d'abord l'identité de l'appelant. Une autre chaîne de télévision.

Elle avait déjà reçu trois appels de journaux d'autres Etats et deux appels de ses clients. Déçue, elle laissa la boîte vocale se mettre en route et s'approcha du manteau de la cheminée.

Elle y prit une photo de Parker, Petey et elle et se demanda de nouveau si la famille heureuse qu'elle croyait former avec eux n'avait été que le pur produit de son imagination. Sa vie dans la rue quand elle était jeune lui avait appris à ne faire confiance à personne.

Mais elle avait fait confiance à Parker. S'était-elle transformée en parfaite idiote ?

La mission d'infiltration de Parker lui avait-elle appris à mentir si bien qu'il pouvait tricher avec sa femme ?

DM. Dasha.

Et si c'était cette Dasha qui avait kidnappé Petey ? Elle voulait peut-être fonder une famille avec Parker et avait décidé de voler le fils qu'il avait laissé derrière lui.

Se mordant la lèvre inférieure, elle fit les cent pas dans la pièce, méditant cette nouvelle théorie. Mais, si Dasha avait voulu s'emparer de ce qui restait de Parker, pourquoi attendre deux ans après sa mort pour agir ?

La fatigue et le manque de sommeil s'infiltraient dans ses os, mais son esprit refusait de se mettre au repos. Petey avait été protégé de la rue parce qu'elle voulait lui épargner la cruauté que l'on pouvait infliger aux plus faibles et aux moins chanceux.

Où était-il à présent ? Allait-il survivre à cette épreuve ? Et, s'il survivait, en resterait-il marqué à vie ?

Colt rappela son bureau en approchant de Sanctuary.

— Rouse a suggéré que Stover enquêtait sur quelque chose d'autre que la drogue, raconta-t-il. Je vais essayer de retrouver son ancien coéquipier et voir s'il peut nous donner des infos.

— Bonne idée, répondit Gage. De mon côté, je vais appeler mon contact au FBI et lui demander s'il a une idée de ce dans quoi Stover était impliqué.

— J'ai cherché les anciens compagnons de cellule de Rice, intervint Ben. Le premier est mort en taule. Le second a été relâché sous caution et a disparu. Le troisième a été tué il y a trois semaines dans un accident de bateau au large de la Floride.

Colt fronça les sourcils.

— Deux morts et un disparu ? Ça m'a l'air suspect.

— Tu m'en diras tant, marmonna Ben. Slade a proposé d'interviewer un autre prisonnier qui connaissait Rice. Il reviendra peut-être avec une piste.

— Merci, en tout cas. Je vais fouiller chez Rice. Je trouverai peut-être quelque chose que les flics ont manqué.

— C'est possible, commenta Gage. Comme ils pensaient avoir arrêté le tueur en la personne de Serena, ils n'ont pas dû creuser beaucoup.

— Des tuyaux valables sur la ligne rouge ? demanda encore Colt.

— Pas encore, soupira Gage. On te tient informé.

Colt raccrocha. En approchant de la ville, il tourna en direction de chez Rice. Les rubans jaunes de scène de crime miroitaient sous le clair de lune et il ralentit pour balayer les abords du regard et repérer d'éventuels policiers de garde ou des curieux intéressés par le meurtre.

Une autre possibilité le frappa. Le meurtrier pouvait aussi revenir sur les lieux pour faire disparaître des preuves qu'il y aurait laissées.

Ou bien un indice quant à l'argent, si cela faisait partie de ses mobiles.

Colt se gara à quelque distance de l'appartement, fourra son revolver dans sa veste et rejoignit vivement le complexe. Il fit le tour par-derrière. Une clôture entourait une petite cour. Il escalada la rambarde de bois, redescendit de l'autre côté et se faufila jusqu'à la porte de derrière.

L'intérieur était tout aussi obscur que l'extérieur. Il sortit une lampe de poche et éclaira la serrure pour la crocheter avec un petit outil avant de se glisser dans l'appartement.

La tentation était forte d'allumer le plafonnier ou une lampe pour hâter ses recherches, mais il ne pouvait prendre le risque qu'un passant l'aperçoive et appelle la police.

Il éclaira la cuisine intégrée. En forme de L, elle était pourvue de tout l'équipement nécessaire, mais il n'y avait aucune trace de nourriture ni même d'un usage récent.

Une table en Formica et deux chaises en occupaient un coin, un ameublement minimal qui avait l'air également neuf. Pas de photos de famille, de touches personnelles ni de signes de Rice en vue.

L'homme se cachait. Il avait sans doute planifié la manière de s'introduire dans la vie de Serena et d'exercer sa vengeance — ou de s'emparer de l'argent dans le grenier. Mais son plan s'était retourné contre lui et il était mort.

Quelques taches de sang parsemaient le lino bon marché. Colt savait que le pire se trouvait à l'étage. Cependant, il cherchait avant tout des indices et il se mit à fouiller les tiroirs et les placards de la cuisine en quête d'une piste quant aux plans de Rice ou à l'identité de celui qui l'avait tué.

Le numéro d'une ancienne petite amie, par exemple, ou un lien avec un acolyte éventuel.

Les tiroirs ne recelaient que des couverts, et le garde-manger contenait trois packs de soupe, une boîte de haricots et du pain rassis. Le réfrigérateur était encore plus vide, avec en tout et pour tout un reste de pizza dans une boîte en carton.

Il passa dans le salon et examina attentivement la pièce. Un sofa marron uni et un fauteuil, une table d'angle et un petit bureau. Il fouilla le tiroir de la table d'angle mais ne trouva rien. La table basse était constellée de taches de café et quelques magazines gisaient dessus. Les trois premiers étaient des magazines de finance. Rice s'en servait-il pour préparer une autre escroquerie ?

Le dernier était une publication sur l'immobilier de la côte sud de la Floride.

Hum, avait-il l'intention de se rendre là-bas ?

Il feuilleta les pages en quête d'une indication sur ce qui intéressait Rice, peut-être une annonce entourée, mais rien ne lui apparut. Ben ne lui avait-il pas dit que l'un de ses anciens compagnons de cellule était mort au large des côtes de la Floride ?

Il traversa la pièce et farfouilla dans les tiroirs du bureau. Les seuls documents étaient des menus de plats à emporter. Le tiroir inférieur était vide. Un bloc-notes était posé sur le bureau avec un stylo à côté, mais il n'y avait aucune note, nom, ou numéro de téléphone. Il vérifia la corbeille à papier. Elle avait été vidée.

Il s'interrogea sur la voiture de Rice mais supposa que la police l'avait réquisitionnée. Gage pourrait peut-être apprendre s'ils avaient trouvé quelque chose dedans. De même s'il avait un ordinateur, ils l'avaient sans doute confisqué.

De toute façon, Rice était un escroc et il doutait qu'il ait laissé des traces de ses activités et des preuves de ses plans sur son ordinateur.

Frustré, il grimpa l'escalier. Une chambre avec salle de bains. Les draps trempés de sang du lit double avaient été dépouillés et emportés au labo, mais il y avait encore des taches de sang sur le sol. Il s'approcha de la commode et fouilla les tiroirs. Des chaussettes, des T-shirts et trois caleçons encore sous plastique y étaient rangés en piles nettes. Les deux derniers tiroirs étaient vides. Il ouvrit la penderie et trouva trois costumes alignés avec soin. Il fouilla les poches et tâta les doublures au cas où Rice aurait cousu quelque chose dedans, sans succès. Deux paires de chaussures de ville étaient alignées sur le sol, de même qu'une paire de chaussures de travail.

Quelque chose tiralla son esprit et il vérifia la pointure. Du 43.

Le 43 était une taille courante, mais c'était tout de même une coïncidence à vérifier. Il les renversa et remarqua de la terre et des feuilles coincées dans les dessins des semelles.

Le kidnappeur avait-il porté ces chaussures ? Et, si oui, pourquoi les avoir rapportées chez Rice ?

D'autres soupçons prirent forme dans son esprit tandis qu'il analysait la situation. Rice était un escroc. Il avait soutiré leurs économies à des dizaines de gens, commis des escroqueries, modifié son apparence, créé de fausses identités et élaboré des ruses pour tromper la police.

Aurait-il pu feindre sa propre mort afin de mettre son soi-disant meurtre sur le dos de Serena ?

*
* *

Serena ne tenait plus d'impatience d'avoir des nouvelles de Colt. Le meurtrier de Parker lui avait-il fourni une piste ?

Ou bien avait-il trouvé quelque chose d'utile chez Rice ?

Le téléphone se mit à sonner et elle serra les dents, priant pour que ce soit le kidnappeur et pas un autre reporter. Ou, mieux encore, Colt avec des informations. Une deuxième sonnerie retentit et elle se dépêcha de prendre le combiné et de regarder l'écran. Numéro masqué.

Elle laissa tomber la tête dans ses mains et retint un hurlement. C'était probablement un représentant.

A moins que ce ne soit l'homme qui avait volé son enfant.

Son estomac se contracta quand elle saisit le combiné.

— Allô ?

— Maman !

Serena reprit son souffle au son de la petite voix de son fils.

— Petey ?

— Maman, au secours, cria Petey. Viens me chercher s'il te plaît !

Elle resserra les doigts sur le téléphone.

— Où es-tu, mon chéri ? Tu vas bien ?

— Maman…

Des pas se firent entendre suivis d'un grondement guttural.

— Donne-moi ce téléphone, petit !

— Petey, où es-tu, chéri ? Dis-moi vite, mon trésor…

Petey se mit à pleurer et elle comprit que l'homme lui avait arraché le téléphone des mains.

— Qui est à l'appareil ? hurla Serena. Qu'avez-vous fait à mon fils ?

Le bruit des sanglots de Petey résonnait sur la ligne, et le cœur de Serena bondit.

— S'il vous plaît, supplia-t-elle. Je vous paierai ce que vous voulez, mais ramenez-moi mon fils.

Seul le silence lui répondit.

La communication avait été coupée.

Serena s'effondra sur le sofa, en proie au désespoir. Si le kidnappeur voulait de l'argent, pourquoi n'avait-il pas répondu ?

A moins qu'il n'ait jamais eu l'intention de demander une rançon ni de ramener Petey…

9

Rice avait-il simulé sa propre mort ?

Une fois que cette idée se fut frayé un chemin dans le cerveau de Colt, elle ne le quitta plus. Si Rice était vivant, cela expliquerait pourquoi la police n'avait pas retrouvé son corps.

D'autres détails lui revinrent à la mémoire. Il était allé chez Serena et avait donc pu lui voler ses sous-vêtements et le couteau de cuisine, de même qu'il avait pu prélever ses empreintes sur une tasse ou un verre pour les placer chez lui. Il aurait pu aussi envoyer ces e-mails depuis son portable.

Mais pourquoi avoir laissé ses chaussures sachant qu'on les découvrirait ?

Parce qu'il avait supposé que la police avait déjà examiné les lieux et ne reviendrait pas. Son mobile pour l'enlèvement était problématique, mais la possibilité qu'il demande une rançon existait toujours.

Cependant, la quantité de sang sur le sol et sur les draps rendait Colt perplexe. Rice avait-il stocké du sang pour cette mise en scène ? Peut-être en avait-il volé quelques litres dans un laboratoire.

Mais, si c'était le cas, ce sang n'aurait pas correspondu au sien.

Il fallait qu'il demande au shérif de vérifier que le

groupe sanguin et l'ADN prélevé sur les lieux du crime étaient bien ceux de Rice.

Stimulé par cette hypothèse, il fouilla de nouveau la penderie et s'agenouilla pour s'assurer qu'il n'y avait rien de caché sous la moquette, ou derrière une étagère.

Rien.

La dernière pièce. La salle de bains.

L'armoire de toilette contenait les articles habituels : du savon, de la crème à raser, du dentifrice, du shampoing.

Un rasoir utilisé et un flacon de teinture pour les cheveux attirèrent son regard dans la poubelle. Il examina l'emballage. Du blond cendré.

Sur ses photos précédentes, les cheveux de Rice étaient bruns, presque noirs.

S'il avait simulé sa propre mort, il avait sans doute modifié son apparence afin que personne ne le reconnaisse. Colt s'agenouilla et fouilla de nouveau la poubelle, mais, en dehors d'un coton-tige et d'un mouchoir en papier, il n'y avait rien d'autre. Au moment où il allait se relever, il remarqua un carreau descellé derrière les toilettes.

Il prit un canif dans sa poche, l'ouvrit et souleva le carreau en faisant levier. Celui d'à côté vint en même temps, révélant un petit trou creusé dans le mur. Colt introduisit ses doigts dedans et sentit quelque chose.

Son cœur se mit à battre à toute allure. C'était un agenda. Il allait peut-être y trouver des détails sur les plans de Rice et l'endroit où il se cachait.

Des dates et ce qui ressemblait à des coordonnées GPS s'alignaient sur les pages. Des colonnes de lettres et de chiffres étaient aussi notées mais il ne comprit pas leur signification.

Il s'agissait manifestement d'une sorte de code.

Impatient de donner l'agenda à déchiffrer à Ben, il le

fourra dans la poche de sa veste et replaça les carreaux. Eteignant sa lampe de poche, il repassa dans la cuisine.

Les phares d'une voiture éclairèrent soudain la façade de la maison et il recula instinctivement. S'immobilisant près de la porte, il jeta un coup d'œil à la fenêtre derrière lui pour s'assurer qu'il ne s'agissait pas de la police, mais le véhicule ralentit puis passa son chemin.

Soulagé, Colt sortit par la porte de derrière et franchit la clôture avant de s'accroupir derrière les buissons au moment où une autre voiture passait.

Il avait mis son téléphone portable en mode vibreur et il le sentit se déclencher. Il regarda le numéro : Serena.

Le téléphone toujours à la main, il se hâta de dépasser les autres appartements et regagna son 4x4. Le téléphone se mit de nouveau à sonner au moment où il refermait sa portière.

— Serena ?

— Colt, Petey a appelé, déclara Serena d'une voix bouleversée. Il est vivant, mais le kidnappeur a pris le téléphone avant qu'il puisse me dire où il était.

Des gouttes de sueur se mirent à perler sur le front de Colt.

— A-t-il parlé de rançon ?

— Non, cria Serena, il a raccroché !

Colt serra les mains sur le volant. C'était mauvais signe. Plusieurs scénarios, plusieurs affaires dont il avait entendu parler quand il était dans la police lui traversèrent l'esprit. Les choses horribles que ce genre de prédateur faisait aux enfants.

Cet homme n'était pas motivé par l'argent, sinon il serait resté en ligne.

Ce qui signifiait qu'il avait soit l'intention de tuer l'enfant, soit de le remettre à quelqu'un d'autre.

Roy Pedderson avait kidnappé Cissy Andrews pour la

donner à sa sœur. Mais Colt avait le pressentiment que celui-là n'avait pas enlevé Petey pour le donner à un parent.

Les autres possibilités lui donnèrent la chair de poule.

Serena gardait les yeux fixés sur son téléphone portable et sa ligne fixe, leur ordonnant mentalement de sonner. Il fallait que le kidnappeur rappelle et demande de l'argent, qu'il lui promette de lui rendre son fils vivant.

Pauvre Petey… Il avait l'air tellement terrifié.

L'homme l'avait-il puni pour avoir appelé ?

Des images de reportages sur des enfants enlevés et exploités et ses propres souvenirs de la rue l'obsédaient. Elle se mit à frissonner.

Elle était plus âgée que Petey quand elle s'était enfuie loin de sa dernière famille d'accueil, mais elle s'était quand même attiré des ennuis. Elle ne voulait pas penser à ce que son petit garçon pouvait endurer en ce moment même.

Un moteur de voiture ronronna et elle regarda par la fenêtre. Colt venait d'arrêter sa Range Rover dans l'allée et s'élançait vers l'entrée. Soulagée de ne plus être seule, elle lui ouvrit grand la porte.

De gros nuages s'amoncelaient à l'horizon et une bourrasque de vent courba les branches des arbres en éparpillant les feuilles et en ébouriffant les cheveux noirs de Colt. Il s'essuya les pieds sur le paillasson et entra.

— A-t-il rappelé ? demanda-t-il.

Serena secoua la tête.

— Non. J'ai peur de ce que ça signifie, Colt.

Il détourna les yeux et elle comprit qu'il partageait ses appréhensions. Puis son expression impassible revint et il serra les mâchoires.

— Concentrons-nous sur l'aspect positif des choses : nous savons qu'il est vivant.

Il tira un petit carnet en cuir de sa poche.

— J'ai peut-être une piste sur le genre d'escroqueries que pratiquait Rice. Il faut que je parle à Ben dès que possible.

— Qu'est-ce que c'est ? demanda Serena.

— Un carnet contenant des dates, des coordonnées GPS et d'autres informations codées. Hogan Rouse, le meurtrier de votre mari, m'a dit que Parker n'a pas été tué à cause d'un trafic de drogue mais de quelque chose de plus important. Et que, si nous découvrions ce que c'est, nous retrouverions Petey.

Le cœur de Serena se mit à battre la chamade.

— Vous a-t-il dit sur quoi enquêtait Parker ?

— Non, il m'a dit qu'il l'ignorait. Mais ce carnet va peut-être nous donner la clé.

— Alors, portez-le tout de suite à votre collègue.

Serena se souvint tout à coup de l'agenda qu'elle avait trouvé dans les affaires de Parker et se hâta d'aller le chercher.

— Regardez, Colt. C'était dans les affaires de Parker. Il y a des dates et des lieux de rendez-vous. Les initiales D.M. sont répétées plusieurs fois.

— Vous savez qui est D.M. ?

— Non. Mais je vous ai parlé de l'appel téléphonique d'une femme prénommée Dasha. Regardez les lieux des rendez-vous, vous verrez que ce sont tous des bars et des motels. Je crois que D.M., Dasha, était la maîtresse de Parker et que c'étaient leurs rendez-vous.

— Peut-être ou peut-être pas, dit Colt. Mais elle a sans doute des informations sur l'enquête de Parker. Et son coéquipier ? Il la connaissait peut-être.

Serena fronça les sourcils.

— Geoff Harbison ?

— Les enquêteurs parlent de choses avec leur équipier

dont ils ne peuvent pas parler à leur famille. Il pourra sans doute nous aider.

Serena hocha la tête. Elle n'avait pas revu Geoff depuis l'enterrement.

— Ça vaut la peine d'essayer.

Elle lui remit l'agenda.

— Montrez-lui. Il faut que je sache ce qui s'est passé.

— J'aimerais que vous veniez avec moi, lui répondit Colt. En quittant mon bureau, nous irons voir Harbison. Il sera plus enclin à se confier si vous êtes présente.

Le visage de Geoff revint à la mémoire de Serena. Il lui avait présenté ses condoléances durant l'enterrement puis avait littéralement disparu de sa vie. Elle ne s'attendait pas à ce qu'il vienne la voir régulièrement, mais elle avait quand même espéré quelque chose. Il avait travaillé avec Parker pendant cinq ans, et il avait une femme et un fils.

Puis l'appel de Petey lui revint à la mémoire et elle sentit la panique monter en elle.

— Mais si Petey ou le kidnappeur rappellent ? Il faut que je reste près du téléphone.

Colt lui frictionna les bras d'un air décidé mais rassurant.

— Nous avons posé un mouchard sur vos téléphones et je me suis arrangé pour que les appels sur la ligne fixe soient automatiquement transférés sur votre portable quand vous n'êtes pas chez vous.

Serena respira plus librement.

— Alors, allons-y.

Elle avait survécu à la rue et aux familles d'accueil. Elle survivrait à cette épreuve et retournerait elle-même la ville pour retrouver Petey si nécessaire.

*
* *

Quinze minutes plus tard, Colt et Serena étaient en réunion avec les agents de Guardian Angel Investigations.

— J'ai trouvé ce carnet chez Rice. J'espère que tu pourras le déchiffrer, dit Colt à Ben.

Celui-ci plissa les yeux en étudiant les colonnes de chiffres et de lettres.

— Ça va prendre un peu de temps, mais je vais voir ce que je peux faire.

— Merci.

Colt changea de position et se tourna vers Slade.

— Tu as appris quelque chose en parlant aux compagnons de cellule de Rice ?

Celui-ci haussa les épaules.

— Seulement qu'il allait d'une escroquerie à l'autre et qu'il était toujours en quête d'un plan. Il fallait toujours que ce soit de plus en plus gros.

Il tambourina des doigts sur le bureau.

— La seule femme dont ils m'ont parlé était une fille qui lui écrivait de temps en temps en prison. Elle s'appelait Candy Kane.

— Tu l'as retrouvée ?

— Non, c'était une impasse. J'ai contacté l'adresse d'où elle lui écrivait en Californie. Sa colocataire m'a dit que c'était une strip-teaseuse et qu'elle prenait de la cocaïne. Elle est morte d'une overdose il y a six mois.

Bon sang !

Colt ne leur avait pas encore fait part de sa théorie selon laquelle Rice était toujours vivant, mais il fallait le faire à présent.

— Il y a autre chose. Gage, tu pourrais t'assurer que les techniciens scientifiques ont bien analysé le sang retrouvé sur les draps chez Rice et leur demander le résultat ?

Gage se renversa sur sa chaise et croisa les mains derrière la tête.

— Tu as des raisons de croire que ce n'est pas le sien ?

Colt hésita.

— Peut-être. Il y a des éléments dans cette affaire qui ne tiennent pas debout. Premièrement, il n'y a pas de corps. Deuxièmement, nous savons que ce n'est pas Serena qui a tué Rice, a traîné son corps hors de la chambre et s'en est débarrassé. Alors qui l'a fait ?

— Bonne question, marmonna Derrick.

Colt changea une nouvelle fois de position.

— Quand j'étais chez Rice, j'ai remarqué un rasoir et un flacon de teinture à cheveux dans la poubelle.

Derrick haussa les épaules.

— Rice était maître dans l'art du déguisement. Il a pu modifier son apparence pour disparaître, mais il a été tué avant d'en avoir eu l'occasion.

— C'est vrai, convint Colt, mais pourquoi les techniciens de scène de crime n'ont-ils pas pris l'emballage et le rasoir pour les analyser ?

Amanda s'éclaircit la gorge.

— Est-ce que tu es en train de suggérer que Rice n'est pas mort ? Qu'il a mis en scène son meurtre et qu'il est revenu modifier son apparence une fois que la police était partie ?

Serena le regardait bouche bée, visiblement stupéfaite.

— Pourquoi se serait-il donné tant de mal juste pour me mettre son meurtre sur le dos ?

Colt serra les dents.

— Comme je vous l'ai dit, il voulait peut-être se venger de votre mari. Et vous faire arrêter afin d'avoir les mains libres pour enlever Petey.

— Alors, si Rice a simulé sa mort, intervint Amanda dans un silence embarrassé, d'où vient tout ce sang sur les draps et le sol ?

— C'est justement pour cela que je veux qu'on l'analyse, répondit Colt. Pour ce que nous en savons, Rice aurait pu répandre son propre sang en guise de preuve. Ou bien c'est celui d'un animal.

Il fit une pause.

— Ou encore il avait un complice qu'il a tué, avant de se débarrasser de son corps et de préparer une mise en scène destinée à faire croire que c'était lui qu'on avait assassiné.

— De façon que personne ne le cherche…, poursuivit Derrick d'un ton dégoûté.

— C'est plausible, enchaîna Slade.

— Et cela expliquerait aussi ces preuves contre Serena, ajouta Gage. Il les a volées chez elle et les a placées chez lui.

Colt leur montra le sac contenant les chaussures.

— Elles étaient dans la penderie de Rice. Pointure 43. Il y a des paquets de boue et d'herbe sur les semelles.

Derrick se leva.

— Laisse-moi les analyser et vérifier si elles correspondent aux empreintes relevées chez moi. Je vais aussi chercher s'il y a des traces d'ADN pour voir si Rice les a portées.

— Mais pourquoi Rice aurait-il enlevé Petey si ce n'est pas pour l'argent ? demanda Serena.

Une seconde tendue s'écoula tandis que tout le monde méditait sa question.

Et personne, y compris Colt, n'eut envie d'y répondre.

Serena se plongea dans le silence tandis qu'ils se rendaient chez Geoff Harbison près de Raleigh. La voix terrifiée de Petey résonnait dans son esprit et l'obsédait.

Le reverrait-elle un jour ?

Elle poussa un gros soupir. Comment avait-elle pu être

assez idiote pour sortir avec un homme aussi dangereux que Rice ?

S'il avait mis en scène sa propre mort, il en avait méthodiquement planifié tous les détails : la première fois qu'ils s'étaient vus, le café, l'invitation chez elle pour pouvoir y voler ses affaires. Il avait peut-être même fait faire un double de sa clé pour pouvoir aller et venir à sa guise.

Elle s'efforça de se souvenir du son de la voix du kidnappeur, de son intonation, mais elle était tellement obnubilée par son fils qu'elle ne put se rappeler les détails. Etait-ce celle de Rice ?

Avait-il enlevé son fils avant de revenir tirer sur elle et Colt à la sortie du tribunal ?

Elle sentit sa poitrine se comprimer. S'il voulait la tuer, cela signifiait qu'il n'avait aucunement l'intention de lui rendre Petey...

Seigneur, qu'allait-il faire de son fils ?

10

Colt posa sa main sur celle de Serena et elle eut envie de s'accrocher à lui. Mais comment pouvait-elle faire confiance à un homme quand son mari l'avait trompée tout autant que Rice ?

— Nous allons retrouver Petey, dit Colt d'un ton bourru. Il faut que vous vous en persuadiez. Ne perdez pas espoir.

— Je ne sais plus ce que je dois croire, répondit-elle avec un soupir douloureux. J'ai l'impression que tous ceux que je connaissais m'ont menti.

— Je vous promets de ne jamais vous mentir, déclara-t-il d'une voix rauque.

Serena sentit qu'il était sincère, mais comment pouvait-elle être certaine qu'il ne l'avait pas déjà fait ? Et s'ils ne retrouvaient pas son fils ?

Le souvenir de leur baiser lui revint à la mémoire et elle retira sa main. Cela avait été trop bon, trop tentant. Trop égoïste.

Il ne fallait pas qu'elle se repose sur Colt ni qu'elle fasse passer ses propres besoins avant ceux de Petey.

Son expérience de la rue ne lui avait-elle donc rien appris ? Bien sûr, elle s'était adoucie après s'être mariée avec Parker. Elle lui avait permis de s'occuper d'elle et de Petey, mais il avait été assassiné et ils s'étaient retrouvés tout seuls.

Si elle avait accepté cette solitude au lieu de laisser

Lyle Rice s'introduire dans leur vie, Petey et elle seraient en sécurité chez eux à présent.

Colt pénétra dans un quartier de vieilles maisons. Bien que la nuit soit tombée, le clair de lune révélait un mélange de petits cottages en brique et de maisons en bardeaux à la peinture craquelée et aux auvents affaissés. Pourtant, la plupart des jardins étaient bien entretenus et on devinait la présence d'enfants aux jouets et aux jeux de plein air.

— Geoff sait-il que nous venons lui rendre visite ? demanda Serena.

Colt opina.

— Oui, je l'ai appelé en allant chez vous. Vous êtes restée en contact avec lui ?

— Non.

Elle remarqua la rampe pour handicapés sur le côté de la maison et se souvint que le fils de Geoff souffrait d'une infirmité motrice cérébrale.

— La dernière fois que je l'ai vu, c'était à l'enterrement de Parker. J'imagine qu'il a ensuite été trop occupé pour me rappeler.

En outre, il avait ses propres problèmes de famille et n'avait pas besoin qu'elle déverse les siens sur ses épaules, songea-t-elle.

Elle s'en voulait presque de venir le déranger à présent.

Colt se gara et Serena remarqua les plates-bandes de fleurs fanées et le gazon aux touffes inégales tandis qu'ils approchaient de la porte d'entrée. Ils pressèrent la sonnette et un carillon retentit, suivi des aboiements d'un chien. Un instant plus tard, un golden retriever pressa son museau contre la vitre de la fenêtre qui jouxtait la porte d'entrée.

Des pas résonnèrent et Geoff apparut sur le seuil,

portant un T-shirt et un pantalon informes, le visage raviné et buriné.

Le chien aboya et Geoff le repoussa d'une caresse.

— Va voir Billy, ma fille, va.

L'animal tourna sur lui-même et s'éloigna en trottant.

Serena fronça les sourcils. Geoff avait l'air d'avoir pris dix ans depuis la dernière fois qu'elle l'avait vu. Il avait des cernes noirs sous ses yeux gris, ses cheveux hirsutes avaient blanchi et il avait maigri.

Il regarda Colt puis Serena, et une tristesse teintée de lassitude apparut dans son regard à sa vue.

— Bonjour, Serena.

— Ça fait un bout de temps, Geoff.

Il baissa la tête comme s'il avait honte.

— Je sais, je suis désolé.

Sa voix se brisa et il s'éclaircit la gorge.

— J'ai entendu la nouvelle pour Petey. C'est affreux.

Serena hocha la tête, en se mordant la lèvre pour retenir ses larmes.

Geoff changea de position, manifestement mal à l'aise, puis s'adressa à Colt.

— Vous devez être Mason, le détective qui m'a appelé.

Colt lui tendit une main qu'il serra.

— Oui, monsieur. Colt Mason, de Guardian Angel Investigations. Merci de nous recevoir.

Geoff se frotta le menton d'une main pleine de taches de vieillesse.

— Entrez donc. J'ai fait du café.

Le grincement d'un fauteuil roulant se fit entendre et Serena vit approcher un garçon d'une dizaine d'années. Il avait des cheveux bruns et un grand sourire, mais il était petit pour son âge.

— Papa, le ninja va attaquer.

Geoff lui fit un sourire forcé.

— O.K., fils. Mais j'ai de la visite.

Il fit un geste en direction d'une pièce sur la droite.

— Retourne dans le salon et finis le film. Je vais bavarder avec ces personnes pendant quelques minutes.

Le visage du garçon s'allongea légèrement.

— Je peux mettre sur pause jusqu'à ce que tu aies fini.

Geoff jeta un coup d'œil à sa montre.

— Dans ce cas, tu n'auras pas le temps de regarder la fin avant d'aller te coucher.

Serena eut presque envie de rire devant l'expression déchirée de l'enfant.

— D'accord, mais je le regarderai encore avec toi ce week-end.

Geoff acquiesça.

— Marché conclu.

Le garçon fit pivoter son fauteuil et fila dans le salon.

Serena et Colt suivirent Geoff dans la cuisine. Il leur servit du café dans des tasses ébréchées. Serena se mit à jouer avec l'anse tandis que Geoff se laissait tomber sur une chaise face à eux.

— Je ne sais pas ce que je peux faire pour vous, dit-il en ajoutant du sucre dans son café. J'ai pris ma retraite il y a un an et demi, et maintenant je passe mes journées à m'occuper de Billy.

— Où est votre femme ? demanda gentiment Serena.

Geoff serra les lèvres.

— Elle a fait une crise cardiaque il y a deux ans. Depuis, la vie est difficile. Billy a besoin de soins constants, de séances de thérapie physique. Je ne pouvais pas travailler et m'occuper de lui en même temps.

Serena posa sa main sur la sienne.

— Je suis navrée, Geoff. Ce doit être difficile pour vous.

Il croisa son regard et des larmes lui montèrent aux

yeux. Pourtant, tout de suite, il pinça les lèvres et se redressa en battant des paupières.

— Vous avez une idée de qui a pu enlever votre petit garçon ? demanda-t-il.

Serena secoua la tête.

Colt lui expliqua l'enchaînement des événements et ses récents soupçons.

— Rouse m'a laissé entendre que Parker enquêtait sur quelque chose de plus important que le trafic de drogue et que c'est cette enquête qui l'a tué. Vous et lui faisiez équipe. Vous a-t-il confié sur quoi il travaillait ?

Geoff fixa son café pendant si longtemps que Serena pensa qu'il ne répondrait pas. Mais il finit par s'éclaircir la gorge.

— Oui, nous faisions équipe, mais ma vie était très compliquée à l'époque… et Parker n'aimait pas parler de ses missions d'infiltration.

— Geoff, s'il vous plaît, réfléchissez, le supplia Serena. Nous pensons que Lyle Rice a quelque chose à voir avec la mort de Parker et que c'est lui ou un complice qui m'ont piégée et ont enlevé Petey.

— Je ne sais rien de Rice, répondit Geoff. Parker travaillait sur un trafic de drogue et il m'a dit qu'il avait découvert quelque chose qu'il soupçonnait être encore plus important. Mais il ne m'a jamais donné de détails. En fait, il est devenu très secret vers la fin. Je le poussais à me dire ce qui n'allait pas, mais il ne voulait pas en parler.

Il prit une gorgée de café.

— De toute façon, il savait comment jouer un rôle.

— Exactement comme Rice, marmonna Colt.

Une sensation de douleur poignarda Serena. Elle avait envie de défendre Parker, mais elle devait reconnaître que c'était un menteur habile. Il devait l'être ou il n'aurait jamais pu effectuer cette mission convenablement.

Colt s'éclaircit la gorge.

— A-t-il jamais mentionné des noms de suspects ?

Geoff secoua la tête.

— Il m'a seulement dit qu'il se servait du liquide de l'une de ses descentes pour une autre affaire. Une marchandise qu'il voulait appréhender.

— Une marchandise ? demanda Colt. Mais qu'y a-t-il de plus important que la drogue ?

— J'ai supposé qu'il s'agissait de diamants, dit Geoff. Des diamants d'Afrique.

Les diamants du sang, pensa Serena.

— Pourquoi ne vous faisait-il pas participer à son enquête ?

Geoff haussa les épaules.

— Il disait qu'il avait besoin de plus d'informations avant de pouvoir arrêter quelqu'un. Il ne voulait pas seulement les sous-fifres. Il voulait la tête de l'organisation et il était sur le point de l'épingler.

— Mais il a été tué avant de pouvoir le faire, poursuivit Colt.

Geoff hocha la tête et repoussa son café d'un air tourmenté. Serena se demanda s'il se reprochait la mort de son mari. C'était peut-être la raison pour laquelle il n'était pas resté en contact avec elle.

Elle tira l'agenda de Parker de son sac.

— J'ai trouvé ça dans les affaires de Parker. Les initiales D.M. ne cessent d'apparaître. Une femme nommée Dasha a aussi téléphoné plusieurs fois. Elle raccrochait toujours quand c'était moi qui répondais.

Elle fit une pause, le cœur battant. Voulait-elle vraiment savoir si Dasha était la maîtresse de son mari ?

Oui, il fallait qu'elle sache la vérité. Cela pouvait la mener à son fils.

— Cette Dasha était-elle le D.M. que Parker retrouvait dans ces bars et ces motels ?

Geoff jeta un coup d'œil à l'agenda, l'anxiété peinte sur ses traits tirés.

— Oui.

Serena retint son souffle, le cœur serré.

— Est-ce que Parker et elle avaient une liaison ?

Geoff leva la tête. Puis, lentement, il fit un signe de dénégation.

— Non, Serena, ce n'était pas ça. Dasha n'était pas la maîtresse de Parker. C'était son indic.

Colt vit le soulagement éclairer le visage de Serena et il comprit qu'elle aimait toujours son mari.

Un autre signe lui indiquant qu'il ne pouvait pas prendre la place de celui-ci. Il n'essaierait pas, de toute façon. Quand Serena récupérerait Petey, elle n'aurait plus besoin de lui.

Et il avait assez souffert de pertes dans sa vie. Il ne voulait pas tomber amoureux d'une femme qui n'éprouvait pas les mêmes sentiments que lui.

— Vous connaissez son nom de famille ou la manière dont nous pourrions la trouver ? demanda-t-il.

Geoff secoua la tête.

— Vous pourriez vous rendre aux endroits mentionnés dans son agenda. Ils se retrouvaient toujours dans un bar ou un motel en dehors de Raleigh, et tard le soir. Cela faisait partie de leur couverture à elle et à lui.

— Vous voulez dire qu'elle s'habille comme une fille des rues ? demanda Serena.

Geoff leva les sourcils.

— Si c'est comme ça que vous appelez une prostituée, la réponse est oui.

— Merci, dit Colt. Vous nous avez été très utile.

Geoff se leva et remonta son pantalon. Puis il regarda son fils, une expression étrange sur le visage.

— J'aurais aimé faire plus. Avoir sauvé Parker par exemple.

Serena contourna la table et lui donna l'accolade.

— Ne vous faites pas de reproches, Geoff. Parker est mort en faisant son travail. Il savait que vous surveilliez ses arrières.

Colt crut voir une lueur de culpabilité traverser les yeux de Geoff. Mais les coéquipiers dans la police étaient comme des frères et il comprenait ce genre de sentiment.

Serena relâcha Geoff et se dirigea vers la porte.

— Venez, Colt. Allons voir Dasha pour savoir sur quoi mon mari enquêtait et pourquoi il a été tué.

Cependant, celui-ci ne voulait pas l'emmener dans des endroits aussi mal fréquentés.

— Ecoutez, Serena, laissez-moi vous ramener chez vous. J'irai tout seul.

Elle lui lança un regard déterminé en franchissant le seuil. Quand il la rattrapa, elle s'arrêta sur les marches du porche et posa les mains sur ses hanches.

— Colt, je sais que vous voulez me protéger, mais vous vous trompez sur moi. J'ai grandi dans la rue. Croyez-moi, je sais comment y survivre.

Une expression tourmentée assombrit ses yeux.

— En outre, cela vous prendrait trop de temps de retourner à Sanctuary et de revenir ici ensuite.

Elle se dirigea d'un pas décidé vers la Range Rover, le laissant se demander ce qu'elle voulait dire par là. Ses remarques sur son casier judiciaire et son enfance en famille d'accueil lui revinrent à la mémoire.

Serena était une femme complexe, aimante et forte en même temps… Une combinaison mortellement séduisante.

Son téléphone vibra et il le sortit. C'était Gage.

Il s'empressa de prendre l'appel.

— Oui ?

— Colt, Caleb Walker vient de m'appeler. Il a peut-être une info.

— Caleb ? Je croyais qu'il était en voyages de noces.

— Il vient de rentrer. Quoi qu'il en soit, les jumelles de sa femme ont une sorte de don psychique.

— Oui, je me souviens. Mais qu'est-ce que ça a à voir avec l'affaire ?

— Cissy, la petite qui avait disparu, a vu les informations sur Petey et Lyle Rice.

Gage soupira.

— Elle a reconnu Lyle et dit qu'elle l'a vu parler avec Ray Pedderson.

— Une minute… Pedderson, c'est celui qui l'a enlevée, n'est-ce pas ?

— Oui. Elle prétend aussi que, quand elle était dans le camion dans lequel Pedderson l'a emmenée, elle a senti que d'autres enfants avaient été attachés là.

— Tu veux dire que Rice était lié au trafic d'adoptions illégales du Dr Emery ?

— Je ne sais pas.

Gage marmonna une exclamation frustrée.

— Ça ne veut peut-être rien dire, mais c'est une question de plus que je poserai à Mansfield, l'avocat corrompu. Nous pensons toujours qu'il en sait plus à propos de l'opération d'Emery qu'il ne le dit.

Colt se frotta le menton.

— Tenez-moi au courant.

Il raccrocha, l'esprit en ébullition. Pedderson, Rice et Mansfield, associés ?

Un autre morceau du puzzle à placer. Etaient-ils passés

des enlèvements locaux à une organisation internationale de kidnapping ?

Serena regarda son téléphone pour la centième fois tandis que Colt les conduisait en ville.

Ce serait la seconde nuit que Petey passerait loin d'elle. La seconde nuit depuis qu'on l'avait arraché à ses bras.

Un poids pesait sur sa poitrine. Son petit garçon était peut-être à des centaines de kilomètres, dans un autre Etat. Et si Rice était vivant, en possession d'un passeport et d'une nouvelle identité, il l'avait peut-être même emmené à l'étranger.

Non… Il ne fallait pas qu'elle pense à ça.

Avec un peu de chance, Dasha saurait quelque chose qui les mènerait à son fils.

Situé entre Raleigh, Durham et Chapel Hill, le Research Triangle Park était la Mecque de la technologie, des affaires et de la vie universitaire et était par conséquent entouré de centres commerciaux, de restaurants gastronomiques et de dizaines de bars.

— Alors, où sont les quartiers mal famés ici ? demanda Serena.

Colt désigna la gauche et vira dans une ruelle. Serena repéra aussitôt des entrepôts déserts, tombés en décrépitude, et quelques bars miteux.

— Vous êtes déjà venu ici ? le questionna-t-elle.

Il acquiesça d'un signe de tête.

— Quand je travaillais comme agent infiltré, je suis tombé sur un trafic d'armes par ici.

Serena hocha la tête, consciente qu'il avait eu le même genre de rôle que Parker.

Elle se força à revenir au présent.

La soirée ne faisait que commencer, mais une blonde,

dotée de seins refaits et vêtue d'un corsage décolleté quasiment jusqu'au nombril, de bas résilles et de cuissardes, se tenait à l'angle d'une rue, en quête de clients.

Colt se faufila dans un parking mal tenu tandis que Serena fixait les enseignes au néon du bar, l'esprit plein de souvenirs de son ancienne vie. Elle n'était pas fière de ce qu'elle avait fait. Elle avait parfois volé de l'argent pour manger, récupéré du pain de la veille dans des boulangeries qui s'enorgueillissaient de vendre uniquement du pain frais, dormi dans des maisons abandonnées et des immeubles en construction pour survivre. Mais elle n'avait jamais vendu son corps, et elle se sentait désolée pour ces filles qui étaient tombées aussi bas.

Colt n'avait pas besoin de savoir tout cela et elle adopta une expression détachée. Ce soir, il n'était pas question d'elle mais de trouver Petey et de le ramener à la maison.

Elle tendit la main vers la poignée de la portière.

— J'ai soif. Et vous ?

Il haussa un sourcil.

— Oui, bien sûr, allons-y.

Elle sortit de voiture et ignora l'odeur rance des ordures et de l'urine tandis qu'ils se hâtaient dans la ruelle. La lune s'efforçait sans succès de percer les nuages noirs, et l'obscurité se doublait de la pâleur morne du désespoir et de l'ennui.

Elle dépassa un SDF recroquevillé sur un morceau de carton, puis chercha un billet de cinq dollars dans son porte-monnaie et revint le lui mettre dans la main.

— Pour manger, dit-elle, sachant qu'il les dépenserait sans doute pour de l'alcool.

C'était à lui de choisir ce qui nourrirait le mieux son âme usée.

Il tendit la main et tapota la sienne, avec un regard

ému et cette expression de ceux que la vie a rejetés depuis longtemps.

— Dieu vous bénisse, jeune fille.

— Vous aussi, dit Serena avec un sourire en se rappelant la vieille dame bienveillante qui l'avait recueillie chez elle après son séjour en centre de redressement.

Mlle Birdie. Elle avait raconté sa propre histoire à Serena, sa vie dans la rue avant qu'elle ne rencontre Jésus qui avait changé sa vie. Elle avait renoncé à l'alcool et décidé de se consacrer à aider les autres au lieu de sombrer dans le désespoir.

Serena avait versé toutes les larmes de son corps le jour où elle était morte. Mais elle lui était reconnaissante de toutes ces années qui l'avaient aidée à reprendre les rênes de sa vie. Mlle Birdie lui avait redonné confiance en la vie et lui avait fait comprendre qu'elle méritait d'être aimée et d'avoir une famille à elle.

Elle jeta un coup d'œil à sa tenue. Son jean et son T-shirt classique étaient parfaits pour la vie de tous les jours mais pas pour attirer l'attention dans un bar. Elle ôta l'élastique qui retenait ses cheveux et les fit bouffer. Puis elle attacha son T-shirt sous les seins, laissant son ventre à découvert. Une touche rapide de rouge à lèvres compléta son déguisement de fille en goguette.

Colt haussa un sourcil mais ne fit aucun commentaire. La blonde s'approcha de lui et lui caressa le bras d'un air séducteur.

— Hé, beau brun, qu'est-ce que je peux faire pour toi ?

Colt lui sourit.

— Nous cherchons Dasha, vous la connaissez ?

La blonde pinça ses lèvres refaites au collagène.

— Au diable cette fille, c'est toujours elle qui s'fait les plus beaux. J'l'ai pas vue ce soir.

Elle lui effleura la mâchoire de ses ongles rouge sang.

— T'es sûr que je peux rien faire pour toi, chéri ? On s'est jamais plaint de moi encore.

— Merci, mon trésor, mais c'est Dasha que j'ai besoin de voir.

Il lui glissa un billet de vingt dollars dans le corsage.

— Quand elle arrivera, dites-lui de nous retrouver à l'intérieur.

Serena les contourna pour entrer dans le bar. Elle fut assaillie par l'odeur de la bière bon marché et de l'alcool fort, par le bruit des rires, des plaisanteries et de la musique qui braillait. Près du juke-box, deux hommes tatoués pourvus d'estomacs proéminents la sifflèrent, et un jeune skinhead leva les yeux du billard pour la déshabiller du regard. Décidant manifestement qu'elle n'en valait pas la peine, il revint à son jeu.

Serena prit un tabouret de bar et commanda une bière pression. Colt fit de même en balayant la salle du regard. Un motard aux cheveux longs, en blouson de cuir et jean, s'assit à la droite de Serena.

— Je peux t'offrir un verre ?

Serena ouvrit la bouche pour parler, mais Colt fut plus rapide qu'elle.

— Elle est avec moi.

L'homme leva un sourcil interrogateur.

— Vraiment ?

Serena dissimula l'irritation que la réplique de Colt avait provoquée en elle.

— Ouais. Nous cherchons Dasha.

— Quoi ? Vous faites dans le triolisme ?

Serena haussa les épaules.

— Quelque chose comme ça.

— Vous la connaissez ? demanda Colt.

L'homme afficha une expression neutre.

— Je l'ai déjà vue par ici.

Le serveur poussa leurs bières devant eux et Serena prit une gorgée de la sienne, en regardant autour d'elle la pièce obscure. Une rousse aux longs cheveux entra dans le bar par la porte de derrière, vêtue d'une minijupe qui ne laissait rien ignorer de ses jambes superbes, et les lèvres peintes en rouge vif.

La blonde qu'ils avaient croisée dehors était derrière elle et fit un geste en direction de Colt.

— Voilà Dasha.

Serena s'essuya la bouche du revers de la main et se fraya un chemin dans le bar en contournant le billard et deux hommes hirsutes en habits de peintres qui engloutissaient des hamburgers dans un box.

La blonde ressortit. Dasha se glissa dans un coin près des toilettes, sortit une cigarette et l'alluma. Serena ignora les regards curieux des hommes ivres en passant près du jeu de fléchettes et la rejoignit.

Colt s'appuya au mur à côté d'elles dans une pose nonchalante.

— Vous êtes Dasha ?

La rousse pencha la tête en arrière et souffla un anneau de fumée dans l'air.

— Qui est-ce qui la demande ?

— Mon nom est Serena Stover, dit celle-ci.

Dasha se raidit instantanément.

— Vous êtes la femme de Parker, dit-elle plus comme une affirmation que comme une question.

Elle détourna les yeux, fit tomber la cendre de sa cigarette sur le plancher éraflé et soupira.

— C'est trop triste qu'y soit mort comme ça. C'était un type bien.

Serena sentit son estomac se nouer. Elle avait eu des sentiments tellement mélangés au sujet de son mari depuis deux ans qu'elle était surprise d'entendre cette femme verbaliser ses pensées. Mais, même si Dasha n'avait pas couché avec Parker, elle avait peut-être été amoureuse de lui.

Quelle importance à présent ?

— Dasha, j'ai besoin de votre aide, dit-elle dans l'espoir d'établir une relation de femme à femme.

Entre femmes qui avaient aimé le même homme.

Dasha l'observa puis tourna les yeux vers Colt.

— Et vous ? Qu'est-ce que vous voulez ?

— Seulement des réponses, déclara-t-il avant de tirer deux billets de cinquante dollars de son portefeuille et de les mettre dans la main de la femme.

— Je suppose que vous n'avez pas vu les nouvelles ?

Dasha haussa les épaules.

— La télé est en panne. Qu'est-ce qu'y se passe ?

— J'ai été arrêtée pour le meurtre d'un homme nommé Lyle Rice, dit Serena.

— Pourquoi vous l'avez tué ? questionna Dasha en se redressant. Il vous avait fait du mal ?

Serena se mordit la lèvre.

— Je le connaissais à peine. J'ai pris un café avec lui et je suis allée au restaurant mais, il a frappé mon fils alors je lui ai dit de partir. Cependant, cette nuit-là, il a apparemment été assassiné.

Serena frémit à ce souvenir.

— Quoi qu'il en soit, j'ai été inculpée. Et, pour abréger l'histoire, les services sociaux ont pris mon fils et il a été kidnappé cette nuit-là. Je le cherche depuis.

Dasha inhala une autre bouffée de sa cigarette.

— Qu'est-ce qui vous fait penser que je sais quelque chose sur votre fils ?

— Ecoutez, Dasha, dit Colt d'un ton impatient. Nous savons que Parker travaillait comme agent infiltré et que c'est son enquête qui l'a conduit à se faire tuer. Nous savons aussi que Rice voulait se venger de lui parce qu'il l'avait arrêté.

— Et, poursuivit Serena d'une voix frémissante, j'ai parlé au coéquipier de Parker et il nous a dit que vous étiez son indic.

Un air de panique traversa les yeux verts de Dasha et lui fit le teint encore plus pâle malgré l'obscurité. Elle tapota sa cigarette et porta un doigt à sa bouche pour leur imposer silence au moment où le joueur de billard qui avait regardé Serena s'approchait pour entrer dans les toilettes.

— Ne parlez pas de ça tout fort, marmonna-t-elle. Sinon je vais me retrouver six pieds sous terre.

Serena lui prit le bras.

— Ecoutez, Dasha, je me fiche des relations que vous aviez avec mon mari. Honnêtement. Tout ce que je veux, c'est retrouver Petey.

Elle baissa la voix en essayant de faire appel à l'instinct maternel de cette femme, tout en se demandant si elle en possédait un.

Des larmes brouillèrent la vue de Dasha pendant un moment, puis elle jeta sa cigarette sur le sol et l'écrasa sous sa botte.

— Je suis désolée pour votre gosse, vraiment.

— Alors dites-nous ce que vous savez, intervint Colt.

Le joueur de billard sortit des toilettes et jeta un regard noir à Dasha avant de revenir à la table. Un frisson grimpa le long de la colonne vertébrale de Serena. Avait-il écouté leur conversation ?

Avec un air de panique, Dasha s'éloigna d'eux et pénétra à son tour dans les toilettes. Serena la suivit et la rattrapa juste avant qu'elle n'entre dans une des cabines.

— Vous allez me faire tuer exactement comme Parker, aboya Dasha.

Serena ignora le pincement de culpabilité que cette remarque provoquait en elle.

— Je suis désolée, Dasha, mais mon fils a seulement six ans et l'idée qu'on puisse lui faire du mal me terrifie. Le kidnappeur n'a pas demandé de rançon et je ne sais pas vers qui me tourner. Dites-moi seulement sur quoi Parker enquêtait. Etait-ce un trafic de drogue ? Quelque chose d'autre ?

Dasha tressaillit, comme si les paroles de Serena l'avaient touchée. Elle laissa échapper un soupir laborieux.

— Ce n'était pas la drogue, murmura-t-elle avec un air de sympathie.

Mais Serena ne voulait pas de sa sympathie.

— Alors de quoi s'agissait-il ?

Le visage de la prostituée afficha une expression douloureuse.

— Un trafic d'enfants.

Petey s'éveilla au son de pleurs.

Il était couché sur le côté, les pieds et les mains liés, mais il n'avait plus de bandeau sur les yeux.

Pourtant il faisait si noir qu'il ne pouvait pas voir où il était ni même ses mains. Son corps rebondit et heurta une paroi en métal. Le grondement d'un moteur, le bruit de voitures qui passaient et le grincement de freins résonnèrent dans sa tête.

Une camionnette. Il était à l'arrière d'une camionnette. Le véhicule passa dans un trou et il rebondit de nouveau. Puis les pneus chuintèrent tandis que le camion tournait sur la gauche en le projetant contre la paroi opposée.

Les sanglots se firent plus forts.

— Au secours, murmura une voix dans le noir. S'il vous plaît, il y a quelqu'un ?

Petey avala sa salive. Il avait un mauvais goût dans la bouche, dû sans doute à ce que l'homme lui avait fait avaler pour l'endormir. Il avait si soif qu'il pouvait à peine parler.

Mais il le fallait.

Le bruit venait d'une petite fille. Elle devait être ligotée exactement comme lui.

Un gémissement retentit dans le noir, suivi du grattement d'ongles sur la paroi métallique.

— Laissez-moi sortir ! cria la petite fille.

— Moi aussi !

Petey se figea. Il y avait une autre petite fille avec eux.

Il essaya de ramper pour se rapprocher d'elles. Il ne savait pas pourquoi l'homme les avait enfermés là-dedans ni pourquoi on l'avait arraché de son lit. Il ne savait pas où était sa maman, mais si elle avait répondu au téléphone c'était qu'elle était sortie de prison.

Les sanglots continuèrent et il ravala ses propres larmes pour se déplacer en direction du bruit. Le camion rebondit de nouveau, le projetant de côté et son épaule heurta la paroi. Une seconde plus tard, il roula du côté opposé.

— Je sais qu'il y a quelqu'un, cria la petite fille. Qui c'est ?

Petey ravala un cri et rampa vers elle.

— Je m'appelle Petey, murmura-t-il.

— Est-ce que l'homme t'a volé aussi ? chuchota l'autre petite fille.

— Oui.

Il avança dans leur direction et sentit qu'elles tremblaient toutes les deux.

— Chut, ne pleurez pas, murmura-t-il. Tout ira bien. Je vous protégerai.

Puis il ferma les yeux et se représenta sa mère et M. Colt. M. Colt les trouverait. Il était malin, grand et fort. Petey l'avait engagé et il ne renoncerait pas. Dès qu'il en aurait l'occasion, il soufflerait dans le sifflet qu'il lui avait donné.

Alors quelqu'un viendrait, appellerait leurs mamans et ils rentreraient tous chez eux.

11

— Un trafic d'enfants ? murmura Serena. En Caroline du Nord ?

Dasha haussa les épaules.

— Ecoutez, c'est tout ce que je sais. Parker n'avait pas l'intention de m'en parler. Ça lui a échappé quand…

Elle s'interrompit en ouvrant les yeux tout grands, comme si elle prenait conscience qu'elle en avait trop dit.

— Quand vous étiez au lit, compléta Serena en comprenant que sa première intuition avait été la bonne.

Dasha baissa la tête et parla à voix basse.

— Il vous aimait toujours, vous savez. Il était seulement… Son job le bouffait parfois.

— Et vous le compreniez, poursuivit Serena.

Elle avait grandi dans la rue et aurait compris, elle aussi. Mais elle lui avait tu cette partie de sa vie, avait refusé d'en parler avec lui.

Alors il avait fait la même chose.

— Savez-vous quelque chose d'autre au sujet de ce trafic ? reprit-elle. Rice en faisait-il partie ?

Dasha haussa les épaules, faisant danser ses boucles d'oreilles.

— Je vous l'ai dit, c'est tout ce que je sais. Il faut que je retourne travailler avant que quelqu'un ne se doute de quelque chose.

Elle la contourna pour sortir, laissant derrière elle

l'odeur de son parfum bon marché et de nombreuses questions sans réponses.

Serena s'aspergea le visage d'eau froide avant de se sécher avec une serviette en papier. Puis elle se hâta de sortir des toilettes, le cœur battant. Elle vit Dasha près de la porte de derrière, engagée dans une conversation animée avec le joueur de billard. Elle rejoignit vivement Colt.

— Que vous a-t-elle dit ? lui demanda ce dernier.

Serena sentit sa gorge se serrer.

— Parker pensait être tombé sur un trafic d'enfants.

Colt marmonna un juron.

— Vous a-t-elle dit qui était derrière ce trafic ?

Elle secoua la tête.

— Elle n'avait aucun détail. Mais Colt… si Petey a été enlevé dans le cadre de ce trafic, celui qui l'a pris n'a aucune intention de le rendre.

D'horribles reportages lui revinrent à la mémoire et une terreur absolue la fit vaciller sur ses jambes.

Colt serra les poings en luttant pour garder son sang-froid. Petey était venu le voir pour qu'il l'aide, et il l'avait laissé tomber.

Parker avait-il vraiment découvert un trafic international d'enfants ? Si c'était le cas, et si l'homme qui avait enlevé Petey en faisait partie, le petit garçon était en grand danger.

Les déclarations de Cissy sur les autres enfants ligotés et séquestrés dans le camion dans lequel elle avait été enfermée lui revinrent à la mémoire. Seigneur ! Pedderson n'avait pas seulement enlevé Cissy pour la donner à sa sœur, comme ils le pensaient à l'origine. Il connaissait Rice et faisait sans doute partie de la même organisation.

Un sentiment d'urgence l'envahit.

— Venez.

Il fit signe à Serena de le suivre et ils se frayèrent un chemin dans le bar vers la sortie. Dès qu'ils furent assis dans le 4x4, Colt composa le numéro de son bureau.

— Gage, c'est Colt. Il y a du nouveau. Tu peux mettre Ben sur haut-parleur ?

— Bien sûr, une seconde…

Colt attendit que Ben arrive en ligne.

— Que se passe-t-il ?

Colt serra son téléphone tout en sortant à toute allure du parking.

— Serena et moi venons de voir l'indicatrice de Parker. Il enquêtait sur un trafic d'enfants. Nous pensons que c'est à cause de cela qu'il a été tué et que ce sont les gens qui sont derrière cette organisation qui ont enlevé Petey.

— Bon sang ! marmonna Gage. Alors, Cissy avait raison. Pedderson en faisait partie aussi.

— Oui. Il faut que tu mettes la pression à Mansfield pour qu'il nous dise ce qu'il sait.

— Je vais le faire. Et je vais appeler mon ami Metcalf au FBI. Il a peut-être eu vent de ce trafic.

Ben s'éclaircit la gorge.

— Les notes en code dans le carnet concernent sans doute des dates et des livraisons, ou même des transactions. Laisse-moi essayer cette hypothèse et voir si je peux trouver les détails des enlèvements. Une fois le code déchiffré, nous saurons où ils emmènent les enfants.

Serena frémit à côté de lui et une nouvelle vague de culpabilité assaillit Colt.

— Parker s'est sans doute approché trop près de la vérité, et Rice a engagé Rouse pour le tuer avant qu'il ne puisse démanteler l'organisation.

— En parlant de Rice, intervint Gage, les techniciens de la police scientifique m'ont appelé à propos du sang. Tu avais raison. Il y en avait une petite quantité appartenant à Rice, mais la plus grande partie est du sang animal. De chèvre, pour être exact.

— Alors Rice a très bien pu mettre en scène sa propre mort pour faire inculper Serena et s'emparer de Petey, conclut Colt.

— Tout pointe dans cette direction, confirma Gage.

Colt lança un regard à Serena et fit la grimace devant son visage tiré. Elle s'était montrée une vraie dure à cuire dans le bar, mais la découverte qu'une brute sans cœur s'apprêtait à vendre son fils devait la paralyser de terreur.

— On va trouver cette ordure et l'épingler, marmonna Colt entre ses dents.

— Je vais contacter le NCMEC, le Centre national des enfants disparus, dit Gage. Nous aurons peut-être la chance d'avoir un tuyau.

— N'oubliez pas d'alerter les aéroports, les gares ferroviaires et les gares routières. Il ne faut pas que Rice sorte du pays.

— Je m'y mets tout de suite, dit Ben.

Colt luttait pour garder son calme.

— J'ai un contact avec le bureau d'assistance aux victimes à Raleigh, dit-il. Ils ont peut-être entendu parler de kidnappings.

Ils se mirent d'accord pour rester en contact et Colt composa le numéro de l'inspecteur Ian Shaw. Serena avait tourné le visage vers la vitre, et un pâle clair de lune illuminait son profil aux joues creuses. Les montagnes couvertes d'épaisses forêts se dressaient autour d'eux dans un silence menaçant, irréel. Il y avait tant d'endroits où se cacher pour des criminels !

Le téléphone de Shaw fit entendre cinq sonneries puis le répondeur se mit en route.

— Shaw, c'est Colt. Je travaille sur une enquête

concernant un trafic d'enfants. Rappelle-moi dès que possible.

Il raccrocha et lança un nouveau regard à Serena. Elle s'était montrée forte jusque-là, mais il sentait son chagrin et sa douleur et il avait mal pour elle.

Son téléphone émit un trille et il pensa que c'était Shaw. Mais c'était le numéro de Derrick.

— Oui ?

— Colt, Gage m'a mis au courant de ce qui se passe. Les techniciens viennent d'appeler. L'empreinte partielle qu'ils ont trouvée chez moi appartient bien à Rice. Et les chaussures correspondent aux traces dans le jardin.

— Alors le salopard est bien vivant.

— Oui. Gage et moi en avons discuté. Il va appeler les médias et leur faire modifier l'histoire pour informer le public que Rice détient Petey.

— Merci. Je vais appeler l'avocate de Serena et voir si elle peut faire annuler les charges qui pèsent contre elle.

Serena le regarda avec calme quand il mit fin à la conversation.

— Lyle est vivant ?

Il hocha la tête et lui parla des empreintes.

— Kay Krantz devrait pouvoir amener le juge à laisser tomber les charges retenues contre vous maintenant.

Elle haussa les épaules comme si cela n'avait pas d'importance, et il comprit que tout lui était égal à présent. Son seul besoin était de retrouver son fils.

Le désespoir comprimait les poumons de Serena. Mais elle ne pouvait pas renoncer.

Colt posa sa main sur la sienne.

— Nous le retrouverons, Serena. Et vous serez heureuse

d'être libre à ce moment-là pour laisser ce cauchemar derrière vous.

Elle hocha la tête, les entrailles nouées par une peur glacée. Elle ne pensait pas pouvoir survivre sans son fils.

S'efforçant de se reprendre, elle ferma les yeux et repoussa les images terrifiantes qui se bousculaient dans son esprit. Mais elle ne pouvait faire taire le bruit des sanglots de Petey.

Le balancement du véhicule qui freinait et escaladait les pentes de la montagne finit pourtant par la plonger dans la somnolence. L'oubli aurait pu être un soulagement momentané, mais, même dans son sommeil, des cauchemars vinrent la tourmenter.

Elle s'éveilla en sursaut au moment où Colt se garait. La maison était enveloppée par l'obscurité, à l'exception d'un petit trait de lumière qui frappait la fenêtre de devant, là où son fils dormait habituellement.

Une nouvelle vague de chagrin la submergea quand ils entrèrent dans la maison silencieuse. Petey avait disparu depuis plus de vingt-quatre heures.

Quand on lui avait appris la nouvelle, elle avait été frappée de terreur mais elle avait encore l'espoir d'une demande de rançon.

A présent, elle savait que l'argent n'était pas le mobile de l'enlèvement.

C'était bien pire. Rice allait vendre son fils, peut-être à l'étranger, là où on ne le retrouverait jamais.

Colt s'approcha d'elle par-derrière et lui frictionna les bras.

— Je sais que c'est dur, Serena, mais essayez de rester positive. Nous arrêterons ce trafic et nous trouverons Petey.

Sa sollicitude lui fit monter les larmes aux yeux et elle s'appuya contre lui, cherchant désespérément le réconfort de ses bras et de sa voix.

Elle fit glisser ses mains sur son torse en dessinant inconsciemment des cercles sur sa poitrine. Le souffle de Colt s'altéra légèrement et il l'enveloppa de ses bras pour la blottir contre lui.

— La journée a été dure pour vous, murmura-t-il contre ses cheveux.

— Je voudrais seulement que mon fils revienne, chuchota-t-elle.

— Je sais.

Il posa un baiser léger sur son front, et les larmes de Serena se mirent à rouler sur ses joues. Mais Colt n'insista pas. Il la tint contre lui et la laissa évacuer ses émotions jusqu'à ce qu'elle finisse par soupirer et essuyer ses larmes.

Puis elle pencha la tête en arrière et le regarda dans les yeux.

Il avait conduit toute la nuit et il avait l'air fatigué, mais l'inquiétude, la compassion et d'autres sentiments qu'elle ne comprenait pas se lisaient sur son visage, comme alimentés par une énergie inépuisable. Du pouce, il repoussa ses cheveux pour dégager son front. Ses lèvres s'entrouvrirent et son souffle effleura le visage de Serena.

Elle gémit à la fois de chagrin et de trouble. Le désir s'alluma dans les yeux de Colt.

— Serena ?

— Embrassez-moi, Colt. Faites-moi oublier ma douleur pendant un moment.

Il serra les mâchoires.

— Je ne veux pas profiter de la situation.

Du bout du doigt elle dessina la ligne de sa mâchoire carrée.

— Vous ne profitez pas de moi si c'est moi qui vous le demande.

Il la fixa pendant un long moment, l'indécision luttant en lui contre une tentation dévorante. Puis il pencha la tête et couvrit sa bouche de la sienne. Avide de sa chaleur, elle ouvrit les lèvres et savoura le contact de leurs bouches mêlées.

Elle avait faim de lui, faim de quelque chose qui lui semblait hors d'atteinte. Elle avait besoin d'oublier que son fils avait disparu, que son mari avait couché avec son indic et que Lyle Rice s'était servie d'elle pour exercer sa vengeance.

Le désespoir la poussa à plonger la langue dans la bouche de Colt, à prendre autant qu'à recevoir, à lui ôter sa chemise et à tracer des spirales du bout des doigts sur les poils sombres qui lui couvraient le torse.

Parker était fort et musclé, mais maigre comparé à Colt, qui était d'une solidité de roc. Il retint de nouveau son souffle et déposa des baisers dans son cou jusqu'à ce qu'il soulève son T-shirt.

Elle leva les bras, l'invitant à la déshabiller, et il s'exécuta. L'air frais du climatiseur lui donna des frissons, ou peut-être était-ce l'expression d'admiration passionnée qu'elle vit dans le regard de Colt quand il posa les yeux sur son soutien-gorge en dentelle noire.

Elle avait un faible pour la lingerie fine, et le sous-vêtement ne dissimulait pas grand-chose aux regards. Ses mamelons durcirent contre la dentelle arachnéenne, ne demandant qu'à être embrassés.

La vue de Serena dans ce soutien-gorge noir fit monter la fièvre de Colt. Il n'avait jamais rien vu de plus beau.

Le contact de ses doigts sur sa poitrine le picotait, et ses lèvres brûlaient de se refermer sur l'un de ses seins.

Elle se lécha les lèvres et émit un gémissement bas de plaisir, comme si elle jouissait. Avide d'elle, il la serra contre lui, et la friction de leurs corps embrasa ses sens.

Il n'avait pas été avec une femme depuis une éternité. Pendant ces deux années passées en missions d'infiltration, il avait eu l'impression que ses mains puaient le sang, la saleté et le mensonge, et qu'il ne méritait pas d'amour ou de tendresse, du moins venant de la part d'une femme bien.

C'était peut-être la raison pour laquelle Parker avait couché avec Dasha. Même si Geoff Harbison niait qu'ils aient été amants, Colt avait noté la lueur de culpabilité dans le regard de Dasha et il savait que le coéquipier de Stover avait menti. Il avait sans doute voulu épargner Serena.

Mais on ne la trompait pas si facilement.

De plus, tout le monde était à même de comprendre l'attirance que Parker avait dû ressentir.

Surtout un homme. Dasha n'avait aucune attente, aucun lien émotionnel avec lui. C'était une femme avec laquelle on pouvait faire l'amour sans penser à rien, se purger de son anxiété sans avoir à révéler sa douleur ou ses propres besoins.

Avec Serena, ce n'était pas possible.

Son cœur se mit à battre. Il était trop proche d'elle. Il tenait à elle. Il tenait à son fils. Pour cette raison même, une voix dans sa tête lui ordonna de s'arrêter.

Mais ses mains désobéirent et se déplacèrent d'elles-mêmes le long de la colonne vertébrale de Serena, la pressant de venir plus près. Elle passa ses doigts dans ses cheveux et promena sa langue sur l'un de ses mamelons. Il reprit bruyamment son souffle.

Bon sang, comment pouvait-il s'éloigner d'elle quand il la désirait de toutes les fibres de son être ?

Il plongea de nouveau la langue dans sa bouche et lui donna un baiser ravageur, affamé, avide. Il voulait lui procurer l'oubli dont elle avait tant besoin, ne serait-ce que pour un moment. De ses mains, elle lui demandait de la prendre, et il pencha la tête pour mordiller sa gorge et son cou avant de descendre sur la bordure de dentelle de son soutien-gorge. Il tira celle-ci avec ses dents, suça la peau tendre en dessous, puis défit l'agrafe qui le maintenait par-devant.

Les seins de Serena tombèrent dans ses mains et il les massa gentiment du bout des doigts jusque sur ses mamelons. Elle gémit de nouveau et il traça un chemin du bout de la langue d'un pic à l'autre.

Serena soupira de plaisir et lui caressa le dos tandis qu'il se délectait d'un sein puis de l'autre. Poussé par l'excitation de la jeune femme, il plaqua ses hanches contre les siennes et frotta son érection entre ses cuisses.

Quand elle tendit la main vers sa ceinture, il gémit de plaisir anticipé et déboutonna son jean à elle.

Mais la sonnerie du téléphone brisa la magie du moment et tous deux se figèrent. La respiration haletante de Serena ponctua le silence tandis qu'ils se regardaient pendant une seconde.

Le désir qu'il lut dans ses yeux le déchira. Il voulait lui donner du plaisir plus que tout.

Mais la réalité reprit ses droits, accompagnée de la peur, et il s'éloigna pour prendre son téléphone et presser le bouton d'appel.

— Colt, dit Derrick, nous avons fait passer la nouvelle que Rice est vivant et nous avons transmis sa photo et celle de Petey. Nous venons de recevoir un appel sur la ligne rouge.

L'espoir qu'il y avait dans la voix de Derrick déclencha une vague d'excitation en lui.

— Que vous a-t-il dit ?

— L'homme tient une station d'essence à Savannah,

en Géorgie. Il dit qu'il a vu Rice et Petey il y a quelques minutes.

— Ben a-t-il trouvé un lien entre Rice et Savannah ? De la famille ou une ex-petite amie ?

— Non. Rien.

Alors pourquoi Savannah ? Parce que c'était un port ? Colt ramassa son jean.

— J'y vais.

— Ben va vous réserver des vols et une voiture de location.

— Merci.

En lui, l'espoir luttait avec la peur quand il raccrocha. Savannah était bien trop près de la côte.

Si Rice mettait Petey sur un bateau, il était susceptible de disparaître n'importe où dans l'Atlantique.

12

Serena sentait encore son corps vibrer grâce aux caresses de Colt, mais la culpabilité l'envahit et elle referma vivement son soutien-gorge et enfila son T-shirt. Comment avait-elle pu l'embrasser et s'apprêter à faire l'amour avec lui alors que son fils était en danger ?

Elle s'était de nouveau montrée égoïste.

— Serena, c'était Derrick, annonça Colt. Quelqu'un a repéré Rice et Petey à Savannah, en Géorgie.

— Mon Dieu, il est vivant ?

Colt hocha la tête.

— Nous ne nous sommes pas trompés sur Rice. Il a mis en scène sa propre mort pour vous faire inculper et kidnapper Petey.

Un frémissement la parcourut. Comment avait-elle pu se croire intéressée par Lyle ? C'était un monstre.

— Il va vendre Petey pour se venger du fait que Parker a presque détruit son organisation.

— On dirait bien.

Colt ramassa sa chemise et l'enfila. Serena ne put s'empêcher de regarder jouer ses biceps. Il avait des muscles si impressionnants !

Il s'était montré si gentil et aimant avec elle qu'elle avait perdu toute pensée rationnelle.

— Si tu veux rester ici et te reposer, je t'appellerai pour te tenir au courant, proposa Colt, en la tutoyant.

Après les baisers fiévreux qu'ils avaient échangés, ils avaient franchi un cap.

Serena secoua la tête.

— Non. Donne-moi le temps de préparer quelques affaires pour la nuit. Quand nous trouverons Petey, je veux être là.

Il le fallait. Elle avait besoin de le prendre dans ses bras, de lui promettre qu'il était en sécurité et qu'elle ne laisserait plus jamais personne lui faire du mal.

Impatiente de se mettre en route, elle courut à sa chambre, prit son petit sac de voyage dans la penderie et y jeta quelques vêtements. Un jean, trois T-shirts, des chaussettes, des sous-vêtements, des tennis et sa trousse de toilette. Moins de cinq minutes plus tard, elle se précipita dans l'entrée, y prit sa veste en jean, son sac à main et son téléphone et fut prête à partir.

Colt souleva son sac.

— Je vais appeler la police de Savannah en chemin et les informer que Rice a été repéré. Ils le trouveront peut-être avant nous.

Serena approuva d'un signe de tête.

Il composa le numéro de Gage et ils se hâtèrent vers le 4x4. Mais, en écoutant Colt parler au shérif, elle se demanda pourquoi Rice avait emmené Petey à Savannah.

Et où il comptait aller à partir de là.

— Merci, sergent Black, dit Colt. Nous vous sommes très reconnaissants de la coopération de la police de Savannah.

— Pas de problème. Nous ferons tout notre possible pour retrouver cet enfant et veiller à ce que justice soit faite.

Le temps qu'ils arrivent à l'aéroport d'Asheville, Ben leur avait envoyé leur itinéraire par e-mail. Ils prirent le premier vol pour Atlanta avec une escale à Charlotte. Colt s'efforça de dormir un peu pendant le vol, mais l'excitation l'empêchait de fermer l'œil.

Rice avait des kilomètres et des heures d'avance sur eux. Le temps qu'ils arrivent, il aurait peut-être quitté Savannah depuis longtemps et se trouverait Dieu sait où.

Une correspondance d'une heure à Atlanta leur donna le temps de boire un café et d'engloutir un muffin. Serena regarda par la fenêtre un avion atterrir et s'approcher des portes de débarquement.

— Petey doit avoir tellement peur, dit-elle d'une petite voix. Où penses-tu que Rice l'emmène ?

Colt ne voulait pas se livrer à des spéculations. Toutes les idées qui lui venaient ne feraient qu'amplifier les craintes de Serena.

— Le témoin qui a appelé pourra peut-être nous donner des pistes.

L'hôtesse annonça que l'embarquement pouvait commencer et ils jetèrent les restes de leur collation dans une poubelle avant de se diriger vers la porte. Un silence tendu tomba entre eux après qu'ils se furent installés et que l'avion eut décollé.

Deux rangées devant eux, une femme avec trois garçons s'efforçait de contenir leur comportement turbulent tandis qu'une dame assise de l'autre côté de l'allée berçait une toute petite fille contre sa poitrine.

Colt vit Serena les observer avec envie et l'expression affectueuse d'une mère qui comprend les problèmes que posent les enfants mais les adore de toute façon.

— Quelquefois on prend sa famille pour acquise jusqu'à ce qu'elle disparaisse, dit-elle doucement.

— Tu es une mère formidable, Serena.

— Mais je n'ai pas réussi à garder mon fils en sécurité, n'est-ce pas ? J'ai été assez idiote pour croire que

Lyle Rice s'intéressait à moi, alors qu'il ne faisait que se servir de moi.

Colt fronça les sourcils et passa un bras autour de ses épaules.

— On fait tout ce qu'on peut pour protéger ses enfants, mais ce n'est malheureusement pas toujours assez. Les malheurs arrivent, tout simplement.

— Tu as l'air de parler d'expérience.

Colt se mordit l'intérieur de la joue. Il parlait rarement de son passé, mais il décida de faire exception pour Serena. Peut-être que ça apaiserait un peu son sentiment de culpabilité.

— Mon petit frère a été tué quand il avait douze ans, raconta-t-il. J'étais à la maison pour le garder, mais j'ai laissé entrer un ami à lui.

— Que s'est-il passé ? demanda Serena.

Colt avala sa salive. Ce souvenir était si vif dans sa mémoire qu'on aurait dit que cela s'était passé la veille.

— Son ami avait apporté un revolver. Celui de son père, un .45. J'étais au téléphone quand j'ai entendu le coup de feu partir.

Une sympathie mêlée d'horreur se peignit sur le visage de Serena.

— Oh ! mon Dieu !

Colt sentit la sueur perler sur son front.

— J'ai couru le voir et j'ai essayé de le sauver, mais il est mort dans mes bras.

— Je suis vraiment navrée, Colt, murmura Serena. C'est tellement triste.

Colt hocha la tête.

— Ça a déchiré ma mère. Nous venions de perdre mon père et elle comptait sur moi. Je l'ai laissée tomber.

Il avala de nouveau sa salive, la gorge serrée par l'émotion.

— Et l'autre garçon… Il a été tellement dévasté par la culpabilité qu'il s'est tourné vers la drogue. La dernière fois que j'ai entendu parler de lui, il ne cessait de rentrer et de sortir de cure de désintoxication.

Serena soupira.

— Je ne crois pas que je pourrais survivre à la perte de Petey.

Colt l'attira plus près de lui et elle enfouit son visage contre son épaule. Elle était plus solide qu'elle ne le croyait, mais, il était déterminé à ce qu'elle n'ait pas à affronter la vie sans son fils, songea-t-il.

Pourtant, il comprenait sa peur.

La mort de son frère était la principale raison qui l'avait fait se spécialiser en armes à feu et se consacrer à nettoyer la rue. Mais, chaque fois qu'il en saisissait une, une autre faisait son apparition.

Le mari de Serena avait ressenti la même chose à propos de la drogue.

Puis il était tombé sur cette organisation de trafic d'enfants et sa propre famille avait été détruite à cause de cela.

En silence, il se fit le serment de retrouver Petey et de démanteler cette organisation afin que d'autres enfants n'en souffrent pas.

Serena se blottit contre lui et il ferma les yeux. Pendant un instant, il se laissa aller à croire qu'une fois Petey en sécurité et le réseau démantelé ils pourraient envisager un avenir ensemble, lui et elle.

Mais le grondement des réacteurs le ramena à la réalité. Serena et Petey formaient déjà une famille, et il n'en faisait pas partie.

Sa vie tournait autour de son travail, une affaire après l'autre sans jamais s'arrêter.

L'équipe de Guardian Angel Investigations était toute la famille qu'il aurait jamais.

Serena s'efforça de rester positive tandis qu'ils quittaient l'aéroport de Savannah et que Colt louait une voiture. Derrick lui avait envoyé par SMS l'adresse de la station d'essence où Petey et Rice avaient été vus la veille.

Il l'entra dans le GPS et prit la route 95 pour sortir de l'aéroport. Les abords de Savannah étaient parsemés de panneaux publicitaires pour des hôtels et des circuits touristiques. Les affiches vantant les promenades en calèche, les circuits de maisons hantées, les restaurants, les demeures d'avant la guerre de Sécession et les boutiques de vêtements et d'objets vaudous avaient l'air alléchantes, mais l'idée de visiter le cimetière l'irrita.

— Pourquoi a-t-il amené Petey ici ? demanda-t-elle de nouveau.

Colt haussa les épaules d'un air impassible.

— Je ne sais pas. Ce n'était peut-être pas sa destination d'origine.

Serena contempla l'aéroport, les îles au large de la côte et le port, et la peur la saisit de nouveau. Rice avait des heures d'avance sur eux.

— Tu penses qu'il a l'intention de mettre Petey sur un bateau ?

Colt se passa une main dans les cheveux.

— Ne pense pas à ça, dit-il. Nous avons une piste maintenant. Nous nous rapprochons.

Mais Serena avait vu les bas-fonds de la société. Si Rice n'avait pas l'intention de vendre Petey, il allait le tuer et se débarrasser de son corps dans l'océan, là où ils ne le retrouveraient jamais…

Colt prit la rampe de sortie, accéléra et tourna à droite. Les lumières d'un motel brillaient au loin, clignotant comme des guirlandes de Noël. Juste à côté se trouvait la station-service.

Colt se gara dans le parking et ils sortirent de voiture. Des rayons de soleil percèrent les nuages et rayèrent l'asphalte de lumière, éclairant la journée. L'odeur de l'essence et de l'huile flottait dans l'air avec des relents de frites et de hamburgers qui s'échappaient du fast-food voisin.

Dans un coin du parking, un grand faitout noir bouillonnait, en laissant échapper de la vapeur sous un panneau en carton écrit à la main annonçant des cacahuètes bouillies. Un petit étal de fruits et de légumes était installé à côté, sous l'œil vigilant d'une femme âgée à la peau parcheminée, proposant des pommes, des tomates fraîches, des haricots verts, des courges et des pommes de terre dans de petits cartons.

— Je vais parler à l'employé, à l'intérieur. Tu veux interroger cette femme sur ce qu'elle a vu ? suggéra Colt.

Serena acquiesça et s'approcha de la vendeuse. Elle se présenta et lui montra une photo de Petey.

— Quelqu'un de la station nous a téléphoné hier pour dire qu'il avait vu un homme avec mon fils.

La femme la scruta.

— Oui, j'ai vu ça aux nouvelles. Je suis désolée pour votre garçon.

— Avez-vous vu cet homme et mon fils ? répéta Serena.

La vieille femme secoua la tête.

— Je crains que non. Mon arthrite me faisait souffrir hier et j'ai dû fermer boutique.

La déception envahit Serena.

— Eh bien, merci quand même.

— J'espère que vous le retrouverez, dit la femme.

Serena hocha la tête et se dirigea vers la boutique. Quand elle entra, Colt parlait à un homme aux cheveux blancs derrière le comptoir. Elle regarda autour d'elle en quête d'autres clients, mais l'endroit était désert.

— Oui, c'est moi qui ai appelé la ligne rouge, disait l'homme. Le type qu'on voyait aux nouvelles, il était bien là.

Serena retint son souffle et lui tendit la photo de son fils.

— Est-ce que ce petit garçon était avec lui ?

L'homme prit la photo avec des mains légèrement tremblantes et l'étudia.

— Oui, c'est le garçon. Il avait une casquette de baseball un peu trop grande pour lui, et il baissait la tête. Au début, ça ne m'a pas attiré l'œil. Mais l'homme avait la main posée sur son épaule tout le temps pour le garder près de lui.

— Pour qu'il ne puisse pas s'échapper et demander de l'aide, marmonna Colt.

— Est-ce qu'il allait bien ? demanda Serena. Il n'était pas blessé ?

Une lueur de sympathie traversa les yeux de l'employé.

— Je n'ai pas vu de marques de coups, si c'est ce que vous voulez dire. Mais… juste avant de sortir, le garçon m'a regardé. Et je l'ai vu dans ses yeux.

Serena sentit les battements de son cœur s'accélérer.

— Qu'est-ce que vous avez vu ?

— La peur. Bien sûr, j'ai pensé qu'il avait seulement peur du vieux, qu'il avait des ennuis pour une raison quelconque.

Le vieil homme prit une inspiration sifflante.

— Mais, quand j'ai vu les nouvelles et la photo de votre fils et de ce criminel, j'ai additionné deux et deux et j'ai appelé au numéro indiqué.

— Nous vous sommes très reconnaissants de votre aide, dit Colt. Rice a-t-il dit quelque chose à propos de l'endroit où il allait ?

L'homme secoua la tête.

— Il n'a pas dit grand-chose. Il a payé son essence, acheté des sandwichs et des frites, et il est parti.

— Quelle voiture avait-il ? demanda Colt.

— Une camionnette blanche, vous savez, un de ces utilitaires.

— Il y avait un logo dessus ?

— Non. Je n'ai pas vu de marque.

Il fit la grimace.

— Désolé.

Colt appuya la hanche contre le comptoir.

— Vous vous souvenez de quelque chose d'autre ?

L'homme se passa la main sur le menton en réfléchissant puis claqua des doigts.

— Ah oui ! Il avait une carte de Floride et il la regardait pendant que le garçon était aux cabinets. Il a entouré Miami d'un cercle rouge.

Serena sentit la respiration lui manquer. Il emmenait Petey de plus en plus loin d'elle.

— Vous avez vu dans quelle direction il est parti quand il a quitté la station ? demanda Colt.

— Il est allé au motel de l'autre côté de la rue.

Le cœur de Serena se mit à battre à se rompre.

— Colt, ils y sont peut-être encore.

Colt lui prit la main et ils sortirent. Serena avala sa salive tandis qu'ils traversaient la rue.

Colt s'efforçait de garder son calme, mais, si Rice était en route pour Miami, alors Petey courait un grave danger. Une fois qu'il serait sur un navire hors des eaux territoriales, il serait impossible de le retrouver.

Il essuya la transpiration sur son front avant de franchir la porte d'entrée du motel avec Serena. La chaleur de

juillet se faisait sentir, brûlante et humide, et les mous-
tiques bourdonnaient dans l'air.

Une jeune femme aux cheveux orange se tenait derrière
le comptoir de la réception. Un badge l'identifiait comme
étant Shanika.

Colt expliqua qui ils étaient et la raison de leur visite.

L'employée vérifia le registre.

— Je suis désolée, monsieur, mais personne du nom
de Rice ne s'est présenté hier soir.

Bien sûr, il n'avait pas utilisé son vrai nom.

— Il a plusieurs identités. Laissez-moi regarder la liste.

— Je ne peux pas faire ça, monsieur. C'est contre la
politique de la maison.

— Au diable la politique de la maison ! dit Serena avec
brusquerie. Ce malade a kidnappé mon fils et peut-être
d'autres enfants. Vous devez nous aider.

Une femme replète, vêtue d'un tailleur en jersey violet,
émergea d'un bureau fermé jusque-là.

— Que se passe-t-il ?

Shanika se tourna vers elle.

— Ces personnes veulent regarder le registre.

Serena lui montra la photo de Petey.

— C'est mon fils. Vous avez sans doute entendu parler
de son enlèvement.

La femme plissa les yeux devant la photo, puis revint
à Serena.

— J'ai vu l'homme, mais pas le garçon. Il a payé en
liquide. Il sentait le fast-food et les frites.

Serena pâlit.

— Petey n'était pas avec lui ?

La femme haussa les épaules.

— Je ne sais pas. Il s'est garé devant la réception pour
prendre sa clé et ensuite il a repris le volant jusqu'à la
chambre.

— Quelle chambre ? demanda Colt.

La femme posa le doigt sur le registre.

— La 318. Il a exigé une chambre donnant sur l'arrière. Il a dit qu'il avait besoin de sommeil et qu'il ne voulait pas être réveillé par le soleil.

— Des prétextes, commenta Colt. Il ne voulait pas qu'on le voie transporter l'enfant à l'intérieur.

Serena agrippa le comptoir.

— Il est toujours là ?

— Il est parti tôt ce matin.

Elle se tourna vers Shanika.

— Vous avez trouvé quelque chose en nettoyant la chambre ?

Shanika se mit à jouer avec une de ses boucles d'oreilles.

— Je n'ai pas encore eu le temps de nettoyer.

Sa patronne lui lança un regard noir mais prit la clé de la chambre.

— Allons-y. Vous pourrez y jeter un coup d'œil.

Colt et Serena la suivirent à l'extérieur et contournèrent le bâtiment jusqu'à la chambre 318. Colt balaya le parking du regard à la recherche d'une camionnette blanche, mais elle n'était pas revenue. Mauvais signe.

La manager fit tourner la clé dans la serrure et s'apprêtait à entrer quand Colt lui fit signe de le laisser pénétrer à l'intérieur le premier. Elle s'effaça devant lui. Une forte odeur de fumée de cigarette, de hamburgers et de frites emplissait la pièce.

Il regarda les lits. Défaits tous les deux.

Le soulagement l'envahit. Petey avait bien dormi là. Il lança un regard à Serena et vit qu'elle observait aussi la chambre.

Il fouilla la penderie, la commode et la poubelle, cherchant la moindre trace que Rice avait pu laisser derrière lui, une adresse gribouillée ou une note sur ses projets.

Serena pénétra dans la salle de bains et hoqueta.

L'air manqua à Colt.

— Mon Dieu, non !

Rice avait-il tué Petey et laissé son corps derrière lui ?

13

Serena fixait le miroir, le cœur battant sauvagement. Les lettres sur la glace, l'écriture enfantine, les mots…

Au secours.

Etait-ce écrit avec du sang ?

Elle tremblait de tous ses membres, sachant qu'elle devait toucher les mots pour le savoir. Mais la terreur lui paralysait les membres et elle se mit à prier de toutes ses forces, tout comme elle avait prié dans la rue ou dans ces horribles familles d'accueil.

Elle avait toujours espéré que Petey n'ait pas à souffrir de la même façon.

Mais à présent il était aux mains de ce malade. Petey avait-il lutté avec lui ? Avait-il essayé de lui échapper et Rice l'avait-il puni en lui faisant mal ?

Elle leva le doigt pour toucher les mots sur le miroir, mais Colt se précipita pour l'arrêter.

— N'y touche pas, Serena.

Un sanglot monta dans sa gorge.

— Mais c'est Petey qui l'a écrit. Il avait peur et on dirait qu'il était blessé.

Colt s'approcha du miroir et examina l'écriture. Puis il leva un doigt et tamponna le coin d'une lettre, en prenant soin de ne pas l'abîmer, pour le renifler.

Il fronça les sourcils et porta le doigt à sa bouche, à la grande horreur de Serena.

— Que fais-tu ? cria-t-elle.

Colt soupira.

— C'est du ketchup.

Un petit sourire étira ses lèvres.

— Petey a écrit ce message avec du ketchup.

De soulagement, les épaules de Serena s'affaissèrent.

— Tout va bien, là-dedans ? cria la manager.

— Oui, répondit Colt en prenant la main de Serena. Allons-y. Il faut attraper un vol pour Miami.

Il remercia la manager et téléphona à son bureau pour tenir ses collègues au courant des derniers événements tout en conduisant vers l'aéroport. Ben leur réserva deux places sur un vol et une autre voiture de location à Miami.

Le téléphone de Serena se mit à sonner et elle le chercha dans son sac en priant pour que ce soit Petey ou Rice. Mais c'était Kay Krantz.

Elle prit l'appel en espérant que l'avocate n'avait pas d'autres mauvaises nouvelles. Par exemple, que sa libération sous caution soit annulée parce qu'elle avait quitté l'Etat.

— Allô ?

— Serena, c'est Kay. J'ai de bonnes nouvelles. Je viens de voir le juge et le shérif et, à la lumière des analyses des techniciens et du témoignage du pompiste, le juge a décidé de laisser tomber les charges contre vous. Félicitations. Vous êtes libre.

Serena soupira. Oui, l'abandon des charges était une bonne nouvelle.

Mais que lui importait d'être libre si elle ne retrouvait pas son fils ?

Ils atterrirent à Miami en début de soirée. Le soleil avait perdu de son éclat bien que la température dans la journée ait dépassé les 38 degrés et que l'air soit toujours aussi étouffant.

Colt récupéra rapidement la voiture de location. Il sentait la fatigue s'ajouter à la tension nerveuse. Il venait de passer plus de vingt-quatre heures sans dormir, mais il n'avait pas le temps de s'arrêter et de se reposer.

Même en tenant compte du fait que Rice était en voiture tandis qu'eux avaient pris l'avion, il pouvait avoir remis Petey à quelqu'un d'autre et pris une autre direction pour échapper à la justice.

Son portable se mit à sonner au moment où ils quittaient l'aéroport. C'était Ian Shaw, du Bureau d'assistance aux victimes.

— Ian ?

— Oui. J'ai eu ton message et j'ai vu les nouvelles. Tu crois que la disparition de Petey Stover est un enlèvement crapuleux ?

— On dirait bien. Le père du petit était un flic qui a été tué au cours d'une mission d'infiltration. Son indic prétend qu'il avait une piste sur un gang de kidnappeurs. Nous pensons que c'est pour cela qu'il a été tué.

Ian émit un bruit de dégoût.

— Et Lyle Rice serait impliqué ?

— Oui, c'est Parker Stover qui l'a arrêté, et je pense qu'il a enlevé son fils pour se venger.

— A ce propos, dit Ian, j'ai reconnu une de ses identités. Nous avons deux affaires d'enfants disparus ici à Raleigh. Deux fillettes, six ans, cheveux bruns, yeux marron. La première s'appelle Kinsey Jones, et la deuxième Ellie Pinkerton. Elles allaient à la même école primaire et toutes deux ont été kidnappées à quelques heures d'intervalle.

— Quand ont-elles été enlevées ?

— Il y a dix jours. La mère de Kinsey a reconnu Rice

sur l'une des photos qui sont passées à la télé. Elle est agent immobilier et elle dit qu'elle lui a fait visiter une maison. Il prétendait avoir des enfants et a voulu voir l'école primaire.

— Il était en train de faire des repérages.

— Ça m'en a tout l'air. Si tu mets la main sur lui, tu trouveras peut-être aussi les deux fillettes.

— Dieu sait combien il a d'enfants, dit Colt. Envoie-moi les photos des filles et les informations par e-mail, et je te tiendrai informé.

Après avoir mis fin à la communication, Colt prit la direction du poste de police central.

— De quoi s'agissait-il ? demanda Serena.

— C'était mon ami du Bureau d'assistance aux victimes à Raleigh. Deux petites filles ont été kidnappées il y a dix jours. L'une des mères a reconnu la photo de Rice. Il faisait des repérages à l'école primaire.

— Donc Petey n'est pas la seule victime.

Un frisson parcourut le corps de Serena.

— Comment peut-on voler des enfants innocents et les vendre comme s'il s'agissait d'une marchandise ?

— C'est un malade, siffla Colt entre ses dents. Mais il ne s'en tirera pas comme ça, Serena.

Elle tourna la tête et regarda par la vitre. Colt remarqua soudain les palmiers agités par la brise, les longues vagues de l'océan et les maisons construites sur la plage. C'était un changement spectaculaire par rapport aux montagnes auxquelles ils étaient habitués. Miami était une ville très animée, un lieu de villégiature pour les familles et les jeunes gens qui aimaient la vie nocturne. Les célébrités se rassemblaient aussi dans la ville, attirées par sa beauté, ses divertissements et ses îles privées.

Pourtant le crime prospérait dans la région. Les canaux offraient de nombreuses voies de fuite discrète aux trafiquants de drogue, aux étrangers en situation irrégulière et à toutes sortes d'opérations illégales.

Cinq minutes plus tard, ils se garèrent devant les bureaux de la police de Miami et pénétrèrent à l'intérieur. Le sergent Cal Sanchez, un Cubain très maigre au teint foncé, les reçut dans son bureau. Colt le mit au courant de leur enquête.

— Avez-vous entendu parler d'enlèvements d'enfants par ici ? demanda-t-il.

Le sergent Sanchez passa une main sur son crâne rasé.

— Non, mais je vais en parler à nos agents sur le terrain et leur demander de fureter. Si ce salopard se sert de cette ville pour son trafic, il faut l'arrêter.

— Donnez les photos de Rice et de Petey à vos hommes, s'il vous plaît. Je vais vous transférer celles des deux petites filles de Raleigh. Nous suspectons Rice de les avoir aussi enlevées.

Il fit une pause.

— Il faisait des repérages dans une école primaire et, la dernière fois qu'il a été vu, il conduisait une camionnette blanche. Il y a peut-être d'autres enfants enfermés dedans.

Il accéda à son compte e-mail sur son téléphone et envoya les photos.

— Je vais demander à mes hommes de fouiller les docks du port et les maisons abandonnées, et de questionner leurs indics.

Colt luttait contre la colère.

— Il a approché une des mères de Raleigh et lui a demandé de lui faire visiter une maison. Il va peut-être faire la même chose ici. Ou bien il va se terrer dans une maison vide.

— Avec l'état du marché immobilier, il y en a des dizaines, remarqua Sanchez en se levant. Mais je demanderai aux hommes de s'y mettre dès que possible.

Colt doutait cependant que Rice reste très longtemps dans la ville. Il devait savoir que la police le recherchait.

— Les aéroports, les gares ferroviaires et routières ont été alertées, mais vous pourriez nous aider en y ajoutant les autorités portuaires de Miami, dit Colt.

— Bien sûr, répondit Sanchez.

Colt le remercia et guida Serena vers la sortie, une main posée au creux de ses reins. Dès qu'ils émergèrent sur le trottoir, la chaleur étouffante les assaillit, leur coupant presque le souffle.

— Que faire maintenant ? demanda Serena. Ils peuvent être n'importe où. Rice a peut-être mis Petey sur un navire qui quitte la Floride en ce moment même…

— Ne pense pas à ça, lui ordonna Colt. Les polices de tout le pays le cherchent.

Ils montèrent en voiture et traversèrent le centre de Miami.

— Je vais rappeler Gage.

Serena hocha la tête et croisa les bras, balayant du regard les rues où flânaient les touristes et les familles en vacances. Colt comprit qu'elle cherchait Petey dans la foule.

Gage répondit dès la première sonnerie.

— Colt, tu es à Miami ?

— Oui. Nous venons de parler à un sergent de la police de Miami.

— Bon. L'agent spécial Mitchell Metcalf est parti de Quantico. Il vous contactera dès son arrivée.

— Parfait. Des informations de Mansfield ?

— Il nie savoir quoi que ce soit au sujet d'un gang de kidnapping.

Toujours la même chanson depuis l'arrestation du Dr Emery.

— Mais Ben a peut-être quelque chose. Je te mets sur haut-parleur.

Colt attendit et entendit Ben murmurer quelque chose à Gage.

— Colt. J'ai encore fait des recherches sur Rice et j'ai découvert deux choses. Un de ses anciens compagnons de cellule a disparu pendant sa période de probation et il seconde peut-être Rice. Deuxièmement, Rice possède un brevet de pilote.

Colt se tendit.

— Bon sang ! Il y a plusieurs aéroports privés autour de Miami.

— Exactement. Et certaines des îles ont des aires d'atterrissage suffisamment grandes pour un petit avion.

Il n'avait pas envie de formuler ses craintes à haute voix, mais Ben et lui étaient sur la même longueur d'onde. Rice avait sans doute l'intention de faire sortir Petey du pays dans un petit avion.

— Tu as les adresses des aéroports les plus proches ?

— Je te les envoie par SMS.

Colt le remercia et raccrocha. Quand il se tourna vers Serena, il vit que son visage était d'un gris de cendre.

— Mon Dieu, Colt ! Dis-moi qu'il n'a pas encore quitté le pays avec Petey.

Il aurait voulu pouvoir la rassurer.

Il avala sa salive et fit demi-tour en direction de la route 95. Les pneus crissèrent sur l'asphalte tandis qu'il accélérait et prenait de la vitesse pour rejoindre l'aéroport le plus proche.

Serena agrippa l'accoudoir, le cœur battant. Elle s'efforçait en vain de repousser les images qui bombardaient son cerveau. Petey et d'autres enfants enfermés dans une camionnette dans une chaleur oppressante. Petey attaché et jeté dans un avion comme une marchandise quelconque destinée à la vente.

Colt sortit de l'autoroute et ils firent quinze kilomètres de plus, passant des quartiers peuplés à une zone de marécages. Un petit avion fila au-dessus d'eux et elle le suivit des yeux, se demandant si c'était celui-là qui emportait son fils loin d'elle.

Colt tourna dans une longue avenue bordée de palmiers et de pelouses menant à l'aérodrome. Serena vit se profiler un long bâtiment qui devait servir de terminal, un parking contenant une poignée de véhicules et quelques hangars disséminés derrière le bâtiment principal.

Aucune camionnette blanche.

Mais une petite camionnette noire portant le logo d'une marque de fournitures pour piscine était garée près de l'un des hangars.

Colt s'arrêta devant l'aérodrome. Ils se dirigèrent vers l'entrée, tout en survolant du regard le parking au cas où Rice ou son complice seraient dans les parages. Mais l'endroit était pratiquement désert.

Colt lui pressa le bras.

— Ça va ?

Serena fronça les sourcils.

— Ça n'ira pas tant que je n'aurai pas retrouvé mon fils.

Il hocha la tête d'un air inquiet et poussa la porte. L'intérieur de l'aérodrome ressemblait à n'importe quel aéroport mais de taille beaucoup plus réduite. Des sièges éparpillés un peu partout, des toilettes, une petite boutique et un comptoir de réception érigé au beau milieu.

Un homme aux cheveux gris, vêtu d'un uniforme bleu marine de sécurité y était assis, les bottes sur le comptoir et la tête en arrière. La bouche ouverte, il ronflait.

Colt se dirigea vers lui et frappa sur le comptoir. Serena

lut son prénom sur l'étiquette cousue sur sa poitrine : Homer.

— Hé, Homer, dit Colt. Vous pouvez nous aider ?

Le vieil homme s'éveilla en sursaut et se frotta les yeux.

— Quoi ? Vous voulez louer un avion ?

— Non, dit Colt. Nous voulons des renseignements.

Serena sortit les photos de Rice et de Petey de son sac à main et les posa sur le comptoir tandis que Colt résumait la situation.

— L'homme que nous recherchons, Lyle Rice, possède un brevet de pilote, dit-il. Nous pensons qu'il a l'intention d'emmener le fils de Mme Stover, et sans doute d'autres enfants, à l'étranger. Vous l'avez vu ?

L'homme se pencha en avant, avec une expression concentrée qui creusa des rides autour de sa bouche et ses yeux.

— Non, j'peux pas dire que j'l'ai vu.

— Il conduit une camionnette blanche, ajouta Colt. Vous en avez vu une garée sur le parking ?

Homer se gratta le menton.

— Non, j'crois pas. Mais je suis resté à l'intérieur toute la journée et mes yeux sont plus c'qu'y z'étaient.

— Montrez-moi le registre des vols, demanda Colt.

Homer poussa un bloc vers lui et il étudia le manifeste. Il n'y avait rien en dehors du départ d'un avion appartenant à une femme.

— Qui pilotait l'avion qui a décollé il y a quelques minutes ? demanda Serena.

Homer lui adressa un sourire en découvrant toutes ses dents.

— Ansley Freeworth. Elle vient juste d'obtenir son brevet de pilotage et elle voulait sortir son oiseau.

— Avait-elle quelqu'un avec elle ?

— Juste son p'tit ami du moment, fit Homer avec

dérision. C'est une riche petite fille à papa et elle en a un nouveau chaque fois qu'elle vient.

— Donc elle n'avait aucune marchandise et aucun autre passager ? insista Colt.

— Pas de passagers. Mais probabl'ment une bouteille de vodka pour quand elle atterrira.

Serena sentit sa poitrine se comprimer. Elle avait espéré que Homer en saurait davantage.

Colt s'éclaircit la gorge.

— Ça vous ennuie si on jette un coup d'œil dans les environs ?

Homer haussa ses épaules osseuses.

— Faites comme chez vous.

Colt posa une carte de visite sur le comptoir.

— Appelez-moi si Rice se montre.

Homer hocha la tête et ils s'éloignèrent vers la sortie. Colt désigna les hangars de la main.

e Homer n'a rien vu que Rice ou son complice ne sont pas venus.

Il se dirigea vers la camionnette noire et Serena s'empressa de le suivre. Le soleil était bas à présent, et la nuit était proche bien que la chaleur restât oppressante. Une odeur d'huile de moteur et de poussière flottait dans l'air tandis qu'ils approchaient du véhicule.

Colt se pencha pour regarder à l'intérieur et Serena l'imita. Mais il n'y avait rien. Colt ouvrit la portière et une forte odeur de produits chimiques pour les piscines s'en échappa.

Soudain, un coup de feu retentit.

Serena poussa un hurlement et Colt la poussa derrière la camionnette.

— Baisse-toi ! cria-t-il.

Un autre coup de feu érafla le toit de la camionnette, suivi d'un bruit de pas courant sur le gravier. Serena pointa la tête derrière l'angle du véhicule et vit un homme corpulent aux bras tatoués courir vers une voiture noire.

Colt l'avait vu aussi. Il sortit son arme et tira. L'homme se retourna et riposta. La balle frôla le capot de la camionnette et siffla au-dessus de la tête de Serena.

Puis l'homme se rua dans la voiture et mit le moteur en marche.

— Reste ici. Je vais le suivre, cria Colt.

Sans attendre sa réponse, il courut à leur voiture de location, sauta dedans et se mit à la poursuite de l'autre.

Le cœur battant et la respiration haletante, Serena les regarda disparaître. Elle jeta un coup d'œil à l'aérodrome, s'attendant à en voir sortir Homer, mais son audition devait être aussi mauvaise que sa vue.

Se relevant, elle survola les alentours du regard, juste au cas où Rice serait resté sur place. Mais le parking, l'allée et le terrain entourant les hangars étaient déserts et baignaient dans un silence tendu. Il n'y avait même pas de vent pour agiter l'air brûlant. Pas un moteur de voiture ou d'avion.

Soudain, elle crut entendre un petit cri. Elle se figea et tendit l'oreille. Etait-ce son imagination ?

Non. Des pleurs étouffés s'élevaient quelque part. Des pleurs d'enfant.

Le cœur battant à toute allure, elle courut jusqu'au hangar le plus proche et frappa sur la porte métallique.

— Il y a quelqu'un ?

Rien.

Un autre bruit et des coups frappés sur le métal retentirent. Elle se hâta jusqu'au deuxième hangar et essaya d'ouvrir la porte, mais elle était verrouillée et munie d'une chaîne.

— Il y a quelqu'un ?

Soudain, les grattements se firent plus forts, comme si quelqu'un tapait sur l'une des portes.

Serena se mit à courir le long de la rangée de hangars, frappant frénétiquement sur chacun d'eux. Quand elle dépassa le cinquième, elle était en sueur et tremblait.

Mais elle savait avec certitude que quelqu'un était enfermé dans l'un d'eux. C'était peut-être son fils.

— Petey !

Elle frappa sur la porte.

— Si tu es là-dedans, fais du bruit.

Un autre gémissement bas, puis un sanglot angoissé lui répondirent.

Comme les autres, cette porte était verrouillée et munie d'une chaîne. Elle s'efforça de l'arracher, mais elle ne bougea pas d'un pouce. La panique montait en elle. Elle la réprima et se força à réfléchir.

Une cabane à outils se trouvait à quelques mètres du premier hangar. Elle y courut. Divers outils mécaniques étaient rangés dans des boîtes, d'autres suspendus aux murs. Elle attrapa une paire de tenailles et revint en courant. Empoignant l'outil à deux mains elle coupa la chaîne en deux.

Celle-ci cliqueta quand elle la retira et la jeta par terre. La porte était lourde, mais l'adrénaline lui donnait une force surhumaine et elle l'ouvrit en grand avant de jeter un coup d'œil à l'intérieur. Il faisait sombre et cela sentait la graisse, la poussière et la sueur.

— Il y a quelqu'un ici ? demanda-t-elle en pénétrant doucement dans l'espace obscur.

Quelque chose remua dans un coin et un murmure bas se fit entendre. Serena se rapprocha doucement.

— N'ayez pas peur. Je suis là pour vous aider.

Les semelles de ses chaussures grincèrent sur le sol en ciment tandis qu'elle s'avançait. Un rayon de lune se faufila par la porte ouverte et éclaira faiblement l'espace obscur.

Deux petits enfants étaient blottis dans un coin, s'accrochant l'un à l'autre. Leurs sanglots étouffés s'élevant dans l'obscurité lui déchirèrent le cœur.

— Petey, c'est toi ? Tu vas bien ?

Elle tendit la main et caressa le dos de l'un des enfants. Une petite fille leva les yeux sur elle, les joues striées de larmes. L'autre enfant sanglotait plus fort et Serena comprit qu'il s'agissait aussi d'une petite fille.

Les deux petites dont Colt lui avait dit qu'elles avaient été kidnappées à Raleigh ?

L'émotion la submergea et les larmes lui montèrent aux yeux. On avait laissé ces pauvres petites enfermées dans ce bâtiment étouffant sans eau, sans nourriture et sans rien d'autre à faire qu'attendre un autre jour d'épouvante.

— Chut, venez là, vous êtes en sécurité maintenant. Nous allons appeler vos familles et leur dire de venir vous chercher.

Elle les prit contre elle et les deux petites filles s'accrochèrent à elle en sanglotant.

Mais l'angoisse lui serrait le cœur. Rice avait laissé les filles.

Alors où était son fils ?

— Lâchez-moi !

Petey donnait des coups de poing et de pied à l'homme qui le tenait, en hurlant de toutes ses forces.

— Je veux ma maman !

— Ferme-la, sale gosse !

L'homme le jeta sur le sol, puis coupa un morceau de scotch d'un rouleau qu'il portait à la taille, avant de le coller sur la bouche de Petey. Celui-ci essaya de hurler de nouveau mais le son mourut sur ses lèvres. Il frappa l'homme tandis que celui-ci lui attachait les mains avec de la corde, puis passait à ses chevilles.

Enfin, le méchant lui enfila une sorte de sac sur la tête. Petey se débattit. Il avait peur du noir. Il ne voyait rien et ne pouvait plus respirer. Il ne savait pas où l'homme l'emmenait.

Puis il entendit un bruit d'eau. L'océan. Le grondement d'un bateau à moteur. Les pieds de l'homme martelèrent quelque chose qui ressemblait à du bois.

Le pont d'un bateau.

La peur lui serra la gorge. L'homme avait laissé les filles dans cette horrible cabane près de l'aérodrome. Qu'allait-il faire de lui ?

Le clapotis des vagues battait contre le quai, et Petey laissa couler ses larmes. Allait-on le jeter à la mer et le laisser se noyer ?

14

Colt rattrapa la voiture sur la route 95 et la suivit sur quelques kilomètres jusqu'à ce que l'homme tourne sur une route secondaire qui longeait la côte. L'autre filait à toute vitesse, dépassant parfois les cent quarante kilomètres/heure et se faufilant dans la circulation à contre-sens, manquant de peu les autres voitures.

Colt avait du mal à le suivre avec sa voiture de location et il jura quand un flot d'adolescents se répandit en désordre sur la chaussée, actionnant des trompes et faisant signe à leurs amis.

La circulation se densifiait. Les touristes et les habitants de la ville se déplaçaient en masse vers les lieux d'animation nocturne. Il contourna une Corvette qui arrivait sur sa droite et reprit sa poursuite de la voiture noire.

Mais celle-ci accéléra de nouveau, forçant Colt à faire de même. Le tireur s'engagea sur le pont qui enjambait la baie juste au moment où un autre véhicule brûlait la priorité. Heurtée de plein fouet, la voiture de l'homme dérapa et se mit à tourner sur elle-même, puis défonça le garde-fou avant de plonger dans les eaux de la baie.

L'autre voiture accéléra. A son bord, deux jeunes complètement soûls hurlaient par la fenêtre que c'était la fête.

Colt stoppa son véhicule en bordure de la route et sortit en toute hâte. Il courut le long du pont et regarda sous lui. La voiture du tireur était en train de sombrer dans les eaux tourbillonnantes. Il regagna la rive, cherchant à voir si l'homme s'en était tiré, mais il ne le vit nulle part.

Furieux à l'idée que son unique piste soit en train de se noyer, il fourra son revolver et son téléphone dans un tuyau d'évacuation à proximité et, se débarrassant de ses chaussures, il se jeta à l'eau. Des sirènes se faisaient entendre au loin et deux autres voitures s'arrêtèrent, livrant passage à des curieux qui voulaient observer la scène.

Il nagea vers la voiture puis plongea sous l'eau pour atteindre la portière côté passager. Elle était fermée, la vitre relevée, et l'eau remplissait lentement l'habitacle.

Colt fit la grimace. L'homme à l'intérieur était celui dont Ben lui avait envoyé la photo. Sa tête reposait sur le volant et il avait le visage trempé de sang, les yeux fixes et grands ouverts.

Colt essaya d'ouvrir la portière. Il s'arc-bouta, mais elle était bloquée et ne bougea pas d'un millimètre. Du poing, il s'efforça de briser la vitre. La force de l'eau ralentissait ses mouvements et il ne réussit même pas à fêler le verre.

Ses poumons lui faisaient déjà mal, mais il nagea de l'autre côté et essaya aussi la portière et la vitre passager. Rien à faire. Bon sang !

Revenant du côté conducteur, il frappa sur la vitre. Le sang teintait tellement l'eau à présent que la seule chose qu'il discernait était le blanc des yeux saillants de l'homme.

Il était mort.

Colt jura en silence tout en remontant à la surface. Quand il atteignit la rive, deux policiers et des ambulanciers se précipitèrent vers lui. Un attroupement de badauds s'était formé et une chaîne de télévision était déjà là, de même qu'un photographe qui prenait des clichés.

Colt serra les poings tandis qu'un des policiers approchait de lui.

— Inspecteur Walter Riley, police de Miami. Que s'est-il passé ici, monsieur ?

Colt secoua la tête pour égoutter l'eau de ses cheveux et sortit sa carte de sa poche, tout en expliquant qu'il menait une enquête.

— Vous pouvez appeler le sergent Sanchez. Mme Stover et moi-même sommes allés le voir ce matin au sujet de l'enlèvement de son fils et de Lyle Rice, l'homme qui l'a kidnappé.

— Est-ce l'homme qui se trouve dans la voiture ?

— Non. Celui-là c'est James Ladden, un ancien compagnon de cellule de Rice. Nous pensons qu'ils sont complices. Il a essayé de nous tuer à l'aérodrome. J'étais en train de le poursuivre quand sa voiture est tombée à l'eau.

Colt jeta un coup d'œil derrière lui.

— J'ai essayé de lui porter secours, mais je n'ai pas pu ouvrir la portière. Il est mort, de toute façon. D'une blessure à la tête, apparemment.

L'inspecteur tourna la tête vers son collègue.

— Appelle une équipe pour remorquer la voiture, et veille à ce que le médecin légiste et les techniciens de la criminelle soient là quand on l'aura sortie de l'eau.

— C'est noté.

Le policier s'éloigna pour passer les appels et l'inspecteur se tourna vers Colt.

— Restez ici pendant que j'appelle Sanchez.

— Bien sûr.

Tandis que les flics s'éloignaient, il reprit son arme et son téléphone. Ce dernier sonna juste au moment où il le ramassait. Il vérifia l'écran et vit que c'était Serena.

— Serena ?

— Colt, tu vas bien ?

— Oui, j'ai poursuivi le tireur mais il a plongé dans la baie avec sa voiture. Je suis sur place avec la police.

— Sait-il où se trouve Petey ?

Colt passa une main dans ses cheveux trempés.

— Je suis désolé, Serena, mais il est mort.

Un instant de silence tendu passa.

— Serena ?

— Oui, je suis là, murmura-t-elle d'une voix rauque. Après que tu es parti, j'ai entendu du bruit et je suis allée voir les hangars.

— Tu as trouvé Rice et Petey ?

— Non, dit-elle d'une voix angoissée. Mais il y avait deux petites filles dans l'un des hangars. Kinsey Jones et Ellie Pinkerton. Colt, il les a laissées là, sans nourriture et sans eau. Si elles étaient restées enfermées un jour de plus, avec cette chaleur, elles auraient pu mourir.

— Elles sont blessées ?

— Je n'ai pas vu de blessures, mais elles sont traumatisées. Homer a appelé une ambulance.

— Bon.

— L'une d'elles m'a dit qu'elle avait vu Petey. Il était dans la camionnette avec elles.

Sa voix se brisa.

— Mais elles ne savent pas où Rice l'a emmené.

Bon sang ! songea Colt.

— Ecoute, Serena, je sais combien c'est éprouvant et effrayant, mais rappelle-toi que maintenant nous savons qu'il est vivant. Accroche-toi à ça.

Le bruit de ses reniflements lui déchira le cœur.

— Quand est-ce que tu reviens ?

Colt respira à fond, souhaitant être auprès d'elle.

— Je ne sais pas. L'inspecteur est en train de vérifier mon histoire. Reste avec les filles. Je vais appeler Gage pour qu'il dise à l'agent du FBI de te rejoindre.

Serena raccrocha et il composa le numéro de Gage pour le mettre au courant.

— Je vais contacter l'agent Metcalf et l'inspecteur Shaw. Metcalf devrait atterrir à Miami d'une minute à l'autre. Je lui dirai de te rejoindre à l'aérodrome pour informer les parents et organiser le retour des petites filles.

— Merci, Gage.

L'inspecteur se dirigeait vers lui, les mâchoires serrées, et Colt raccrocha.

— Le sergent Sanchez a confirmé votre histoire. Mais j'ai besoin de votre déposition et de vos coordonnées avant que vous partiez.

— Certainement.

Colt prit une carte de visite professionnelle et la tendit à l'inspecteur.

— Serena Stover vient de m'appeler. Elle a trouvé deux des enfants kidnappées par Rice dans l'un des hangars de l'aéroport. L'agent spécial Metcalf du FBI est en route. Vous voudrez sans doute tenir le sergent Sanchez informé.

— Je vais le faire.

Le policier fit entendre un claquement de langue appréciateur.

— Vous avez fait du bon travail, Mason. On aurait bien besoin de vous par ici.

Colt fit la grimace. Il ne savait pas ce qu'il voulait faire de sa vie, mais il fallait qu'il aille au bout de cette affaire.

— Rice retient toujours Petey Stover et les possibilités sont infinies quant à l'endroit où il a pu l'emmener.

L'expression du policier confirma ses pires craintes. En travaillant à Miami, il avait évidemment pris l'habitude de perdre des malfaiteurs et leurs victimes dans les eaux des canaux.

Mais Colt, lui, ne s'y était pas habitué.

Et il ne connaîtrait pas le repos avant d'avoir retrouvé le fils de Serena.

Serena serra les petites filles dans ses bras, bouleversée par leur expression terrifiée. Homer avait été si choqué quand elle les avait fait entrer à l'intérieur de l'aéroport et lui avait expliqué où elle les avait trouvées, qu'elle avait craint qu'il ne fasse une crise cardiaque.

Elle s'était débrouillée pour le calmer et il avait ensuite acheté de l'eau et des biscuits pour les enfants à l'un des distributeurs.

— Ne vous inquiétez pas, les filles, murmura-t-elle doucement. La police va arriver. Ils vont appeler vos parents et faire en sorte que vous rentriez chez vous.

Elle avait envie de leur demander des détails sur ce que Rice et son complice leur avaient fait, mais elle comprenait que les enfants avaient besoin d'être rassurées, pas d'être interrogées, et elle retint ses questions.

Kinsey s'essuya les yeux.

— Le grand était méchant, dit-elle d'une voix blanche. Mais celui qui avait des cheveux tout emmêlés était encore plus méchant. Il m'a pris ma couverture.

— Et il m'a volé ma poupée, dit Ellie.

— Petey lui a crié de nous ramener à la maison, mais il a dit qu'on reverrait plus jamais nos mamans et nos papas et qu'ils ne voulaient plus de nous, raconta Kinsey en ravalant ses larmes.

La colère envahit Serena.

— Ces hommes vous ont menti, ma chérie. Vos mamans et vos papas n'ont jamais dit ça. Ils sont vraiment inquiets et ils vous cherchent depuis que vous avez disparu, exactement comme je cherche Petey.

Le hurlement des pneus d'une voiture de police interrompit leur conversation.

Serena leva les yeux sur un homme brun, vêtu d'un costume, qui s'approchait d'elles. Il regarda les petites filles et un sourire de soulagement s'étala sur son visage.

— Agent spécial Metcalf, dit-il en la gratifiant d'un signe de tête.

Puis il s'agenouilla près des petites filles.

— Kinsey, Ellie, j'ai déjà téléphoné à vos parents. Ils sont très heureux de savoir que vous êtes saines et sauves, et très impatients de vous voir. Ils vont prendre le premier vol pour Miami.

Il baissa la voix et prit un ton apaisant.

— Mais, avant ça, nous allons vous emmener à l'hôpital pour nous assurer que vous allez bien.

Ellie s'accrocha à la main de Serena.

— J'aime pas l'hôpital.

La lèvre inférieure de Kinsey se mit à trembler.

— Moi non plus. Y font des piqûres.

— Les piqûres, ça fait mal, murmura Ellie.

L'agent jeta un regard perdu à Serena, qui serra les filles contre elle.

— Ils ne vont pas vous faire de piqûre, mes chéries. Ils veulent seulement être sûrs que les méchants ne vous ont pas fait de mal.

— Et s'ils reviennent ? cria Kinsey.

— Ils ne vous feront plus jamais de mal, affirma l'agent Metcalf. Je te promets qu'ils vont aller en prison.

Ellie tourna son petit visage angélique vers Serena.

— Tu vas venir avec nous ? murmura-t-elle.

Serena voulait continuer à chercher Petey, mais il fallait aussi qu'elle attende Colt. Et il n'était pas question pour elle d'abandonner les petites filles.

*
**

Dès qu'on lui permit de quitter les lieux de l'accident de Ladden, Colt fila à toute allure rejoindre Serena à l'aérodrome. Quand il entra dans le terminal, il la vit assise, tenant les deux petites filles. Elles avaient l'air si terrifiées et si perdues, si petites et si fragiles, que son sang ne fit qu'un tour. L'idée que Rice et Ladden les avaient enfermées dans ce hangar où elles auraient pu mourir lui donna envie d'infliger le même traitement aux deux hommes.

Et, si Ladden était mort, Rice ne l'était pas encore. Il avait encore sa chance…

Le bruit d'une sirène d'ambulance se fit entendre au-dehors et il jeta un coup d'œil à Homer, qui avait l'air très secoué par les événements. Puis il repéra un homme en costume qu'il supposa tout de suite être l'agent du FBI.

Celui-ci s'avança vers lui pour se présenter.

— Agent spécial Mitchell Metcalf. On m'a dit que vous enquêtiez sur un gang de kidnappeurs.

— Oui, mais ma priorité est de retrouver Petey Stover.

— Bien sûr. J'ai déjà contacté les parents des filles et ils vont nous rejoindre à l'hôpital.

— J'ai promis aux filles que j'irais avec elle, intervint Serena.

Un sentiment d'admiration gonfla la poitrine de Colt. Serena était terrifiée pour son fils, mais elle restait assez altruiste et aimante pour se préoccuper des autres enfants.

Les ambulanciers se précipitèrent à l'intérieur et Homer leur fit signe.

— Je vous suis en voiture, dit Colt à Serena. Nous nous retrouverons là-bas.

Serena se mit en devoir de rassurer les petites filles tandis qu'on les faisait monter dans l'ambulance, et les ambulanciers lui permirent de monter avec elles. Colt et l'agent Metcalf les suivirent.

A leur arrivée à l'hôpital, Colt fut surpris de voir qu'on autorisait Serena à rester avec les enfants. En effet, l'infirmière en chef, comprenant que les petites filles avaient souffert, insista pour qu'un adulte en qui elles avaient confiance soit présent.

Durant l'heure qui suivit, Colt et Metcalf patientèrent dans la salle d'attente en buvant un mauvais café tandis qu'un psychologue interrogeait les enfants. Puis les parents arrivèrent, à quelques minutes les uns des autres.

— Où est Kinsey ? demanda Mme Jones. Est-elle blessée ?

Les Pinkerton se précipitèrent vers eux.

— Et Ellie ? Elle va bien ?

— Les deux filles sont en bonne santé, dit calmement Metcalf avant de leur présenter Colt. Le détective privé Mason et sa cliente Serena Stover ont retrouvé la trace des kidnappeurs dans un aérodrome. C'est Mme Stover elle-même qui a libéré vos filles, qui étaient enfermées dans un hangar.

— Nous voulons les voir, exigea M. Pinkerton.

— Oui, s'il vous plaît…

La voix de la mère de Kinsey tremblait d'émotion.

— Je me suis fait tant de souci. J'ai cru…

Elle ne finit pas sa phrase et éclata en sanglots juste au moment où Serena et le psychologue faisaient leur apparition avec Kinsey et Ellie. En pleurant, les parents se précipitèrent pour prendre leurs filles dans leurs bras.

Colt sentit sa gorge se nouer devant ces retrouvailles. Il était soulagé que les enfants aient été retrouvées.

Et inquiet pour le fils de Serena.

*
* *

Le souffle manqua à Serena en voyant les petites tomber dans les bras de leurs mères. La maman de Kinsey et les parents d'Ellie pleuraient tous et s'accrochaient à leurs filles comme s'ils avaient peur qu'elles disparaissent de nouveau.

Elle comprenait leurs craintes.

Colt glissa un bras autour de ses épaules et l'attira contre lui.

— Tu as fait quelque chose de formidable aujourd'hui, Serena. Tu es une femme courageuse.

Elle se tamponna les yeux.

— Je ne comprends pas pourquoi il a laissé les filles et emmené seulement Petey.

— Ont-elles dit quelque chose à propos de Rice et de Ladden ?

Colt baissa la voix pour ne pas se faire entendre des parents.

— Sur ce qui leur est arrivé ? Ils leur ont fait du mal ?

Elle secoua la tête en signe de dénégation.

— Non, grâce à Dieu. Le médecin a dit qu'il n'y a aucun signe de violences ou d'agression sexuelle. En dehors du fait qu'elles sont traumatisées et légèrement déshydratées, elles vont bien.

— Je suis sûr que leurs parents leur trouveront de bons thérapeutes.

Il se tut un instant.

— L'une d'entre elles a-t-elle dit où elles étaient détenues et où Rice allait ?

Serena sentit sa gorge devenir douloureuse.

— Non. Une fois qu'elles seront plus calmes et plus rassurées, un médecin va les interroger. Elles nous en diront peut-être plus, mais elles disent que la plupart du temps elles étaient à l'arrière d'une camionnette et qu'il faisait noir. Elles n'ont rien vu et elles n'entendaient pas ce que disaient les hommes.

La mère de Kinsey prit sa fille dans ses bras et se dirigea vers Serena.

— C'est vous qui avez trouvé ma petite fille, n'est-ce pas ?

Serena acquiesça en repoussant les mèches humides collées sur la joue de Kinsey.

— Je suis heureuse qu'elle soit saine et sauve.

Les parents d'Ellie se joignirent à eux avec leur fille.

— Nous ne savons comment vous remercier, dit la mère d'Ellie d'une voix tremblante.

Le père de la petite fille la tenait serrée contre lui.

— Vous nous avez rendu notre fille. Comment pourrions-nous nous acquitter de notre dette ?

Serena se força à sourire.

— Priez seulement pour que je retrouve mon fils.

Les trois parents lui donnèrent l'accolade tour à tour et, pendant un instant, Serena pensa qu'elle allait s'effondrer.

— Il est temps d'y aller, dit Colt au bout de quelques minutes.

Elle s'essuya les yeux et leur dit au revoir. Tandis que Colt sortait du parking de l'hôpital, elle se plongea dans le silence. La circulation et les feux se brouillèrent et l'image de ces enfants piégées dans un bâtiment brûlant revint la hanter.

Rice avait laissé les filles. Alors pourquoi n'avait-il pas laissé Petey aussi ?

Colt s'arrêta dans un motel sur la route 95 et elle fronça les sourcils.

— Que fais-tu ?

— Je vais prendre une chambre pour nous. Tu n'as pas dormi depuis des jours et moi non plus. Le FBI et la police s'occupent de l'affaire, les autorités portuaires et aériennes sont alertées et nous avons tous deux besoin de repos. Nous nous y remettrons dans quelques heures.

— Je ne pourrai pas dormir, dit Serena.

Colt lui prit la main.

— Alors tu t'allongeras ou tu prendras une douche pour te détendre. D'ici là, nous aurons peut-être une autre piste. Pour le moment, nous ne savons même pas par où commencer.

Serena savait qu'il avait raison, mais elle ne supportait pas l'idée de rester oisive. Son corps était trop tendu, trop... épuisé.

Colt se gara devant le motel et elle attendit à l'intérieur de la voiture qu'il loue une chambre. Une minute plus tard, il revint avec la clé et les conduisit à l'autre bout du parking. Epuisée, elle sortit de voiture et s'apprêtait à sortir son sac quand il prit leurs bagages à tous deux et lui fit signe d'entrer. Pendant une fraction de seconde, elle envisagea de discuter le fait qu'il n'ait pris qu'une chambre pour deux, mais elle n'en avait pas l'énergie.

De plus, elle ne désirait pas être seule avec ses craintes et ses émotions.

Colt laissa tomber les sacs sur le sol. Elle ouvrit le sien pour en tirer une chemise de nuit et fila sous la douche.

Mais, en se déshabillant et en entrant dans la baignoire, elle se sentit submergée par le chagrin et elle laissa couler de nouvelles larmes d'impuissance et de frayeur. Elle avait envie de hurler et de cogner les murs. Elle voulait trouver Rice et le tuer de ses propres mains.

Elle avait tellement envie de sentir son fils dans ses bras qu'elle avait l'impression qu'elle allait se fendre en deux. Elle ne se sentirait jamais entière sans lui.

Et elle ne cesserait jamais de le chercher. Même si elle devait voyager de pays en pays et ratisser les rues des villes à sa recherche.

L'eau refroidit, aussi se sécha-t-elle le corps et les cheveux et se glissa-t-elle dans sa chemise de nuit en satin. Quand elle ouvrit la porte de la salle de bains, la vapeur s'engouffra dans la chambre et elle vit Colt allongé sur le lit, les bras croisés derrière la tête.

La télévision était allumée et un reportage spécial relatait le sauvetage des deux fillettes. On voyait les parents les faire monter rapidement dans une voiture du FBI qui les conduirait à l'hôtel pour la nuit.

Les yeux de Serena s'emplirent de nouveau de larmes. Elle regarda Colt et quelque chose d'instinctif surgit soudain en elle.

Il était toujours habillé, mais la chaleur et l'émotion de son regard éveillèrent son désir. Elle voulait qu'il la tienne dans ses bras cette nuit. Elle voulait qu'il la caresse, la console et l'aime.

Même si ce n'était que pour quelques minutes.

Tout plutôt que de revoir les images de ces enfants terrifiées enfermées dans le hangar.

Tout plutôt que d'endurer la douleur d'entendre les pleurs de son fils au téléphone.

Les prunelles sombres de Colt croisèrent son regard et elle y vit de la compréhension.

Elle ne devait pas faire passer ses besoins avant ceux de son fils, mais là, tout de suite, elle devait faire ce qu'il fallait pour survivre au désespoir et reprendre des forces.

Colt tendit la main et elle s'approcha de lui.

15

Colt songea qu'il ferait mieux de dire à Serena qu'ils ne devaient pas faire l'amour. Mais le désir qu'il lut dans son regard étouffa les protestations dans sa gorge. Elle était passée par un tourbillon émotionnel et elle avait besoin de se sentir vivante.

Combien de fois avait-il ressenti la même chose ?

Trop souvent pour les compter.

Serena lui passa les doigts dans les cheveux puis fit descendre sa bouche sur la sienne. Une faim dévorante faisait bouillir son sang. Elle voulait tout oublier cette nuit, comprit Colt. Fuir la douleur et la terreur qui la minaient.

Il avait envie de lui procurer ce soulagement. Mais pas autant qu'il avait envie d'elle.

Il l'avait désirée depuis la première fois où il avait regardé dans ses yeux étincelants. Elle avait ses secrets, un passé dont elle ne voulait pas parler.

Mais lui aussi.

Elle referma les lèvres sur les siennes et il s'empara avidement de sa bouche, la pressant contre lui. Il n'avait pas été avec une femme depuis une éternité, il n'en avait même pas envie. Celles avec qui il entrait en contact dans son travail n'en valaient pas la peine. De plus, la plupart d'entre elles avaient perdu leur vertu dans la rue.

Pas Serena. Elle avait survécu à la rue et était devenue meilleure.

Elle avait tout ce qu'un homme pouvait désirer. Elle était belle, intelligente et solide.

C'était une femme qui chérissait sa famille et était prête à se battre pour elle.

Elle se frotta contre lui et il sentit son sexe durcir et tendre la fermeture Eclair de son jean, avide de la pénétrer.

Il lui caressa le dos, laissa descendre sa main jusqu'à ses fesses, et une vague de désir brut l'envahit.

Mais une dernière miette de pensée rationnelle l'arrêta et il la fit rouler sur le dos pour se tenir au-dessus d'elle.

— Serena, dit-il d'une voix rauque, je ne veux pas profiter de toi.

— On dirait un disque rayé, répliqua-t-elle avec une lueur prédatrice dans le regard. Tu me veux ou pas ?

Il introduisit un genou entre ses jambes et s'installa entre ses cuisses.

— Bien sûr que je te veux, mais…

— Tais-toi, murmura-t-elle en faisant courir sa langue sur ses lèvres. Et fais-moi l'amour.

Il aimait les femmes qui savaient ce qu'elles voulaient et qui le demandaient, les femmes qui avaient assez de confiance en elles pour prendre et donner. Serena était tout cela et bien davantage.

Elle défit les boutons de sa chemise et il lui ôta sa chemise de nuit. Le cœur battant, il se remplit les yeux de la vision de ses seins, deux globes dorés dont les pointes se dressèrent à son contact, l'invitant à les aspirer dans sa bouche.

Il approfondit son baiser. La passion et le désir les embrasèrent. Elle caressa sa poitrine nue en gémissant tandis qu'il traçait un chemin avec sa langue de sa gorge à ses seins et mordillait un de ses mamelons.

S'arc-boutant sous lui, elle s'offrit avec un gémissement si excitant qu'il crut ne plus pouvoir se contenir.

En souriant devant son excitation, elle frotta son entrejambe contre lui et lui lécha l'oreille. Il se repaissait de la vision de son corps nu. Belle était un mot faible pour la décrire.

Elle avait des cicatrices aussi. L'une en forme d'éclair, sur la cuisse, due sans doute à un coup de couteau, et une autre juste au-dessous du sein gauche. Pendant un instant, il lut la vulnérabilité dans ses yeux. Alors il pencha la tête et embrassa ses cicatrices, sachant qu'elles avaient fait d'elle la personne qu'elle était aujourd'hui, tout comme les siennes l'avaient formé.

Avidement, elle tira sur son jean, et il se leva pour le retirer et prendre un préservatif dans sa poche avant de sombrer de nouveau sur le matelas et de la laisser lui enlever son caleçon. Ils déroulèrent ensemble la protection sur son sexe douloureux.

Ils se regardèrent dans les yeux. L'expression de Serena était toute de désir, et sa respiration était haletante. Quant à lui, il était agité, rempli d'une tension qu'il s'efforçait de garder sous contrôle pour faire durer le plaisir.

Nus tous deux, ils continuèrent à se caresser et s'embrasser, les membres emmêlés, le sexe de Colt pulsant entre ses cuisses, jusqu'à ce qu'il ne puisse plus y tenir. S'élevant au-dessus d'elle, il se dressa sur ses avant-bras et frotta son membre sur la peau soyeuse de ses cuisses.

Elle ferma les yeux et laissa échapper un gémissement qui l'émut au plus profond de son cœur. Elle le voulait et il voulait pénétrer en elle. Lui donner du plaisir et la faire sienne.

Bon sang, il était en train de tomber amoureux d'elle.

Cette idée le fit frissonner de terreur, mais Serena l'agrippa par les hanches et l'attira en elle. La sensation de sa chaleur autour de lui, l'aspirant dans son intimité, lui fit l'effet d'un tremblement de terre.

Elle enroula les jambes autour de sa taille tandis qu'il entrait profondément en elle. Un long gémissement monta du plus profond d'elle et elle s'accrocha à lui.

Il se mit à aller et venir en elle, de plus en plus fort et sur un rythme qui échappa très vite à tout contrôle, les faisant haleter et transpirer. Enfin Serena cria, secouée d'un long orgasme, et il se laissa aller à savourer l'extase de son propre plaisir.

Et quand il jouit en elle et qu'elle blottit sa tête contre sa poitrine, il sentit son cœur se remplir d'amour pour elle. Mais aussi de peur.

Il était conscient que c'était une consolation qu'elle avait cherchée auprès de lui et que, quand son fils serait de retour, elle reprendrait sa vie.

Mais il ne savait pas comment il pourrait la laisser partir.

Serena frémit de tout son corps et se blottit dans les bras de Colt, savourant son odeur masculine. Pendant un instant, elle oublia le cauchemar qu'était devenue sa vie.

Mais bientôt la petite voix de Petey l'appelant au secours se remit à résonner dans son esprit. Elle avait eu une enfance malheureuse et s'était juré de le préserver. Mais elle avait échoué.

Colt passa un doigt sur la cicatrice de son épaule et elle se tendit au souvenir du père d'accueil qui lui avait infligé ce coup. Les blessures physiques avaient guéri, mais les blessures morales demeuraient et revenaient la hanter dans l'obscurité.

Elle pensait que Parker l'avait comprise, bien qu'ils n'en aient jamais parlé parce qu'elle avait trop peur qu'il la voie différemment s'il savait la vérité. Qu'il comprenne qu'elle ne méritait pas l'amour et que ses parents n'avaient pas voulu d'elle.

— Merci, Colt, murmura-t-elle.

Il lui prit le visage entre ses mains.

— Tu n'as pas à me remercier. J'avais envie de toi, Serena. Et c'est peut-être mal, mais j'ai encore envie de toi.

Serena secoua la tête.

— Tu ne dirais pas cela si tu me connaissais vraiment.

Colt s'apprêtait à répondre quand son téléphone se mit à sonner. Il tendit le bras pour prendre l'appel.

— Colt Mason.

Une pause.

— Oui.

Une autre pause, puis il s'assit et ramassa ses vêtements sur le plancher.

— Tenez bon, j'arrive tout de suite.

Il sauta du lit pour s'habiller après avoir raccroché.

— Qui était-ce, Colt ? demanda Serena.

— Dasha. Elle est terrifiée. Elle est ici, à Miami, et elle a des informations sur le gang des kidnappeurs. Elle veut que nous la rejoignions aux docks.

Le cœur de Serena se mit à battre à toute allure.

— Oh ! mon Dieu, elle sait peut-être où est Petey.

Elle se leva aussitôt et tourna sur elle-même pour trouver son jean et son T-shirt.

Ils se vêtirent en quelques secondes et se précipitèrent dehors. Colt fourra son revolver dans son pantalon en déverrouillant la voiture de location et ils prirent la route des docks. La foule nocturne était toujours d'humeur festive sur le boulevard principal, mais, dès qu'ils quittèrent le centre-ville, la circulation se fit rare. Le canal s'étendait devant eux.

Des péniches, des voiliers et des vedettes apparurent et, à l'autre bout du quai, une série de hangars adossés aux docks. Les vagues de l'océan clapotaient et le bruit d'un moteur ronronnant au loin rompait le silence.

Colt s'arrêta sur le parking. Serena scruta les pontons faiblement éclairés et les entrepôts obscurs en quête d'un signe de Dasha ou de Rice.

— Reste sur tes gardes, l'avertit Colt quand ils sortirent de voiture. C'est peut-être un piège.

Serena hocha la tête. Il n'y avait nul besoin de la prévenir du danger de ce genre d'endroit. Non pas que cela l'arrêterait.

Ils longèrent les docks d'un même pas, examinant les bateaux l'un après l'autre. Des fêtards buvaient et dansaient au son d'une musique bruyante sur une péniche. Des pêcheurs allumèrent une petite lampe en accostant. La lueur d'un bateau de pêche à la crevette était visible au loin.

De l'autre côté de la baie, on distinguait un alignement de docks. Colt aperçut une silhouette isolée qui vacillait dans le noir à proximité d'un conteneur.

— Là ! C'est elle. Elle est blessée.

Colt montrait du doigt le ponton le plus éloigné. Il se mit à courir, suivi de Serena qui s'efforçait de rester derrière lui.

La senteur de l'iode se mêlait à une forte odeur de poisson, et la chaleur de la nuit les rendait moites de sueur.

Elle repoussa ses cheveux et cilla dans l'obscurité pour distinguer la silhouette de Dasha entre les deux bâtiments. Un coup de feu retentit et fila au-dessus de leurs têtes. Colt sortit son revolver.

— Baisse-toi !

Serena se courba et tourna dans la ruelle. Colt fit halte à l'angle et riposta en direction du tireur. Serena continua à courir et sentit son estomac se nouer en voyant Dasha s'effondrer sur le sol.

Elle se précipita vers elle, s'agenouilla et lui toucha l'épaule.

— Dasha ?

Cette dernière émit un grognement. Serena la retourna et retint son souffle à la vue de la tache de sang sur son ventre.

— Dasha, c'est Serena. Qui vous a tiré dessus ?

— Un homme, il travaille pour Rice, murmura Dasha d'une voix rauque. Je l'ai suivi… Je voulais trouver votre fils. Mais il a découvert que je vous avais parlé…

Sa voix se brisa et son visage se couvrit de sueur.

— Un des hommes de Rice m'a amenée ici.

Serena déchira le bas de son T-shirt, le plia et le pressa sur la blessure de la femme.

— Continuez à appuyer. Je vais appeler une ambulance.

Dasha lui attrapa la main avant qu'elle ne puisse se lever.

— Non. Attendez. Ne partez pas.

— Je vais chercher de l'aide.

— Non. D'abord… votre fils… Il est ici.

— Où ça ? Il va bien ?

Dasha gémit et son teint prit une pâleur de cire. Elle leva un doigt sanglant et le pointa vers la droite.

— Il est sur le bateau au bout du quai. Rice… allait l'emmener ce soir. Dépêchez-vous…

Serena lui prit la main.

— Merci, Dasha.

— Allez le chercher, murmura la femme.

Serena hocha la tête, se releva et regarda autour d'elle en quête de Colt. Des coups de feu continuaient de résonner dans la nuit et elle pria pour qu'il ne soit pas touché, avant de se mettre à courir vers le bateau.

Elle fit halte avant de monter à bord et balaya du regard le pont supérieur, s'attendant à y voir Rice ou l'un de ses sbires, mais il n'y avait personne. Elle hésita et considéra l'idée d'aller chercher Colt. Mais un autre coup de feu déchira l'air et elle sauta sur le pont. Manifestement, l'homme qui avait tiré sur Dasha essayait de les abattre afin de permettre à Rice de s'échapper.

Elle n'avait pas l'intention de le laisser arriver à ses fins.

Frénétiquement, elle se mit à la recherche du pont principal puis descendit l'escalier sur la pointe des pieds, à l'écoute d'un bruit indiquant que Rice se trouvait à bord en embuscade. Mais seul le clapotis de l'eau léchant les flancs du bateau lui parvint.

Elle jeta un coup d'œil dans la cabine principale. Elle était vide.

Puis un bruit rompit le silence, un petit tapotement.

Son cœur se mit à battre plus vite. Cela venait d'une des cabines au bout de la coursive.

Elle se hâta en direction du son, vérifiant au passage les deux premières cabines, qui étaient vides. Puis un autre bruit se fit entendre.

Des pleurs.

Petey ?

Seigneur !

Le cœur palpitant, elle se précipita vers la dernière cabine et secoua la porte. Elle était verrouillée.

— Petey ?

Un son étouffé lui répondit, puis d'autres coups et le bruit d'un sifflet.

— Tiens bon, chéri. Laisse-moi trouver quelque chose pour ouvrir cette porte.

Poussée par un flot d'adrénaline, elle revint en courant à la cabine principale pour chercher la clé. Elle fouilla dans les tiroirs, le bureau, puis parcourut les parois du regard en quête d'un tableau, mais il n'y avait rien.

Rice devait l'avoir emportée avec lui.

Des souvenirs de sa vie dans la rue émergèrent dans sa mémoire. Elle se précipita vers le bureau et chercha un trombone. Elle en trouva un dans le tiroir du dessus et le recourba pour s'en servir comme outil, puis revint en courant à la porte fermée et le fourra dans la serrure.

A l'intérieur, les pleurs et les coups se firent plus forts.

— J'arrive, chéri, tiens bon.

Après deux tentatives, la serrure émit un déclic. En respirant à fond, elle ouvrit la porte toute grande et vit son fils recroquevillé sur un lit minuscule, les mains et les pieds attachés et la bouche bâillonnée. D'une manière ou d'une autre, il avait réussi à engager suffisamment le sifflet sous son bâillon pour souffler dedans.

Avec un soulagement mêlé de rage pure, elle se précipita sur lui. Les yeux de Petey étaient agrandis par la peur, mais son expression changea du tout au tout quand elle s'assit près de lui sur le lit.

Elle défit ses liens avec des mains tremblantes et lui enleva le bâillon. Son visage était strié de larmes et il avait l'air épuisé et terrifié. Mais il semblait sain et sauf.

— Maman ! cria Petey. Je savais que tu me retrouverais !

L'émotion la submergea quand il lui jeta les bras autour du cou. Serena le serra contre elle en le berçant et en laissant échapper un flot de larmes.

Cependant, ils ne pouvaient pas rester là. Rice allait revenir.

Et, quand il serait là, il la tuerait pour s'emparer de Petey.

16

Colt toucha l'acolyte de Rice avec sa troisième balle. L'homme tomba comme une pierre, du sang jaillissant de sa poitrine. Colt jeta un coup d'œil dans la ruelle pour voir si Rice arrivait, mais il n'y avait personne. Il s'approcha du corps massif du tireur et chercha son pouls.

Rien.

Il prit l'arme de l'homme, la fourra à l'arrière de son jean et se dirigea vers la ruelle dans laquelle Serena avait suivi Dasha, en regardant par-dessus son épaule. Ses entrailles se nouèrent à la vue de la femme gisant sans vie sur le sol.

Il s'agenouilla près d'elle et fit la grimace devant le sang qui suintait du chiffon qu'elle pressait sur son ventre.

— Dasha ?

Elle gémit et ouvrit lentement les yeux. Ses pupilles étaient dilatées et elle avait le teint cendré.

— Serena… est allée chercher Petey.

— Où ?

Elle pointa une main tremblante en direction des bateaux.

— Le bateau… tout au bout…

— J'appelle les secours.

Il composa le 911 et demanda une ambulance puis se mit à courir en direction du bateau. Au moment où il approchait, un hurlement s'éleva.

Serena.

Bon sang !

L'adrénaline l'envahit et il piqua un sprint. En montant à bord, il aperçut tout de suite Rice dans l'escalier, qui portait Serena en travers de ses épaules. Petey n'était visible nulle part.

La fureur lui glaça le sang. Si l'homme touchait à un seul des cheveux de Serena, il le tuerait de ses propres mains.

— Lâche-la, Rice, ordonna-t-il.

Il croisa le regard de Serena et y lut de la peur, mais il vit aussi qu'elle lui faisait confiance. Il sentit sa poitrine se comprimer.

Rice colla son arme sur la tête de Serena.

— Vous ne pourrez pas m'arrêter maintenant.

— Où est Petey ? demanda Colt, les dents serrées.

— Il est en bas, dit Serena en relevant la tête.

Donc elle l'avait vu et il était vivant. A présent, Rice avait l'intention de la tuer et de partir avec son fils.

— Allez, Rice. Tu n'as aucune chance de t'en sortir. Pose ton arme pour que je n'aie pas à te tuer.

Rice laissa échapper un rire qui ressemblait à un aboiement et tira sur le bras de Serena.

— Tu tires et elle meurt avec moi.

Serena le regardait d'un air étrange, un mélange de fatalisme et de détermination.

— Ne cède pas, Colt. Sauve Petey, c'est tout ce qui compte.

Pas question. Elle aussi comptait pour lui. Il n'avait pas l'intention de sacrifier sa vie pour sauver celle de son fils. Il voulait les sauver tous les deux.

Il sentait que sa main n'était pas sûre, mais il se força à respirer et à se remémorer son entraînement. Il fallait qu'il se concentre, qu'il évacue toute pensée en dehors de sa cible.

Rice tordit le bras de Serena derrière son dos, si fort cette fois qu'elle ferma les yeux.

— Pose ton revolver, Mason, et je la laisserai peut-être vivre.

Colt grinça des dents et leva les mains comme pour se rendre. Mais Serena leva soudain le bras et projeta son coude dans l'estomac de Rice.

L'homme fut tellement surpris qu'il perdit momentanément son emprise et Serena tomba à terre. Colt fit feu immédiatement.

Rice évita la balle et se jeta sur lui en brandissant son arme. Colt lui asséna un direct dans le nez. Il entendit le cartilage craquer et un flot de sang jaillit. Rice grogna et fit feu, mais Colt se jeta de côté en évitant la balle. Puis il balança son autre bras, s'efforçant de s'emparer de l'arme de son adversaire.

Serena se releva à quatre pattes puis dévala l'escalier pour rejoindre Petey.

Les deux hommes luttèrent, se frappant de toutes leurs forces. Mais Colt était plus fort que son adversaire et il finit par le coincer contre la rambarde.

— Tu as piégé Serena et enlevé son fils. Qu'allais-tu faire de lui, Rice ?

Celui-ci lui cracha dessus.

— C'est la faute de son mari. Il aurait pas dû se mêler de mes affaires.

L'arrestation de Serena, le kidnapping, les horribles plans de Rice, les tourments qu'avaient endurés Serena et Petey : tout se mêla dans l'esprit de Colt et il frappa Rice encore et encore jusqu'à ce que son visage ne soit plus qu'une masse ensanglantée. Enfin l'homme s'effondra contre lui.

Des sirènes se firent entendre au loin et il perçut la

voix de Serena qui l'appelait tandis que les gyrophares tourbillonnaient dans le noir.

Sa rage était cependant si intense qu'il avait envie de faire souffrir davantage Rice. Il avait envie de le tuer et de jeter son corps dans l'océan, là où les requins le dévoreraient.

Mais Serena et Petey s'approchèrent de lui et il vit le regard terrifié de l'enfant. Ecœuré par sa propre violence, il relâcha l'homme. Rice tomba à terre dans un bruit sourd.

Une minute plus tard, la police et les secours montèrent à bord.

— Cet homme a kidnappé mon fils, cria Serena. Et il a essayé de me tuer.

Colt se présenta et leur désigna l'endroit où se trouvait Dasha avant de regarder un des policiers passer les menottes à Rice.

Celui-ci ouvrit les yeux tandis que les ambulanciers le chargeaient sur une civière.

— Tu crois que tu as gagné, mais tu te trompes, grogna-t-il.

Colt l'attrapa par la gorge sans se soucier d'être vu par les policiers.

— De quoi tu parles ?

— Le gang de kidnapping, je ne suis qu'un pion insignifiant, ricana Rice. Le big boss aura ta tête pour t'être mêlé de nos affaires.

Colt le secoua.

— Qui est à la tête de l'organisation ?

Rice cracha du sang sur lui.

— J'suis pas une balance.

— Non, juste un lâche. Tu t'engraisses sur le dos d'enfants, et maintenant tu as trop peur que ton patron te tue si tu parles.

Rice ne fit que sourire sous le sang qui lui couvrait la figure et se tourna vers le policier.

— Je veux un avocat.

Colt serra les poings. Qu'il soit damné. Si les flics n'avaient pas été là, il aurait frappé l'homme jusqu'à ce qu'il parle. Au lieu de cela, il les regarda l'emmener, le laissant avec toujours plus de questions.

Serena et Petey s'accrochaient l'un à l'autre. Ils pleuraient, mais ils étaient sains et saufs.

Il avait accompli sa mission, songea Colt. Petey avait retrouvé sa mère.

Son cœur eut un soubresaut. Il avait envie de faire partie de leur famille, de rentrer à la maison avec eux et de les protéger pour toujours.

Mais il y avait d'autres enfants en danger qui, comme Petey, avaient besoin de son aide.

Serena garda Petey serré contre elle tandis que les policiers la questionnaient. Colt les mit au courant de tout ce qu'ils avaient appris jusque-là.

Elle le garda encore avec elle pour aller dire au revoir à Dasha, qu'on chargeait dans l'ambulance. La jeune femme était faible, mais les ambulanciers lui avaient posé une perfusion et assurèrent à Serena qu'elle s'en sortirait.

Dasha leva les yeux quand elle s'approcha d'elle et son expression quand elle vit son fils émut Serena.

— Merci infiniment de nous avoir appelés. Vous avez sauvé la vie de Petey.

Une larme roula sur le visage crayeux de Dasha.

— Parker est mort en essayant d'empêcher ces kidnappings. Je ne pouvais pas laisser Rice s'en tirer.

— Vous aimiez mon mari, dit Serena.

Celle-ci tenta de protester, mais Serena lui prit la main.

— Ça ne fait rien, je comprends.

Une expression étrange passa dans le regard de Dasha et Serena comprit que la jeune femme lui ressemblait davantage qu'elle ne l'aurait imaginé. Elle avait eu son lot de coups durs et elle s'était efforcée de survivre. Mais, en fin de compte, elle avait choisi le bon chemin.

Parker avait sans doute vu les mêmes traits de caractère chez Dasha et chez elle, et il avait essayé de la sauver.

— Si jamais vous avez besoin de quelque chose, appelez-moi, déclara Serena avec sincérité.

La jeune femme lui pressa la main.

— Je crois que je vais prendre ma retraite, dit-elle, bien que sa voix eût une intonation incertaine. J'ai toujours voulu faire de la coiffure.

Serena sourit.

— Alors, faites-le. Je serai votre première cliente.

Quand elle se retourna, elle vit que Colt l'observait d'un air impassible.

Quelque chose avait changé. Elle avait cru sentir un courant de compréhension passer entre eux quand ils avaient fait l'amour.

Mais à présent elle le sentait s'éloigner.

Il sourit à Petey.

— Comment ça va, mon vieux ?

Petey releva le menton.

— Mieux maintenant que maman et toi m'avez trouvé.

Il leva le sifflet.

— Ça a marché. J'ai sifflé et maman est venue.

— Bon. Est-ce que l'homme t'a fait du mal ?

Petey secoua la tête.

— Non. Mais il me faisait peur et il a essayé de faire du mal à maman… Il ne reviendra plus ?

Serena le serra plus fort contre elle.

— Non, mon chéri, il va aller en prison.

Petey se tourna vers Colt.

— C'est vrai, monsieur Colt ?

— Oui, répondit celui-ci. Et maintenant, allons-y. Il y a un avion qui nous attend pour te ramener chez toi.

Serena porta Petey jusque dans la voiture et Colt les conduisit à l'aéroport. Le petit garçon s'endormit dans l'avion, la tête sur les genoux de Serena, et elle ferma les yeux, avec le sentiment qu'elle pouvait enfin se reposer.

Quelques heures plus tard, après une correspondance à Atlanta et un vol jusqu'à Asheville, Colt les ramena à Sanctuary. Serena et Petey avaient dormi la plus grande partie du voyage car l'épuisement les avait finalement rattrapés.

Quand ils arrivèrent chez elle, Colt insista pour porter Petey dans sa chambre. Serena lui enfila un pyjama, le borda et l'embrassa.

Elle voulait parler à Colt, mais quand elle revint dans le salon il était debout près de la porte, prêt à partir. Son expression était neutre, presque pensive.

Définitive, comme s'il allait lui dire au revoir et ne plus jamais revenir.

— Merci pour tout ce que tu as fait, dit Serena. Je… je n'aurais pas survécu à cette épreuve sans toi. Tu m'as rendu mon fils.

— Je suis heureux qu'il soit sain et sauf.

Il était tendu, visiblement.

— Mais il faut que je continue à enquêter, que je découvre qui se cache derrière cette organisation.

Elle le fixa un long moment, sachant qu'elle ne pouvait argumenter avec lui. Il avait trop d'honneur. Tout comme Parker, il avait à cœur de découvrir la vérité et de rendre justice aux innocents.

Elle aurait voulu lui dire qu'elle l'approuvait. Mais elle s'était juré de ne plus jamais se lier à un homme dont le métier était si dangereux. Et Petey n'était même pas le fils de Colt. Comment aurait-elle pu attendre de lui qu'il change ? Qu'il les choisisse ?

Elle le lut dans ses yeux. Il avait déjà fait son choix. Il érigeait un mur autour de lui.

Elle connaissait les murs. Elle en avait abattu toute sa vie.

Fallait-il le faire une fois de plus ?

Petey et elle formaient une famille. Que Colt s'en aille n'y changerait rien.

Comme il l'avait dit, elle avait survécu à son passé. Elle avait survécu à la perte de Parker.

Elle survivrait encore.

17

Quatre mois plus tard

Serena sourit à Madelyn Andrews Walker et accepta un des cookies que Brianna lui offrait sur un plateau. Depuis leur retour, à Petey et elle, les autres femmes des détectives de Guardian Angel Investigations l'avaient invitée plusieurs fois à se joindre à elles.

Petey adorait le bébé Ryan de même que Rebecca, la petite fille de Nina, et Ruby, la fille de Leah. Mais il aimait par-dessus tout jouer avec les jumelles de Madelyn, Sara et Cissy. Cette dernière tenait aussi une place spéciale dans le cœur de Serena. Après tout, elle avait sauvé la vie de son fils.

Leah tenait son nouveau-né blotti dans ses bras, et Ruby s'approcha pour planter un baiser sur le front de son frère.

— C'est un bébé très sage, dit doucement Leah avec un sourire fier.

— Voui, il fait pipi et caca et il dort et il pleure comme un vrai bébé, gloussa Ruby. Mais j'aimerais bien qu'il grandisse pour pouvoir jouer avec lui comme avec Petey. Même Ryan fait plus de choses que lui.

Elle se laissa tomber à côté du nourrisson et s'efforça de lui apprendre à ranger des cubes en plastique.

Serena chérissait ses nouvelles amies et avait l'impression qu'elles formaient une nouvelle famille pour Petey et elle.

Le seul qui lui manquait, c'était Colt.

Il était parti en mission d'infiltration depuis quatre mois déjà, sans donner de nouvelles, et chaque jour elle craignait d'apprendre qu'il ne reviendrait pas.

La sonnerie du téléphone retentit et Leah saisit le combiné.

— Allô ?

Après une pause, elle reprit :

— Oh ! mon Dieu, quelle bonne nouvelle ! Oui, je vais allumer la télévision.

Elle raccrocha et s'apprêtait à se lever pour chercher la télécommande quand Nina lui fit signe.

— Je l'ai. Que se passe-t-il ?

Leah lui adressa un grand sourire.

— Gage dit que Colt a finalement réussi à attraper et démanteler le gang des kidnappeurs. Il y a un reportage qui passe en ce moment.

Nina pressa le bouton. Quelques secondes plus tard, les images apparurent à l'écran.

« Nous sommes ici en direct de Miami. Il y a quelques instants, les autorités ont déclaré qu'elles avaient arrêté les acteurs principaux d'un gang international de kidnapping. »

La caméra fit le point sur l'une des îles au large de la côte.

« … L'agent spécial Metcalf, du FBI, nous a déclaré qu'il travaillait sur cette affaire depuis des mois avec une équipe d'agents fédéraux, des policiers locaux et un détective privé en Caroline du Nord… »

Le cœur de Serena se mit à battre sourdement.

— Où est Colt ?

Petey arriva en courant et s'appuya contre elle.

— Maman, c'est M. Colt ?

Sur l'écran, des gyrophares tournoyaient et clignotaient dans l'obscurité, des dizaines de policiers se déployaient, et trois hommes en costume, menottés, étaient poussés dans des voitures de patrouille. Un autre homme gisait sur le sol, baignant dans son sang.

Serena se tordit les mains.

— Colt ?

« ... Dans un rebondissement inattendu, un ancien officier de police de Raleigh, Geoff Harbison, a prêté main-forte aux fédéraux. On nous a rapporté qu'il avait été obligé par la force à révéler l'identité d'un autre policier, Parker Stover, qui a été tué il y a deux ans quand il commençait à enquêter sur cette organisation de criminels. Harbison a récemment révélé des faits qui ont permis d'arrêter le chef de l'organisation. Ricco DelGado est en garde à vue, mais son garde du corps a été tué durant l'assaut qui a eu lieu ce soir. »

— Grâce à Dieu, ils l'ont finalement arrêté, dit Madelyn.

Leah fit entendre un bruit de dégoût.

— J'espère qu'il passera le reste de sa vie en prison.

Ryan se mit à geindre et Brianna le plaça sur sa hanche.

— Où est Colt ?

Serena serra Petey contre elle. Oui, où était-il ?

Une ambulance s'arrêta sur les chapeaux de roues et Serena regarda deux ambulanciers contourner la maison en courant et revenir quelques instants plus tard avec un homme sur une civière. Le souffle lui manqua quand elle aperçut ses cheveux noirs et son profil anguleux. Colt.

— Oh non, Colt est blessé ! s'exclama Leah.

Petey s'accrocha au bras de Serena.

— Maman...

Serena le serra contre elle en regardant Colt. Il était inconscient et sa chemise et son pantalon étaient trempés de sang. Elle ignorait s'il respirait encore.

— Il faut qu'il s'en sorte, murmura-t-elle.

La caméra s'approcha du reporter.

« … Malheureusement, le détective qui constituait le fer de lance de cette enquête a aussi été touché. Il va être transporté par hélicoptère au Miami Dade Hospital afin d'être opéré en urgence. »

Serena sentit son cœur sombrer. Colt lui avait tellement manqué ces derniers mois, elle avait eu si peur pour lui ! Elle s'était nourrie de cette angoisse pour se rappeler qu'ils n'étaient pas faits l'un pour l'autre. Elle ne voulait pas que Petey grandisse dans un milieu perpétuellement troublé par l'inquiétude et l'incertitude.

Mais l'expression de son petit garçon lui fit comprendre que Colt lui manquait aussi.

C'était un héros, exactement comme Parker.

Et elle était amoureuse de lui.

— Il faut que j'y aille, dit Serena. Il faut que je le voie.

Petey lui tira de nouveau le bras.

— Je veux aller avec toi, maman.

Brianna s'assit sur le canapé près de Petey.

— Chéri, je ne crois pas qu'on te laissera entrer à l'hôpital.

Serena regarda ses nouvelles amies, en proie au désespoir. Elle se sentait impuissante, mais elle savait qu'elle devait dire à Colt qu'elle l'aimait et qu'elle voulait partager sa vie avec lui.

— Va le voir, la pressa doucement Leah.

Madelyn lui tapota l'épaule.

— Petey peut venir à la maison avec les filles. Tout ira bien pour lui.

Serena les fixa pendant un instant, puis elle embrassa son fils. Elles avaient raison. Colt avait risqué sa vie pour elle, pour son fils et pour tous les enfants victimes de ces criminels.

Elle devait s'assurer qu'il connaissait ses sentiments.

Colt se sentait faible, mais surtout irrité. Il détestait les hôpitaux.

Au moins, il avait réussi à prendre le chef de l'organisation. Les quatre derniers mois, il s'était immergé dans les bas-fonds du trafic d'êtres humains et par moments il avait presque perdu le contrôle de lui-même.

Il ouvrit la main qui tenait la photo de Serena et Petey et la regarda comme il l'avait si souvent fait au cours des semaines passées. Leurs visages l'avaient aidé à trouver son chemin.

La fin justifiait les moyens.

C'était une partie de son travail d'enquêteur qu'il avait acceptée depuis longtemps. Il était resté éveillé durant tant de nuits aux prises avec lui-même, par peur que sa colère envers les criminels ne finisse par le dévorer tout entier.

Un seul regard sur ces gosses avait pourtant suffi à lui faire comprendre qu'il n'avait rien de commun avec les hommes et les femmes sans cœur qui faisaient commerce des faibles.

Il pressa une main sur le bandage qui lui entourait la poitrine et essaya de s'asseoir. Le tireur avait manqué son cœur de peu. Un centimètre de plus et il était mort.

Mais la douleur dans sa poitrine avait davantage à voir avec la nostalgie et le sentiment de vide qui le hantait depuis qu'il avait quitté Sanctuary. Il y retournerait dès qu'il serait guéri. Il retournerait dans sa maison vide. A sa vie solitaire.

Bon sang, il avait toujours aimé avoir son espace privé, du calme, une maison pour lui tout seul.

Mais y penser maintenant lui faisait encore plus mal.

Le bip-bip des moniteurs résonnait dans la chambre,

lui rappelant qu'il était trop faible pour aller chercher Serena tout de suite, même s'il l'avait voulu.

Etait-ce ce qu'il voulait ?

Oui.

Mais aimait-elle encore son mari décédé ?

L'épuisement pesait sur lui et il succomba finalement aux calmants qu'on lui avait administrés. Il ferma les yeux et s'endormit. Des cauchemars vinrent le hanter, remplis d'enfants terrifiés qu'on échangeait contre de l'argent.

Quelque temps après, le bruit de la porte l'éveilla. Il ouvrit les yeux. Pendant une seconde, il crut qu'il rêvait toujours ou que la morphine lui donnait des hallucinations. Sauf que ce n'était pas un cauchemar mais le meilleur des rêves.

Serena se tenait sur le seuil de la chambre, vêtue d'une robe d'été blanche. Dans la faible lumière de la pièce, ses cheveux cascadaient sur ses épaules et encadraient son visage adorable. Il cilla pour s'assurer que ce n'était pas le produit de son imagination.

— Colt ?

Il battit des paupières et s'efforça de s'asseoir, mais les agrafes qu'on lui avait posées sur la poitrine lui tirèrent la peau et il fit la grimace.

— Ne bouge pas, tu vas te faire mal.

Serena traversa la pièce, saisit un oreiller et le lui passa derrière la tête. Puis elle l'aida à prendre une position plus confortable.

— Que fais-tu ici ? demanda Colt.

— J'ai vu les nouvelles, répondit-elle en le détaillant avec inquiétude, et d'autres émotions qu'il ne put identifier. Ils te transportaient sur une civière…

— Je vais bien, répliqua-t-il en affichant une expression neutre alors que la douleur ne lui laissait pas de répit. Les médecins m'ont recousu. Je serai bientôt à la maison.

Serena traîna une chaise près de son lit et couvrit sa main de la sienne.

— Tu es un héros, Colt. Tu as arrêté le type qui était à la tête du réseau et tu as sauvé je ne sais combien d'enfants qui souffraient.

Colt avala sa salive. Il ne voulait pas discuter de l'affaire, ni avouer ce qu'il avait dû faire pour prendre ce salopard. Et encore moins parler des choses horribles dont il avait été témoin.

— Comment va Petey ? demanda-t-il à la place.

Un sourire illumina le visage de Serena.

— Il va très bien. Je… j'avais peur qu'il soit traumatisé et nous sommes allés voir un thérapeute, mais il semble avoir repris le dessus. Tout le monde nous a beaucoup soutenus.

Elle fit une pause.

— Petey aime beaucoup les enfants de tes collègues, surtout les jumelles Andrews.

Colt sourit.

— Les gosses sont plus résistants que nous le croyons.

Serena approuva d'un signe de tête.

— Il demandait tout le temps après toi.

Son sourire s'effaça.

— Il voulait venir avec moi, mais je ne pense pas qu'on l'aurait laissé entrer à l'hôpital.

— J'aimerais bien le voir quand je rentrerai, répondit Colt d'un ton hésitant. Il faut que je lui rende sa tirelire.

— Bien sûr.

Serena détourna les yeux puis s'éclaircit la gorge.

— Et, au sujet de cet argent, dans le sac de sport ?

— J'en ai parlé à l'inspecteur Shaw. Il m'a dit qu'il n'avait trouvé aucune trace d'une somme manquante dans le service. Il est à toi.

Serena battit des paupières de surprise puis sourit.

— Je vais le donner à Magnolia Manor.

Un sentiment d'admiration monta chez Colt. Bien sûr, c'était tout Serena de faire quelque chose d'aussi altruiste. C'était une des nombreuses qualités qui faisaient d'elle une femme si merveilleuse.

Serena changea de position, visiblement nerveuse.

— Eh bien, je voulais seulement voir comment tu allais.

— Je vais bien, répéta-t-il.

Il ne savait pas quoi faire ni dire, en dehors du fait qu'il l'aimait et qu'il voulait qu'elle soit heureuse. Mais il ne pouvait lui demander de l'aimer en retour ni de faire partie de sa famille. Il ne pouvait pas remplacer son mari.

Il ne lui restait qu'à mettre ses désirs de côté.

Elle se leva et marcha vers la porte, puis fit halte et se retourna. Il mémorisa son visage, ses traits délicats, et serra plus fort la photo dans sa main. Il ne voulait pas plus lâcher cette image d'elle qu'il ne voulait qu'elle s'en aille.

— Je te reverrai à Sanctuary, dit doucement Serena. Viens nous voir quand tu veux. Petey sera très content.

Colt sentit son cœur sombrer. Petey serait très content. Et elle ?

Serena se sentit à bout de nerfs en franchissant la porte. Elle était venue voir Colt pour lui avouer son amour, mais elle était restée figée. Et si ses sentiments n'étaient pas réciproques ?

Espèce de lâche.

Dégoûtée d'elle-même, elle se tordit les mains. Elle avait affronté des tas de choses dans la rue sans hésitation, mais admettre qu'elle aimait Colt la paralysait.

Geoff apparut soudain dans la salle d'attente, le bras en écharpe.

— Je peux vous parler une minute ? S'il vous plaît.

Elle accepta d'un geste et ils se mirent dans un coin de la pièce.

— J'ai vu les nouvelles, Geoff. Je sais ce que vous avez fait.

— Je suis navré, Serena.

Il baissa la tête et prit une voix torturée.

— Je sais que cela ne change rien et que c'est ma faute si Parker est mort, mais, honnêtement, je ne savais pas qu'ils allaient le tuer.

Sa voix était bouleversée, et son remords palpable. Serena se rappela que sa femme avait été malade et que son fils nécessitait des soins constants. L'homme était désespéré et il avait fait ce qu'il pouvait pour protéger sa famille.

Comment pouvait-elle lui faire des reproches alors qu'elle connaissait si bien ce genre de désespoir et ce genre d'amour ?

Elle lui toucha gentiment le bras.

— Je comprends, Geoff. Je... je sais ce que c'est d'aimer tellement sa famille qu'on ferait n'importe quoi pour eux.

— Mais la mort de Parker... c'est ma faute.

Sa voix se brisa.

— Et je ne peux pas le ramener.

— Non..., dit doucement Serena avant de lui donner une accolade. Vous ne l'avez pas tué, Geoff. Nous savons tous deux combien ce travail est... dangereux.

Geoff s'essuya les yeux et la regarda.

— Je ne sais pas comment vous pouvez me pardonner.

Serena lui pressa le bras.

— Parker ne voudrait pas que je vous déteste. Il voudrait que vous vous pardonniez à vous-même et que vous vous occupiez de votre fils.

Geoff se redressa, mais il avait toujours l'air tourmenté.

— Votre ami... Mason, dit-il d'un ton bourru. C'est

un homme exceptionnel, Serena. Il s'est chargé de cette mission d'infiltration pour vous et votre fils. Il avait une photo de vous deux dans son portefeuille et je le voyais la regarder tout le temps.

Serena fronça les sourcils. Colt avait une photo d'elle et de Petey ? Il avait dû la prendre chez elle.

— Il ne faisait que son travail, Geoff.

— Non. Il tient à vous. Seulement, ce n'est pas un homme qui fait de beaux discours. Au lieu de ça, il vous le prouve par ses actions.

Ainsi, Colt était allé au bout de cette affaire à cause d'elle et de Petey.

Alors pourquoi s'était-elle montrée aussi lâche ?

Elle refusait de continuer à l'être.

— Prenez soin de vous, Geoff. Il faut que je retourne voir Colt.

Elle pivota sur ses talons et se hâta vers sa chambre. Quand elle ouvrit la porte, Colt se tenait debout au milieu de la pièce, serrant sa poitrine d'une main avec un regard déterminé.

La surprise éclaira son visage quand il la vit, et il esquissa un sourire timide.

— J'allais te voir, dit-il. Pour t'empêcher de partir.

— Vraiment ?

Il acquiesça et tendit le bras pour lui montrer la photo.

— Tu m'as manqué, dit-il d'une voix rauque.

Il pressa le cliché sur son cœur.

— Mais j'ai toujours gardé cette photo avec moi afin de ne pas oublier que Petey et toi vous étiez avec moi.

Serena se sentit fondre.

— Je t'aime, murmura-t-elle. Je… j'avais peur de te le dire, mais c'est vrai, je t'aime. Tu m'as manqué aussi et je voudrais que tu reviennes à Sanctuary pour vivre avec Petey et moi.

Le sourire de Colt s'élargit.

— C'est ce que tu veux ? Vraiment ?

Elle hocha la tête, profondément émue par le flot d'émotions dans son regard.

— Oui. C'est-à-dire, si cela ne t'ennuie pas que nous formions déjà une famille.

Il glissa la photo dans sa poche et lui prit le visage entre ses mains.

— Je t'aime aussi, Serena, et je ferai tout ce que je peux pour être un bon père pour Petey.

Il pencha la tête et l'embrassa.

— Epouse-moi, Serena.

Les larmes lui montèrent aux yeux.

— Oui.

Colt la regarda, avec des yeux étincelant de tant d'amour et de désir que toutes les craintes de Serena s'évanouirent.

Geoff avait raison.

Colt et elle n'avaient pas besoin de mots. Elle l'aida à retourner au lit et s'allongea à côté de lui avant de l'embrasser passionnément.

CASSIE MILES

La mémoire envolée

BLACK ROSE

éditions ⊞ HARLEQUIN

Titre original : UNFORGETTABLE

Traduction française de ISABELLE ROVAREY

1

Le soleil matinal pénétra dans la cavité rocheuse où il avait trouvé refuge, l'aveuglant de sa vive lumière, tel un rayon laser pointé droit sur son visage. Il recula au fond de la grotte.

S'il restait là, ils le trouveraient. Il devait s'en aller, fuir encore et toujours. Il se serait bien reposé encore un peu, mais ce n'était pas le moment. S'appuyant des deux mains sur le sol où il avait dormi, il s'accroupit et laissa passer quelques secondes, le temps de reprendre ses esprits.

Dans son dos, la paroi s'incurvait comme la paume d'une main gigantesque. Devant lui, figurant le pouce de ladite main, un énorme rocher le dissimulait. Il avait passé la nuit recroquevillé dans ce poing de granit.

Comment suis-je arrivé ici ?

Tendant le cou, il regarda ce qu'il y avait derrière le pouce. Sa cachette se situait au milieu d'une pente ; il apercevait des sous-bois, de grands pins, des rochers et le feuillage luxuriant de trembles. Entre les arbres, on devinait la falaise opposée du canyon, abrupte.

Bon sang, où suis-je ?

Sa tête l'élançait. Une pulsation sourde qui faisait écho aux battements de son cœur.

Lorsqu'il porta la main à son front, il avisa une trace de sang séché sur la manche de sa chemise à carreaux.

D'autres taches brunâtres en maculaient le devant. Lui avait-on tiré dessus ?

Il se livra à un rapide examen. S'il nota bien quelques hématomes et des égratignures, il n'avait rien de sérieux. Il ne souffrait que d'un mal de tête lancinant. C'était s'en tirer à bon compte.

Tout à coup, il remarqua une arme de poing posée à côté de son pied : un SIG Sauer P-226. Il vérifia le contenu du chargeur et découvrit quatre balles.

Ce n'est pas mon arme.

Il avait une préférence pour le Beretta M9, mais le SIG ferait l'affaire.

Il fouilla ses poches à la recherche de munitions ; il n'y trouva rien : pas de portefeuille, pas de portable, pas de tube d'aspirine… Rien. Il ne portait pas de holster. Il avait des chaussettes, mais ses boots étaient délacés… comme s'il avait sauté à la hâte dans ses vêtements.

Il passa la langue sur ses lèvres sèches. Un goût de métal emplit sa bouche. Cela avait une signification, il le savait, mais il ne parvint pas à se rappeler laquelle. Il poserait la question aux secouristes quand ils arriveraient.

Aux secouristes ? Quels secouristes ? Il n'y a personne. Personne ne viendra à ton aide.

Il était seul.

En palpant précautionneusement l'arrière de son crâne, il trouva la source de sa migraine. Il regarda sa main ensanglantée. Les blessures à la tête avaient tendance à saigner beaucoup, certes, mais… pourquoi y avait-il du sang sur l'avant de sa chemise ?

Il se rappela des coups de feu tirés dans les ténèbres, un corps à corps acharné, puis… sa fuite dans la nuit, à pied, à cheval… A cheval ? Ça n'avait pas de sens. Il n'était pas cow-boy.

Quoi qu'il en soit, il n'avait pas le temps de s'appesantir

sur la question. Il lui fallait partir d'ici, et vite, parce que, dans quatre jours…

Le vide. Le blanc.

Dans quatre jours, quelque chose de très important allait se produire, mais quoi… ?

Il n'en avait pas la moindre idée.

Pourquoi diable ne parvenait-il pas à s'en souvenir ? Qu'est-ce qui n'allait pas chez lui ?

Un gazouillis d'oiseau lui vrilla les tympans. Il lutta contre la tentation de se laisser sombrer de nouveau dans le sommeil. S'il attendait un peu, tout allait lui revenir. Comme toujours. Forcément.

Il ferma les yeux pour se protéger de la lumière agressive du soleil et une réalité différente s'imposa à lui. Il n'était pas dans une forêt, mais dans une rue, en ville. Il entendait le bruit de la circulation et le grondement d'un train passant au-dessus de sa tête. De hauts immeubles aux fenêtres brillamment illuminées se détachaient sur le fond du ciel nocturne… Il tombait sur le trottoir, se sentait basculer dans le néant, happé par l'obscurité. Il luttait pour reprendre son souffle. Il savait que, s'il perdait conscience, il mourrait.

Ses paupières se rouvrirent d'un coup. Peut-être était-il mort ? L'explication en valait une autre.

Ce paysage escarpé, ce ciel d'un bleu éthéré qu'il avait entrevu au travers de la cime des arbres, ce devait être une vision de l'au-delà…

Dans ce cas, il allait devoir trouver rapidement un ange qui lui explique la marche à suivre.

Caitlyn Morris sortit sur le large porche qui entourait sa cabane. Portant à ses lèvres sa tasse du corps des marines ornée d'une tête de mort et de deux os entrecroisés, elle but une gorgée de café. Un petit air vif faisait onduler l'herbe de la prairie qui s'étendait jusqu'à la forêt. Vers le sud, les pics montagneux encore couverts de neige semblaient ignorer qu'on était début juin.

Une mèche blonde se rabattit sur son front. Elle porta une main à ses cheveux, noués à la hâte en queue-de-cheval. Sans doute aurait-elle dû soigner un peu plus sa coiffure… Heather allait arriver d'une minute à l'autre et elle ne voulait pas donner d'elle l'image d'une personne négligée.

Elle prit appui sur la balustrade et soupira. C'était parce qu'elle aspirait au calme et à la solitude qu'elle était venue se réfugier dans ces montagnes, mais la matinée avait été plutôt agitée.

A l'aube, une visiteuse inattendue l'avait réveillée : une jument grise à la robe mouchetée, qui était venue se poster juste sous la fenêtre de sa chambre et s'était mise à s'ébrouer et à hennir. Elle ne portait ni selle ni rênes, mais avait l'air domestiqué. Sans difficulté, elle avait suivi Caitlyn jusqu'à l'écurie qui abritait les deux autres chevaux qu'elle louait pour l'été au ranch Circle L, situé à une douzaine de kilomètres sur la route de terre qui menait à Pinedale.

Après ça, bien entendu, impossible de se rendormir. Elle s'était donc habillée, avait pris son petit déjeuner, appelé le Circle L, puis elle était retournée dans l'écurie vérifier que la quincaillerie lui avait bien livré, la veille, tous les articles qu'elle avait commandés.

Un artisan devait commencer à travailler chez elle aujourd'hui, bien qu'on fût samedi. La plupart des travaux de rénovation qu'elle avait en vue n'exigeaient pas l'intervention d'un professionnel, mais elle avait vraiment besoin d'aide pour réparer le toit de l'écurie. Elle consulta sa montre. Presque 9 heures, et le type qui avait répondu à son annonce avait promis d'arriver à 8 heures. S'était-il perdu ? Elle espérait vraiment qu'il n'allait pas lui faire faux bond.

Ses inquiétudes se dissipèrent lorsqu'elle vit apparaître au loin un fourgon noir. Mais elle déchanta bientôt en voyant le logo *Circle L* inscrit sur la portière et le van à chevaux qu'il tractait.

Le véhicule se gara devant l'écurie et une grande brune élancée — Heather Laurence, propriétaire à cinquante pour cent du ranch — en descendit.

— Salut, Caitlyn. Contente de te voir. Ça va ?

Le ton était enjoué, bien qu'empreint d'une certaine réserve. Personne, dans le coin, ne savait exactement pourquoi Caitlyn était venue s'installer dans la cabane isolée qui avait été la résidence secondaire de sa famille. Elle y avait passé toutes ses vacances quand elle était une petite fille au visage parsemé de taches de rousseur.

Elle n'avait pas raconté son histoire, et personne — pas même Heather, qu'elle considérait comme une véritable amie — ne lui avait posé de questions. Le respect de la vie privée, chez les gens d'ici, avait valeur de loi.

Caitlyn éleva sa tasse devant elle.

— Je t'offre un café ?

— Oui, volontiers.

Les talons des bottes de cow-boy de Heather résonnèrent sur les planches du porche tandis qu'elle lui emboîtait le pas et pénétrait à l'intérieur par la porte vitrée.

Lorsque Caitlyn était arrivée, un mois plus tôt, il lui avait fallu une semaine pour nettoyer la cabane de fond en comble et l'agencer à son goût. Elle avait frotté, briqué, épousseté, repeint les murs de la pièce principale dans un vert tilleul apaisant. Puis elle avait loué les chevaux pour avoir un peu de compagnie — des bêtes magnifiques : l'une, palomino, l'autre, rouanne. Elle mettait un point d'honneur à se promener quotidiennement avec l'un le matin et avec l'autre l'après-midi. Une monture lui aurait suffi, mais il aurait été injuste et cruel d'infliger à un animal l'isolement qu'elle-même recherchait.

Un rayon de soleil fit luire les appareils électroménagers vieillots et le plan de travail propre comme un sou neuf mais passé de mode. Si elle décidait de s'établir ici de façon permanente, elle le rénoverait en le recouvrant de faïences d'Anatolie.

— C'est joli, dit Heather en regardant autour d'elle. Très chaleureux.

— La cabane n'avait pas été entretenue depuis tellement longtemps… Elle avait bien besoin d'un petit coup de neuf.

A l'époque où son frère et elle vivaient encore chez leurs parents, la famille y séjournait à chaque Noël et au moins un mois l'été.

— Depuis que papa et maman sont installés en Arizona, ils viennent de moins en moins souvent ici.

— Comment vont-ils ?

— Bien. Ils sont à la retraite tous les deux, mais ils sont très occupés.

Caitlyn remplit une tasse de café fumant.

— Lait ? Sucre ?

— Ni l'un ni l'autre. Je l'aime fort et nature… comme les hommes, répliqua Heather avec un sourire en coin.

Caitlyn partit d'un rire bref.

— Ça me rappelle un été voilà bien longtemps où tu étais folle amoureuse de Brad Pitt.

— Je n'étais pas la seule, si je me souviens bien.

— C'est vrai… Et dire que cette traîtresse d'Angelina nous l'a volé !

Heather éleva sa tasse.

— A Brad.

— Et à tous les autres hommes dignes d'intérêt qui nous ont échappé.

Toutes deux étaient trentenaires et célibataires. Dans le cas de Caitlyn, c'était son choix de carrière qui expliquait cet état de fait. Comment aurait-elle pu demander à un homme de l'attendre pendant qu'elle sillonnait le globe comme reporter de guerre « embarquée » avec les troupes ?

— Ce béguin pour M. Pitt remonte à au moins une quinzaine d'années, reprit Heather. Tout était plus simple alors.

En effet. Quinze ans plus tôt, le 11 septembre était encore un jour comme les autres. Personne n'avait entendu parler d'Oussama Ben Laden ni des talibans.

— Mmm… C'était avant la guerre du Golfe, avant l'Afghanistan.

— Tu t'es rendue dans ces endroits, toi.

— Oui, et je ne suis pas près d'y retourner.

Une boule lui obstrua la gorge. Caitlyn ne tenait pas à se lancer dans un récit exhaustif, mais partager certaines des choses qui la taraudaient ne lui ferait sans doute pas de mal.

— La chaîne pour laquelle je travaillais au Moyen-Orient a fermé boutique pour cause de réductions budgétaires.

— Oh ! désolée de l'apprendre. Qu'est-ce que ça signifie pour toi, concrètement ?

— Que j'ai perdu mon emploi.

Mais qu'il lui restait du temps passé sur le terrain des souvenirs traumatisants. D'innombrables horreurs qu'elle voulait oublier.

— Je ne suis pas sûre de vouloir continuer à exercer mon métier. C'est pour ça que je suis venue ici. Je me suis mise en congé sabbatique. Je me tiens à distance de l'actualité. Pas de journaux. Pas de télévision. Et je n'ai pas allumé mon ordinateur portable depuis des jours.

— J'ai du mal à le croire. Toi qui étais accro aux informations, déjà adolescente…

— Je sais. Ton frère m'appelait « mademoiselle Je-sais-tout-sur-tout » !

Le frère de Heather était de quatre ans son aîné et tout aussi irrésistible que Brad Pitt.

— Lui aussi, j'en ai été amoureuse, ajouta-t-elle.

— Comme toutes les filles !

Heather secoua la tête.

— Quand Danny s'est décidé à se marier, le bruit des cœurs qui se brisaient à la chaîne a retenti dans tout le comté !

Danny était toujours aussi séduisant aujourd'hui, surtout revêtu de son uniforme.

— Quand je pense qu'il est shérif adjoint, dit Caitlyn. J'ai du mal à le croire.

— Ce n'est pas si étonnant quand on y réfléchit bien. Souviens-toi, il adorait jouer aux gendarmes et aux voleurs.

— Oui, mais, d'un autre côté, vivant dans un ranch, il pouvait difficilement être tenté de jouer aux cow-boys et aux Indiens !

Elle regarda par la fenêtre de la cuisine.

— Connais-tu un gars du nom de Jack Dalton ?

— Je ne crois pas… Ça ne me dit rien. Pourquoi ?

— C'est l'artisan qui a répondu à l'annonce que j'ai fait paraître. Il devrait être ici depuis plus d'une heure.

— Si tu as besoin d'un coup de main, je peux t'envoyer un des employés du ranch.

Mais Caitlyn était attachée à son indépendance.

— Il avait l'air d'être l'homme providentiel. Au téléphone, il m'a dit qu'il était charpentier et qu'il avait fait la guerre du Golfe. L'idée d'employer un vétéran me plaisait.

— Tu as passé beaucoup de temps avec les soldats.

— Oui, mais… je n'ai pas envie de m'étendre sur le sujet. Pardonne-moi, vraiment, je ne peux pas.

Troublée soudain, elle posa sa tasse sur le comptoir.

— Viens, allons voir cette jument qui s'est invitée chez moi.

Elle s'en voulait de se montrer aussi laconique, mais, après des années passées à rendre compte quotidiennement des atrocités auxquelles elle assistait, il lui fallait d'une façon ou d'une autre faire table rase du passé, tenter de se réapproprier sa vie.

Au fond du canyon, un torrent bouillonnait. Il s'agenouilla et s'inclina pour boire à longues goulées. Une eau glacée lui éclaboussa le visage… Un vrai délice.

Cette eau non filtrée devait grouiller de bactéries, mais il s'en moquait. Le besoin de se désaltérer l'emportait sur tout le reste. Il s'aspergea le visage, ôta sa chemise de flanelle et se lava les mains et les bras. Son T-shirt blanc était à peine maculé d'une ou deux petites taches rouges.

Il devait être en train de dormir, en caleçon et T-shirt, lorsqu'il avait été réveillé en sursaut. Il avait enfilé sa chemise et son jean, chaussé ses boots, puis…

Ce scénario se fondait sur la logique, nullement sur le souvenir des événements. Sans doute sa mémoire avait-elle été affectée par le coup qu'il avait reçu à la tête, car son esprit était comme un tableau noir partiellement effacé. Quelques griffonnements tracés à la craie venaient le titiller, mais, plus il se concentrait, plus ils lui échappaient. Tout ce qu'il savait avec certitude, c'était que quelqu'un cherchait à le tuer.

Ce n'était pas la première fois qu'il devait fuir, mais il n'arrivait pas à se rappeler pourquoi. Etait-il une innocente victime ou un méchant en cavale ? Sans trop savoir pourquoi, il penchait pour la seconde possibilité. Toujours est-il que, s'il avait jamais eu un ange gardien, la divine créature, de toute évidence, était en congé !

Avant tout, il lui fallait trouver un moyen de transport. Une fois qu'il aurait quitté cet endroit, il pourrait réfléchir à ce qu'il convenait de faire.

Il noua les manches de sa chemise autour de ses hanches, rangea le SIG dans la ceinture de son pantalon et se mit à avancer sur le sentier qui longeait le torrent. Il aurait été plus aisé d'emprunter le large chemin de gravier qui suivait le même itinéraire, mais, instinctivement, il savait qu'il valait mieux rester à couvert.

Le canyon s'élargit jusqu'à une prairie parsemée de fleurs sauvages et d'armoise. Ce paysage ne pouvait évoquer qu'une chose : les montagnes Rocheuses. Il y était venu une fois étant enfant et il se souvenait d'y avoir marché à l'aide d'une boussole indiquant le nord.

Le bruit d'un moteur attira son attention. Il se retourna. Une camionnette noire tractant un van à chevaux lui apparut. Sautant derrière un buisson, il regarda passer le véhicule. Un logo, sur la portière, indiquait : « Ranch Circle L, Pinedale, Colorado. »

Bon. Au moins savait-il où il était, maintenant. A Pinedale. Même si le nom ne lui évoquait strictement rien.

D'un pas lourd, il reprit sa marche en bordure du champ, longeant les arbres. Sa tête l'élançait toujours. Il ignora la douleur. Pas le temps de s'apitoyer sur son sort. Il ne lui restait que quatre jours avant…

Il approcha d'une clôture de corral blanche qui avait bien besoin d'être restaurée. Certaines lisses de bois gisaient au sol, à moitié détachées de leurs poteaux d'ancrage. Deux chevaux se tenaient près d'une petite écurie, en assez piteux état elle aussi. La cabane en rondins, en revanche, semblait mieux entretenue.

Son regard s'arrêta sur un utilitaire vert garé entre la cabane et l'écurie. Voilà. Il l'avait trouvée, sa porte de sortie.

Au même moment, une femme s'avança sur le porche, en pantalon et chemise en jean. Elle s'arrêta un instant pour porter une bouteille d'eau à ses lèvres. Sa tête se renversa en arrière, découvrant un long cou à la courbe délicieusement féminine. La gracieuse vision se délita subitement lorsqu'il la vit s'essuyer la bouche d'un revers de manche.

Il ne voulait pas voler sa camionnette. Seulement, il avait besoin d'un moyen de transport.

Il contourna l'extrémité du corral. En le voyant, elle agita la main et s'écria :

— Ah, vous voilà ! Vous êtes bien Jack Dalton, n'est-ce pas ?

Ce nom en valait un autre.

— Il faut croire…

2

Caitlyn regarda l'homme approcher. Grand, mince, avec une barbe de quelques jours et une épaisse crinière noire qu'il n'avait pas pris la peine de mettre en ordre, il pouvait avoir dans les trente-cinq ans. Son T-shirt blanc était sale et il avait une chemise à carreaux nouée à la taille. Il ne boitait pas, mais il y avait quelque chose de laborieux dans sa démarche, comme s'il évoluait dans l'eau.

Il s'accouda à la barrière du corral. Son geste n'avait rien de décontracté. Il semblait avoir besoin du soutien de la clôture. Etait-il ivre ? Elle ne lui avait pas demandé de références. Tout ce qu'elle savait de Jack Dalton, c'était qu'il était un vétéran de la guerre du Golfe et qu'il cherchait du travail.

— Au téléphone, vous m'avez dit que vous étiez dans l'armée, commença-t-elle.

— Dixième division de montagne de Fort Drum, New York.

Les natifs du Colorado, comme Caitlyn, étaient fiers de la dixième division. Créée pendant la Deuxième Guerre mondiale, elle était à l'origine constituée de skieurs d'élite et d'alpinistes expérimentés qui s'entraînaient à Aspen.

— Où étiez-vous basé ?

— Je préférerais parler d'autre chose, si ça ne vous ennuie pas.

Caitlyn était bien placée pour savoir ce que les militaires enduraient au quotidien sur le terrain. Pour être tout à fait honnête, elle-même souffrait, à un moindre niveau qu'eux, de stress post-traumatique, communément désigné par l'acronyme PTSD. Mais, si Jack Dalton avait sombré dans l'alcoolisme à son retour de la guerre, elle n'avait pas l'intention de lui servir de thérapeute.

— Jack… Est-ce que vous avez bu ?

— Non, pas du tout, madame.

En dépit de son aspect négligé, il avait le regard aiguisé. Il se dégageait de lui une intensité, une vigilance de tous les instants. Cet homme était peut-être dangereux…

Elle se félicita d'avoir sa ceinture d'outillage autour de la taille. A défaut d'autre chose, un marteau ou un tournevis pouvait toujours constituer une arme efficace… en cas de besoin. Elle regarda ostensiblement en direction de la route de terre.

— Où est votre voiture ?

— En fait, j'ai eu un accident. J'ai dû finir le chemin à pied.

— Oh ! Vous êtes blessé ?

— Légèrement… Ce n'est rien.

— Oh, mon Dieu, quelle imbécile je fais !

Dire qu'elle se méfiait de lui et le traitait comme s'il était coupable de quelque chose, alors que le pauvre tenait à peine sur ses jambes parce qu'il avait eu un accident !

— Entrez, venez avec moi.

— Ne vous inquiétez pas, madame. Ça va.

— Appelez-moi Caitlyn. J'ai affreusement honte de ne pas m'être rendu compte…

— Ça va aller, répéta-t-il en lâchant la clôture.

Il chancela.

— Je me disais… J'espérais que vous accepteriez de me prêter votre voiture et votre téléphone portable pour que je puisse retourner à mon véhicule et…

— Il n'est pas question que vous conduisiez dans cet état.

Elle s'avança vers lui et, soulevant son bras, le passa autour de ses épaules.

— Allons-y, prenez appui sur moi.

Il essaya de se dégager, mais elle tint bon, ajustant sa position pour éviter que ses outils ne le blessent. Jack devait bien la dépasser de quinze centimètres et peser dans les trente ou trente-cinq kilos de plus qu'elle, mais elle réussirait à le soutenir ; elle l'avait déjà fait.

Un flash surgit alors dans sa mémoire. Tellement réel que c'était comme si l'action se déroulait une nouvelle fois.

Le second véhicule du convoi venait de heurter une mine. A demi assourdie par la déflagration, elle entendait quand même appeler au secours... Un soldat, blessé. Les reporters de guerre n'étaient pas censés intervenir, mais comment aurait-elle pu ignorer sa supplique et rester là, bras ballants ? Elle se précipitait pour le traîner tant bien que mal jusqu'à l'abri, alourdi de ses vingt-cinq kilos d'équipement, et puis... survenait la seconde explosion, plus forte encore que la première.

Son cœur se mit à battre, l'adrénaline se déversa dans ses veines. Elle revoyait l'éclat aveuglant de l'explosion, sentait l'odeur de la fumée, de la sueur et du sang.

Quand ils furent devant la porte de derrière de la cabane, Jack s'écarta d'elle.

— Je peux marcher tout seul.

Avec un frémissement, elle s'obligea à reprendre pied dans la réalité. Seigneur, que n'aurait-elle pas donné pour se débarrasser de ces horribles souvenirs !

— Vous êtes sûr ?

Il carra les épaules et indiqua la porte d'une main.

— Après vous.

Ils pénétrèrent dans la cuisine. Caitlyn en remplacerait

certainement le linoléum gris usé si elle décidait de passer l'hiver ici. Elle passa en revue les autres travaux qu'elle avait en tête : le toit de l'écurie à réparer ; la balustrade du porche à remplacer. Avoir l'esprit sans cesse occupé, c'était le moyen le plus sûr de tenir les souvenirs à distance.

D'un pas raide, elle conduisit Jack dans la petite salle à manger attenante et désigna une chaise devant la table de chêne ovale qui trônait au milieu de la pièce.

— Asseyez-vous. Je vais chercher de l'eau.

— Quelque chose ne va pas… Qu'est-ce qu'il y a ?

— Je ne vois pas ce que vous voulez dire.

— Je pense que si, au contraire.

Toujours debout, il la regardait avec attention, attendant qu'elle réponde.

Ce qu'elle se garderait bien de faire. Elle n'était pas bête au point d'ouvrir la porte à ses cauchemars et de les laisser s'introduire dans la vie réelle.

Elle changea de sujet.

— Vous avez faim ?

— Un sandwich ne serait pas de refus.

De près, il était indéniablement beau, songea Caitlyn, avec ses traits bien dessinés, son teint mat et ses yeux verts, au regard sombre et profond que même l'épaisse frange de cils ne parvenait pas à adoucir. Cet homme-là devait être un redoutable ennemi.

Elle remarqua une contusion sur l'arête de sa mâchoire. Machinalement, elle esquissa un geste.

— Vous avez un bleu.

Il intercepta sa main d'un mouvement si vif qu'elle en eut le souffle coupé. Il avait les réflexes d'un ninja. Presque aussitôt, il relâcha son poignet.

Puis il s'éloigna de la table et se dirigea vers le salon, balayant la pièce du regard comme s'il enregistrait l'emplacement de chaque meuble. Parvenu à la porte principale, qu'elle avait laissée ouverte, il jeta un coup d'œil à l'extérieur.

— Vous cherchez quelque chose ?

— Non. C'est simplement que, quand je suis quelque part, j'aime bien connaître l'agencement des lieux.

— Vous reconnaissez le terrain, en quelque sorte ?

— Si vous voulez.

— Jack, vous n'avez rien à craindre dans cette cabane, croyez-moi. Je n'ai même pas de chien.

Pour l'amour du ciel, que s'imaginait-il ? Il n'avait pas investi une cache d'insurgés !

— Vous vivez seule.

Se gardant bien de confirmer, elle laissa lentement sa main descendre jusqu'au manche du marteau accroché à sa taille.

— Je suis parfaitement capable de me défendre.

— J'en suis persuadé.

Elle n'aimait guère la façon dont il la regardait. Comme un prédateur.

— Vous voulez bien cesser de tourner en rond et vous asseoir, maintenant ?

— D'accord, mais, avant, je dois me délester de quelque chose. Je vous préviens parce que je ne veux pas que vous preniez peur.

Trop tard.

— Et pourquoi aurais-je peur ?

Il tira un pistolet automatique de la ceinture de son jean. Caitlyn contempla l'arme, interdite. Elle avait commis une erreur en invitant cet inconnu à entrer chez elle.

La pulsation sourde, dans sa tête, l'empêchait de réfléchir, mais il n'y avait pas trente-six solutions : soit il tirait sur Caitlyn et s'emparait de sa voiture, soit il la convainquait de lui donner ses clés.

Il aurait été plus simple de tirer, bien sûr, mais sans doute n'était-il pas ce genre d'homme…

De nouveau, il s'efforça de la rassurer.

— Vous n'avez pas à vous inquiéter.

— Disons que je me sentirais mieux si vous posiez cette arme.

— Pas de problème.

Il plaça le SIG sur un napperon rouge en forme de cœur au centre de la table et recula pour aller s'asseoir dans le fauteuil le plus proche de la cuisine. De là, il pouvait surveiller la porte d'entrée.

— Ça vous ennuie si je jette un coup d'œil à votre arme ?

— Faites donc.

Elle ne perdit pas de temps. Attrapant le pistolet d'une main sûre, elle vérifia le contenu du chargeur.

— Heureusement que vous aviez mis le cran de sûreté. Porter une arme dans la ceinture de votre jean comme vous le faites est le meilleur moyen de se blesser. Pourquoi êtes-vous armé ?

Il aurait pu inventer mille raisons. Il se borna à répondre de façon sibylline :

— Mieux vaut être paré à toutes les éventualités.

Elle opina brièvement, comme si sa réponse la satisfaisait. Apparemment, il s'y entendait pour tromper son monde. Lorsqu'elle l'avait interrogé sur son appartenance à l'armée, il avait cité spontanément la dixième division de montagne, même s'il ne se rappelait pas avoir jamais été militaire ni avoir participé à une quelconque mission.

Quant à l'accident de voiture, cela lui avait semblé être l'explication la plus crédible. Tout le monde pouvait avoir un accident de la circulation. Et c'était le genre d'argument qui suscitait automatiquement la sympathie.

S'il avait eu l'intention de rester plus longtemps ici, il se serait senti coupable de lui mentir. C'était une femme généreuse. Dès qu'il avait prétendu être blessé, elle lui avait proposé son aide.

Son arme toujours à la main, elle gagna la cuisine.

— J'espère qu'une salade aux œufs vous conviendra.

— Oui, madame, très bien, merci.

— Appelez-moi Caitlyn.

Et, vous, appelez-moi Jack, même si je suis à peu près sûr que ce n'est pas mon nom. Il répéta le nom dans sa tête. *Jack Dalton.* Il ne lui évoquait rien, mais il sonnait bien.

O.K., dorénavant, il serait Jack Dalton.

Caitlyn passa la tête par l'embrasure de la porte.

— Si vous voulez vous rafraîchir, la salle de bains est la première porte à droite, après le salon.

En sortant du salon, il passa devant un placard entrouvert dans lequel il aperçut un fusil, rangé debout à côté d'un aspirateur.

Une fois dans la salle de bains, il hésita avant de fermer la porte. Si les hommes qui étaient à sa poursuite débarquaient, il ne voulait pas se faire piéger dans cette petite pièce équipée d'une baignoire sur pieds et d'un lavabo sur colonne. Il contempla dans le miroir les ecchymoses sur le côté de son visage et le gonflement bleuâtre sur sa mâchoire. On aurait dit qu'il avait fait le coup de poing dans un bar. Mais quelque chose lui disait que la vérité était tout autre… Son problème était bien plus grave qu'une banale rixe de fin de soirée. Des gens le traquaient et voulaient avoir sa peau.

Il fouilla dans l'armoire à pharmacie et y trouva tout un assortiment de médicaments. Normal. Une femme qui se promenait avec une ceinture à outils autour des hanches était amenée à se blesser plus souvent qu'à son tour. Il dénicha un tube d'antalgique et avala trois comprimés.

Puis il retira sa chemise. Outre les marques violacées sur le haut de son bras et sur sa cage thoracique, une cicatrice ancienne courait de sa clavicule jusqu'à son nombril. Sans compter de multiples éraflures et une blessure plus récente — fraîchement guérie — sur son abdomen. Qu'est-ce qui avait bien pu lui arriver ? Ces cicatrices auraient dû réveiller des souvenirs.

Mais non, rien ne venait.

Il se lava, nettoya le sang séché de ses écorchures. Sa blessure la plus sérieuse était celle qui se situait sur l'arrière de son crâne, mais il ne pouvait pas y faire grand-chose. Il avait beau se contorsionner, il ne parvenait pas à la voir.

Un son lui fit tourner la tête vers la porte. Un véhicule qui approchait ? Et si c'était *eux* ? S'ils avaient retrouvé sa trace ? Bon sang, il n'avait pas de temps à perdre en bandages et en casse-croûte. Il devait prendre le large au plus vite.

Il se glissa hors de la salle de bains et alla se camper devant la fenêtre du salon. Rien n'avait changé, à l'extérieur. Il n'y avait personne… Pour l'instant.

— Hé, Jack ! fit Caitlyn.

Elle entra en trombe dans le salon et s'arrêta net en le voyant. Bien des femmes auraient été rebutées par ses cicatrices. Pas elle. Ses yeux se promenèrent avec une curiosité non dissimulée sur son torse avant de remonter jusqu'à son visage.

— Ça va ? Vous avez bien tout regardé ? lança-t-il.

Elle haussa les épaules.

— J'ai vu pire.

L'attitude de cette femme l'intriguait. S'il n'avait pas été aussi pressé de quitter les lieux, il aurait bien aimé la connaître un peu mieux.

— Vous êtes infirmière ?

— Non, j'étais reporter de guerre, embarquée avec les militaires, sur le terrain.

Elle se rapprocha.

— J'ai appris à donner les premiers soins. Je peux soigner vos blessures.

L'idée d'avoir besoin d'une aide extérieure lui déplaisait, mais c'était bel et bien le cas. Il se rassit sur sa chaise.

— J'ai reçu un coup à l'arrière de la tête.

Sans hésitation, elle se plaça derrière lui. Doucement, ses doigts explorèrent son crâne.

— Ça a l'air assez méchant, Jack. Suffisamment pour aller aux urgences.

— Non.

— Réaction très virile, mais pas très maligne.

Elle tira une chaise et s'assit en face de lui. Leurs genoux étaient proches à se toucher.

— Vous allez regarder mon front. Essayez de vous concentrer.

— Vous voulez voir si mes pupilles sont dilatées.

— Si vous avez un traumatisme crânien, je vous conduis à l'hôpital. On ne plaisante pas avec un traumatisme crânien.

Il se plia à sa demande et focalisa son regard sur son front. Très concentrée, elle fronça les sourcils d'un air qui se voulait sévère et empli d'autorité. Mais, avec les taches de rousseur qui parsemaient son nez et ses joues, et sa bouche faite pour sourire, elle était trop jolie pour paraître intimidante.

Il vit une lueur d'inquiétude poindre dans ses yeux bleus et cela le toucha. S'il n'arrivait pas à se souvenir de son nom ni à identifier précisément la menace qui l'avait conduit jusque dans cette cabane isolée en pleine montagne, il savait de façon certaine qu'il y avait bien longtemps qu'une femme ne l'avait pas regardé ainsi.

Elle se renfonça dans son siège et le dévisagea, bras croisés sur la poitrine.

— Que vous est-il réellement arrivé ? Cette blessure, vous ne vous l'êtes pas faite dans un accident de voiture.

Que lui dire ? Il l'ignorait lui-même.

— Ecoutez, il vaudrait mieux que je m'en aille.

— Non… Restez.

Elle posa une main sur son épaule nue. Le contact de sa main était frais, apaisant.

— Je vais vous soigner du mieux que je le peux.

Pour la première fois depuis qu'il avait ouvert les yeux ce matin-là, il eut le sentiment que les choses, peut-être, allaient pouvoir s'arranger.

3

Une chose était certaine, s'agissant de Jack, songea Caitlyn : il était d'un stoïcisme à toute épreuve. Son seuil de tolérance à la douleur était tellement élevé que c'en était presque effrayant.

Elle avait recousu son cuir chevelu de quatre points de suture. Certes, elle avait insensibilisé la zone avec un gel analgésique, mais l'effet n'était pas comparable à celui d'une anesthésie locale. Et elle n'était pas chirurgienne. Elle avait dû lui faire vraiment mal.

Or il n'avait pas bronché. Une fois l'intervention terminée, il l'avait calmement remerciée.

Après quoi, il avait voulu partir. Elle l'avait retenu, insistant pour qu'il mange quelque chose et s'hydrate. Après tout, maintenant qu'elle avait fait de son mieux pour le rafistoler, elle se sentait responsable de sa survie.

Et puis, elle était dévorée par la curiosité — déformation professionnelle, probablement. Elle voulait connaître le fin mot de l'histoire de Jack.

Elle l'observa tandis qu'il mangeait sa salade, attablé en face d'elle. Elle lui avait trouvé un vieux T-shirt noir appartenant à son frère, qui était de stature moins imposante mais s'habillait large. Le T-shirt moulait son torse. Au-dessous, il y avait toutes ces cicatrices… Où avait-il été blessé ainsi ? Sur un champ de bataille ? La longue estafilade qui traversait son torse achevait tout juste de cicatriser, elle ne pouvait donc remonter à plus de deux mois. S'il avait été militaire et blessé au combat, l'armée ne l'aurait pas laissé repartir aussi rapidement.

Elle picora une bouchée de salade, cherchant un angle d'attaque pour l'amener à parler. Dans le cadre de son travail, elle avait réalisé des centaines d'interviews, dont certaines de personnages inamicaux, voire franchement hostiles. Le jeu direct des questions-réponses ne fonctionnerait pas avec Jack, elle le savait.

— Vous n'êtes pas d'ici, commença-t-elle. Qu'est-ce qui vous a amené dans les montagnes ?

— La beauté du paysage. L'air pur.

Epargnez-moi les clichés du guide touristique, par pitié !

— D'où êtes-vous originaire ?

— Chicago.

Avait-il grandi en banlieue ou était-il un garçon des quartiers mal famés du centre-ville ? Plutôt que de l'interroger franchement, elle repartit :

— L'un des meilleurs souvenirs que j'ai de Chicago, c'est un soir, à bord d'un voilier, sur le lac Michigan. J'ai regardé les lumières de la ville s'allumer, accoudée au bastingage… C'était magique.

Il continua à manger consciencieusement sa salade.

— A votre tour, dit-elle.

— A mon tour de quoi ?

— Eh bien, je vous ai dit quelque chose me concernant. A vous de me parler de vous. Vous savez, c'est ce qu'on appelle une « conversation ».

Il la contempla longuement d'un regard froid, insondable, fascinant. Les paillettes d'or de ses yeux verts l'attiraient comme des aimants.

— O.K. J'ai toujours détesté le métro, mais j'adorais le train aérien, là-bas. Les secousses, la foule… Ça me donnait l'impression d'aller quelque part, d'être en mouvement… D'avoir un but.

— Oh ! et où donc vouliez-vous aller ?

— Voir Mark.

A peine avait-il prononcé ces mots qu'il fronça les sourcils, comme s'il avait voulu ravaler ses paroles.

— Mark ? Qui est-ce ? Un ami à vous ?

— Oui, un ami. Mark Santoro. Il est mort.

— Oh ! je suis désolée.

Caitlyn avait beau ne pas avoir suivi les nouvelles depuis qu'elle était ici, le nom de Santoro ne lui était pas inconnu. Le clan Santoro… C'était une vieille famille mafieuse. Pour la première fois depuis des semaines, elle lança une œillade chargée d'envie à son ordinateur portable. Il aurait suffi de quelques clics sur internet pour éclaircir le mystère Jack Dalton.

— Ecoutez, Caitlyn, je n'ai pas été honnête avec vous.

— Je sais.

— Je n'ai pas eu d'accident de voiture.

— Quoi d'autre ?

— Des gens sont à mes trousses. Ils ont une dent contre moi. En venant ici, j'avais l'intention d'emprunter votre voiture pour fuir. Mais ça ne va pas être possible…

— Ce n'est pas que je veuille absolument que vous vous empariez de mon véhicule, mais qu'est-ce qui vous fait penser ça ?

— Si je pars avec votre voiture, ils établiront le lien entre vous et moi. Et je ne veux pas qu'ils s'en prennent à vous.

Elle ne put qu'acquiescer. Etre poursuivie par la famille Santoro n'était pas exactement son rêve dans la vie.

— Nous devrions appeler la police. J'ai un ami, Danny Laurence, qui est shérif adjoint ici. C'est quelqu'un en qui on peut avoir confiance.

Jack se leva brusquement et elle sut qu'il allait partir. L'idée de le savoir dehors, seul, pourchassé par une meute de criminels enragés, lui fut tout à coup insupportable. Elle sauta sur ses pieds.

— Jack, laissez-moi appeler Danny. Je vous en prie !

— Vous êtes quelqu'un de bien, Caitlyn.

Il tendit le bras. Lorsque sa grande main se posa sur son épaule, une attirance quasi magnétique la poussa vers lui. L'espace entre eux se réduisit. Il se pencha et l'embrassa sur le front.

— Oubliez que vous m'avez vu… Ça vaut mieux pour vous.

Comme si c'était possible ! Comme si le fait qu'un bel et mystérieux inconnu soit venu se présenter à sa porte n'avait rien d'exceptionnel ! Alors que, depuis un mois, elle vivait en ermite dans sa cabane sans pratiquement voir âme qui vive…

— Vous n'êtes pas le genre de personne qu'on oublie facilement.

— Vous non plus.

— Juste pour info, je continue à penser que vous devriez quand même aller à l'hôpital.

Au même instant, des pneus crissèrent sur le gravier.

Jack avait entendu, lui aussi. En trois enjambées, il fut à la fenêtre et regarda à l'extérieur, dissimulé derrière le rideau.

Une Ford Fairlane de 1957 bicolore, turquoise et crème, remontait l'allée. Caitlyn la connaissait et elle avait toute confiance dans son conducteur. La Ford était suivie d'un gros 4x4 noir aux vitres teintées.

— Est-ce que ce sont les gens qui vous cherchent, dans le 4x4 ?

— Je ne sais pas. Ils ont vu votre voiture, donc, vous

ne pouvez pas prétendre que vous n'êtes pas là. Allez-y, voyez ce qu'ils veulent et ne dites pas que je suis ici.

— D'accord. Ne bougez pas. Je vais me débarrasser d'eux.

Elle arrangea sa queue-de-cheval et se dirigea vers la porte d'entrée, consciente qu'elle allait peut-être se trouver face aux membres d'une puissante famille du milieu. La panique n'était pas loin, juste là, sous la surface. Elle inspira à fond pour la réprimer. Ce n'était pas la première fois qu'elle flirtait avec le danger. Elle avait vécu dans des zones de guerre, côtoyé des terroristes, vu la mort de près plus souvent qu'à son tour. Ce n'étaient pas des malfrats de Chicago qui allaient lui faire peur.

Depuis le porche, elle regarda la Ford Fairlane se garer près de la porte de derrière. Le 4x4 noir s'arrêta juste derrière sa propre voiture.

Elle salua de la main l'homme de haute taille, à la tête couronnée de cheveux blancs, qui descendait de la Ford. Bob Woodley était un vieil ami de sa famille, et l'une des rares personnes qu'elle avait vues depuis qu'elle avait posé ses valises ici. Professeur d'anglais à la retraite, il avait été son mentor quand elle était adolescente.

— Bonjour, monsieur Woodley.

Il lui fit signe d'approcher.

— Viens donc m'embrasser, Caitlyn.

Il dut sentir sa tension lorsqu'elle lui donna l'accolade, car il étudia son expression tandis que ses sourcils broussailleux se rapprochaient.

— Quelque chose qui ne va pas, ma petite ?

— Non, non, pas du tout. Tout va bien, répondit-elle en se forçant à sourire. Quel bon vent vous amène ?

— J'étais en visite chez Heather, au Circle L, lorsque ces messieurs sont arrivés. Etant donné que je suis membre du Congrès, il m'a paru de mon devoir de les aider… Ils cherchaient le chemin pour venir chez toi.

Les deux hommes qui étaient sortis du 4x4 et se dirigeaient droit sur elle contrastaient avec la bonhomie de M. Woodley. Tous deux étaient vêtus de jeans et de blousons de sport qui ne parvenaient pas tout à fait à masquer les holsters qu'ils portaient au-dessous. Des lunettes noires dissimulaient leurs yeux.

Woodley procéda aux présentations.

— Caitlyn, voici Drew Kelso et Greg Reynolds.

Leurs mains, qu'elle serra, étaient aussi froides que des serpents.

— Que puis-je pour vous ?

— Il paraît que tu as eu un visiteur ce matin, dit Woodley.

Comment étaient-ils au courant pour Jack ? Sa cabane était-elle sous surveillance ?

— Un visiteur ? Je ne vois pas ce que vous voulez dire.

— Mais si, voyons… La jument pommelée, expliqua Woodley. Heather est venue la récupérer chez toi.

— Oh… La *visiteuse* ! s'exclama-t-elle en levant les yeux au ciel et en pouffant de rire, comme si elle était une blonde écervelée.

Il fallait à tout prix donner l'impression à ces hommes qu'elle n'était qu'une inoffensive tête de linotte.

— Je n'y pensais déjà plus !

— Elle appartient à une personne que nous connaissons, dit l'homme qui répondait au nom de Reynolds.

— Alors, vous devriez dire à votre ami de faire plus attention, répondit-elle. Son cheval est entré chez moi, sans selle, sans rênes ni rien du tout !

Le sourire avenant qu'elle leur adressa demeura sans réponse. Ils n'étaient pas là pour plaisanter.

Le plus grand des deux, Drew, avait des cheveux blond

pâle et une carrure impressionnante. Ses lèvres remuèrent à peine lorsqu'il ouvrit la bouche pour déclarer :

— Nous recherchons l'homme qui montait ce cheval.

Elle écarquilla les yeux, allant même jusqu'à battre des cils pour parachever le tableau.

— Je n'ai vu personne. Je vous l'ai dit, il n'avait pas de rênes et n'était pas sellé.

— Eh bien, si jamais vous le voyiez, vous seriez bien inspirée de nous prévenir.

Il y avait dans le ton de sa voix une menace à peine voilée.

— Qui est-ce ? s'enquit-elle de son air le plus dégagé. Comment s'appelle-t-il ?

— Tony Perez.

Elle secoua la tête.

— Jamais entendu ce nom-là, dit-elle en toute sincérité. Mais, si jamais j'entendais parler de lui… Avez-vous un numéro où je puisse vous joindre ?

Drew lui tendit une carte de visite.

— Eh bien, voilà qui est réglé, fit Woodley après avoir consulté sa montre. Il faut que j'y aille.

Elle eut envie de l'agripper par le bras et de le supplier de rester jusqu'au départ des deux hommes.

— Vous ne voulez pas prendre un café ?

— Désolé, ma petite. Une autre fois… J'ai rendez-vous à Pinedale et je suis déjà en retard.

Il se dirigea d'un pas nonchalant vers sa vieille Ford.

— J'espère que vous retrouverez votre ami, messieurs.

Ils la saluèrent d'un bref signe de tête et retournèrent eux aussi vers leur 4x4. Caitlyn réprima un soupir de soulagement. Ils s'en allaient ! C'était fini.

Avant de démarrer, Woodley se pencha par la portière.

— Donne de tes nouvelles, Caitlyn.

Il s'éloigna et bifurqua sur la route. Les deux hommes

discutaient, debout à côté de leur voiture. Au bout de quelques instants, ils revinrent lentement vers elle.

— Tout bien réfléchi, annonça Drew en cherchant du regard l'approbation de Greg Reynolds qui, de toute évidence, était le patron, on aimerait jeter un coup d'œil aux environs.

Greg inclina brièvement la tête et Drew s'avança vers le porche.

— Eh ! Attendez ! lança-t-elle en posant la main sur son bras. Il n'y a personne d'autre que moi ici.

Lentement, il tourna la tête vers elle et ôta ses lunettes de soleil. A son expression froide et courroucée, elle comprit qu'elle n'avait aucun moyen de lui barrer la route. Il userait de la violence si elle se mettait en travers de son chemin.

Elle recula d'un pas, priant intérieurement pour que Jack ait eu le bon sens de sortir par la porte de derrière et d'aller se cacher quelque part.

— Pour votre propre sécurité, il vaut mieux que nous en ayons le cœur net, dit Drew. Tony Perez est dangereux.

Elle rentra dans sa cabane, le cœur battant à tout rompre, et plongea les mains dans ses poches pour que les hommes ne remarquent pas leur tremblement.

Jack avait éliminé toute trace de sa présence. Sur la table de la salle à manger, il ne restait qu'une assiette et un verre d'eau. Drew entra dans la salle de bains, où Jack avait laissé ses vêtements. Apparemment, il n'y avait plus rien, car il en ressortit un instant plus tard sans rien dire. Les effluves de son parfum de luxe flottèrent jusqu'à ses narines lorsqu'il passa à côté d'elle. Il posa la main sur la poignée du placard, près de l'entrée, et tira la porte d'un coup. Caitlyn remarqua tout de suite que son fusil avait disparu.

Couché à plat ventre dans le grenier situé au-dessus des box de l'écurie, Jack ouvrait l'œil, le fusil de Caitlyn en main. Evidemment, ce dernier ne possédait pas la sophistication des armes qu'il était habitué à utiliser. Le viseur était tellement rudimentaire qu'il avait préféré le retirer. Mais, à cette distance, il avait toute confiance en ses qualités de tireur. Sa première balle lui indiquerait la correction à apporter, ensuite de quoi il ajusterait son tir.

Son plan était simple : éliminer d'abord l'homme aux cheveux blonds, le plus dangereux dans l'immédiat. Puis il s'occuperait du patron.

Tenir le fusil lui était parfaitement naturel et il n'avait aucun mal à se représenter la stratégie de l'attaque. D'instinct, il savait ce qu'il fallait faire. Il ne se souvenait pas où il avait acquis ces connaissances, ni qui les lui avait enseignées, mais il savait comment s'y prendre pour tuer.

Lorsque Caitlyn et les hommes entrèrent dans la maison, Jack s'efforça de suivre, en rampant, leurs déplacements dans l'habitation. Jusque-là, ils ne s'étaient pas montrés menaçants vis-à-vis de Caitlyn, sauf au moment où elle avait touché le bras du gangster blond. Dans l'expression de ce salaud, il avait lu l'envie de la tuer, de l'écraser comme une mouche. S'il avait ne serait-ce que levé la main sur elle, Jack n'aurait pas hésité : il aurait appuyé sur la gâchette. Certes, c'était par sa faute que Caitlyn se trouvait dans cette situation, mais il ne laisserait personne lui faire du mal.

Selon le scénario le plus optimiste, les deux hommes s'en iraient, une fois leur fouille terminée.

Mais le fait de ne pas réussir à voir ce qui se passait à l'intérieur de la cabane le rendait nerveux. S'ils ne sortaient pas bientôt, il devrait se rapprocher pour pouvoir la protéger. Cinq minutes… Voilà le délai qu'il s'accordait. Mentalement, il commença le compte à rebours.

Dans le corral, au-dessous de lui, les deux chevaux — l'un à la robe claire, et l'autre foncée — se tenaient près de la clôture. Les oreilles dressées, ils s'ébrouaient et frappaient le sol de leurs sabots. Ils sentaient que quelque chose n'allait pas.

Le décompte était presque fini lorsque le petit groupe émergea par la porte de derrière. Caitlyn paraissait en colère. Un moment plus tôt, elle avait essayé de jouer les blondes évaporées, et elle avait misérablement échoué. Son intelligence transparaissait dans chacune de ses paroles, chacun de ses gestes.

Les deux hommes avançaient vers la grange, suivis de Caitlyn. Jack se prépara à tirer. Sa position lui donnait l'avantage, mais il devait bien choisir son moment s'il ne voulait pas que ses adversaires ripostent. Si seulement il avait pu prévenir Caitlyn, lui dire de s'éloigner de ses cibles…

Ils étaient à moins de cinquante mètres désormais. Le plus grand des deux hommes glissa la main à l'intérieur de son blouson et en tira son arme de poing.

Jack pointa le fusil sur son torse, cible la plus facile à atteindre. S'il avait eu une arme plus sophistiquée, il aurait visé la tête.

Il entendit Caitlyn se récrier.

— Eh, mais qu'est-ce que vous faites ? Pourquoi êtes-vous armé ?

— Nous devons être très prudents. L'homme que nous recherchons est extrêmement dangereux.

Absolument, pensa Jack. Il savait à présent qu'il était capable de prendre une vie. Il était un tueur. *Bon sang, Caitlyn, écartez-vous !* L'homme aux cheveux noirs, le patron, se tenait beaucoup trop près d'elle.

Jack ajusta son tir. Il tuerait le chef d'abord. C'est alors que le nom de l'homme fusa dans son esprit. Gregorio Rojas. Il le connaissait. C'était le fils cadet d'un clan de narcotrafiquants qui contrôlait tout le Midwest des Etats-Unis. Le doigt de Jack se crispa sur la gâchette. Rojas était son ennemi juré. *Tire. Débarrasse le monde de cette ordure qui a fait tant de mal, causé tant de morts.*

Une sonnerie de portable retentit, étouffée. Rojas plongea la main dans sa poche et porta l'appareil à son oreille. Quelques secondes plus tard, il fit un signe de tête à Drew. Sans un mot, les deux hommes repartirent vers leur voiture.

Jack ne relâcha pas sa vigilance pour autant. Rojas était toujours dans sa ligne de mire.

La mémoire était en train de lui revenir. Les blancs se comblaient peu à peu, se reliaient les uns aux autres pour composer un tableau de violence.

Jack avait déjà tué, il le savait. Sa vision se focalisa sur sa cible, la couture centrale du blouson de Rojas. Ses mains ne tremblaient pas. Il était totalement maître de lui-même. Calme et concentré, comme toujours.

Un souvenir remonta à sa mémoire. Un autre lieu, un autre crime.

Il était en ville, dans les bas quartiers. Son poste de tir était installé au quatrième étage d'un vieux bâtiment de brique : un hôtel borgne qui louait des chambres à l'heure. Il avait monté le silencieux sur son fusil à viseur laser stabilisé par un trépied. Equipé de ses puissantes lunettes à infrarouge, il balaya du regard l'immeuble d'habitation minable qui se trouvait de l'autre côté de la rue. Quatrième étage, appartement à l'angle. Personne.

Il était arrivé à l'hôtel au coucher du soleil. Il attendit. Les heures passèrent… La nuit tomba.

Lorsque la lampe s'alluma dans l'appartement d'en

face, il se positionna. La lueur d'un réverbère se reflétait sur le canon de son arme. Sinon, il était dans l'obscurité la plus totale.

Il regarda dans son viseur. De l'autre côté de la rue, un homme aux cheveux roux avançait de pièce en pièce, l'arme au poing, cherchant d'où pouvait venir le danger.

— Je suis là, murmura Jack. Viens à la fenêtre, espèce de vermine.

Cet homme méritait la mort.

Mais sa cible n'était pas seule. Une femme menue à la chevelure auburn et un enfant entrèrent dans son champ de vision. Deux témoins.

L'opération devrait attendre.

De sa cachette, Jack vit Rojas et son complice monter dans le 4x4 et s'en aller. Caitlyn tourna les talons et rentra en courant dans la cabane, comme si elle avait quelque chose sur le feu.

Roulant sur le côté, Jack se redressa.

Oui… Il savait qui il était.

Un tueur sans scrupules.

Caitlyn ne perdit pas une seconde. Elle se précipita vers le petit bureau où était posé son ordinateur portable et s'assit sur son siège pivotant. Ce fut avec un plaisir sans nom qu'elle regarda l'écran s'allumer. Quand elle était journaliste — et, plus encore, reporter de guerre — son ordinateur avait été son compagnon de travail de tous les instants, comme une extension de son cerveau.

Les mains positionnées au-dessus du clavier, elle attendit que l'initialisation du système soit terminée. *Mais tu n'es même plus journaliste…*, protesta une voix intérieure.

Elle n'avait pas de sujet, pas d'histoire à creuser, et elle n'était pas sûre d'avoir envie de se replonger dans le grand bain de l'information.

C'était précisément pour mettre de la distance entre elle et le cycle infernal et sans répit de l'information qu'elle était venue s'isoler ici. Elle comptait sur cette période de solitude pour se retrouver et décider de la suite.

Ses parents et presque tous ceux qui tenaient à elle l'avaient vivement encouragée à changer de voie. Non qu'ils eussent voulu la voir cesser d'écrire ; mais ils espéraient qu'elle abandonnerait le grand reportage et laisserait les guerres aux autres. Comme si elle pouvait se satisfaire de rendre compte des galas de charité ou d'aligner des envolées lyriques sur le soleil qui brille et les petits oiseaux !

Elle n'était pas faite pour ça. Ce qui l'excitait, c'était l'action, le réel.

L'irruption de Jack dans sa vie était peut-être un signe du destin. Elle n'avait pas cherché le danger, mais voilà… il était venu à elle. Des voyous armés avaient fouillé de fond en comble sa cabane. Si Jack Dalton avait quelque chose à raconter, elle n'allait tout de même pas tourner les talons et faire comme si ça ne l'intéressait pas.

Elle lança une recherche sur internet en entrant comme mot-clé le nom du supposé ami de Jack Mark Santoro. Une fois triés les articles trouvés, principalement dans le *Chicago Tribune*, elle rassembla les éléments de base.

Mark Santoro, ainsi que l'avait dit Jack, était mort. Il avait été tué avec quatre autres membres du clan Santoro dans une fusillade en ville, cinq mois plus tôt. On avait retrouvé l'un des hommes avec les mains coupées. Mark avait été décapité. Un meurtre barbare, censé faire passer un message.

Les Santoro contrôlaient le trafic de stupéfiants dans

tout le Midwest et, ce faisant, ils s'étaient attirés les foudres du puissant cartel de la drogue Rojas.

Les agents des différents services fédéraux de lutte contre la drogue étaient sur l'affaire. Ils avaient arrêté et inculpé plusieurs membres du clan Rojas, y compris leur chef, Tom Rojas. Le procès fédéral devait s'ouvrir mardi, c'est-à-dire dans quatre jours, dans un tribunal de district de Chicago.

Il n'y avait pas grand-chose d'autre. Caitlyn était sortie avec un journaliste du quotidien *The Trib*, un type adorable — il l'avait emmenée en voilier sur le lac Michigan. Elle n'avait pas voulu renoncer à son métier comme il le lui demandait et ils s'étaient séparés. C'était l'histoire de ses relations sentimentales. Aux dernières nouvelles, son ex-prétendant s'était marié et avait eu une petite fille. Elle pouvait essayer de le contacter pour en savoir plus sur ce procès.

Dans la foulée, elle tapa les noms des deux malfrats, Drew Kelso et Greg Reynolds. Il apparut que plusieurs personnes portaient ces noms ; aucune information n'attira son attention sur l'un d'entre eux en particulier, ce qui n'avait rien d'étonnant : les caïds de la drogue et les criminels n'avaient pas pour habitude d'afficher leurs exploits sur internet.

Elle lança ensuite une recherche sur Tony Perez. Après avoir effectué un premier tri et éliminé les informations sans intérêt, elle affina sa recherche en reliant ce nom à celui de Mark Santoro. L'un des articles relatant le règlement de comptes dans lequel Santoro avait trouvé la mort mentionnait que Tony Perez avait été son garde du corps. Lui aussi avait été tué dans la fusillade.

Mais Jack Dalton était bien vivant.

Lentement, elle rabattit l'écran de son ordinateur. Bien qu'elle ne l'eût pas entendu entrer, elle sentait la présence de Jack dans la pièce. Il était là, pas loin… Il l'observait.

Un frisson courut le long de son échine. Elle ne craignait pas qu'il lui fasse du mal ; il n'avait pas de raison de s'en prendre à elle et il était assez intelligent pour éviter toute violence inutile. Elle n'en éprouvait pas moins de l'appréhension. Jack l'entraînait dans un univers qu'elle n'avait guère envie d'explorer.

— Vous avez trouvé ce que vous cherchiez ?

Elle pivota sur son siège pour lui faire face.

— Vous m'avez l'air en forme pour un mort.

Il traversa la pièce et alla ranger son fusil dans le placard de l'entrée.

— J'ai rapporté votre arme.

Il fallait lui dire de s'en aller immédiatement, oublier jusqu'à son existence. Mais l'envie de connaître la vérité était trop forte.

— Ces hommes cherchent un certain Tony Perez. C'est votre vrai nom ?

— Tony est mort. Appelez-moi Jack.

— D'après eux, vous avez volé un cheval et vous êtes dangereux.

— C'est une demi-vérité.

— Quelle moitié est vraie ?

— Je n'ai pas « volé » le cheval, je l'ai emprunté.

Il s'approcha, posa les mains sur les bras de son fauteuil, puis s'inclina jusqu'à ce que son visage ne soit plus qu'à quelques centimètres du sien.

— Ces gars sont totalement imprévisibles. Je vous conseille vivement d'aller vous installer chez des amis pendant quelques jours.

— Et vous ? Qu'allez-vous faire ?

— Ce n'est pas votre problème.

Il était si près d'elle qu'elle voyait sa poitrine se soulever et s'abaisser au rythme de sa respiration. L'envie de poser sa main sur le T-shirt noir, de sentir le battement de son cœur, naquit en elle. Mais, lorsqu'elle éleva la main, ce fut pour chasser d'une pichenette une poussière sur son épaule.

— Vous étiez caché dans le grenier, au-dessus de l'écurie.

— Je ne pouvais pas m'enfuir en vous laissant seule avec eux. Il fallait que je m'assure que tout allait bien pour vous.

— Qui sont ces hommes ? Ils prétendent s'appeler Drew Kelso et Greg Reynolds.

— Reynolds est un faux nom. C'était Gregorio Rojas.

D'un geste vif, il rouvrit l'ordinateur.

— Mais vous le savez déjà. Vous venez de lire tout ce qu'on peut trouver sur lui et ses comparses.

— Et son frère, Tom Rojas. Il doit comparaître pour assassinat dans quatre jours à Chicago.

Il recula d'un pas, l'air subitement interdit.

— Il faut que je m'en aille.

— Pas si vite ! Je n'ai pas fini... J'en suis encore à tenter de réunir les pièces du puzzle.

Elle se leva et alla se poster devant la porte d'entrée.

— Pourquoi Rojas est-il à vos trousses ? C'est lié au procès de son frère, c'est ça ?

— Moins vous en saurez, mieux ce sera.

— Mais vous oubliez une chose, Jack : je suis journaliste.

Et une bonne journaliste, qui plus est. Il en avait trop dit ou pas assez ; maintenant, sa curiosité était éveillée.

— Supposons que vous soyez ce Tony Perez et que vous ayez survécu à cette attaque. Cela fait de vous un témoin de premier plan.

— Je vous l'ai dit : Tony est...

— Mort, je sais. Mais laissez-moi poursuivre mon raisonnement. Je n'imagine qu'une seule raison pour laquelle un témoin dans une affaire de meurtre à Chicago se retrouverait subitement catapulté au fin fond des montagnes du Colorado : c'est le programme de protection des témoins. Ils doivent avoir une cache dans le secteur.

— Admettons, répondit Jack. Mais, pour qu'un témoin placé sous protection avant la tenue d'un procès soit retrouvé et attaqué dans cette cache, il faut qu'il ait été dénoncé par les représentants de l'ordre chargés de sa sécurité.

Bien vu. Si elle détestait l'idée que des policiers puissent être corrompus, il fallait reconnaître que c'était une possibilité. Dans l'exercice de son métier, elle avait eu vent de cas similaires. Il suffisait qu'une personne se laisse tenter par un pot-de-vin, que le désir de s'enrichir prime sur le sens du devoir...

Haussant les épaules, elle acquiesça à contrecœur.

— Ce sont des choses qui peuvent arriver, malheureusement.

— Et, si c'est ce qui s'est passé dans le cas présent, le témoin ne peut avoir confiance en personne. Rojas est à ses trousses. Et la police ne peut courir le risque d'être dénoncée. Il doit se débrouiller seul pour retourner à Chicago à temps pour le procès.

— Je peux vous aider.

— Vous pourriez, mais je refuse.

D'un pas de côté, il la contourna et ouvrit la porte.

A grandes enjambées, Jack se dirigea vers la clôture du corral, furieux contre lui-même, furieux d'en avoir trop dit. Que diable aurait-elle bien pu faire, de toute façon ? Et pourquoi l'aiderait-elle ? Tout ceci ne la concernait en rien. Son travail de grand reporter l'avait habituée à côtoyer des héros. Pas des gens de son espèce.

Parvenu à la barrière, il marqua une pause pour élaborer un plan. Il ne savait pas comment trouver son chemin dans ce territoire montagneux, escarpé. On pouvait aisément y disparaître sans laisser de traces. Et justement… ne serait-ce pas la solution à son problème ? S'enfoncer dans les montagnes et renaître sous une nouvelle identité, repartir de zéro.

Mais il avait promis d'être présent au procès. Son témoignage pouvait envoyer Tom Rojas et sa clique derrière les barreaux. Le jeune frère, Gregorio, n'avait ni le cran ni l'envergure pour reprendre le flambeau et remplacer Tom à la tête du cartel.

Il regarda la route qui passait devant sa cabane — la seule voie desservant cette zone isolée. Ses ennemis allaient la surveiller étroitement, c'était certain. Il avait intérêt à emprunter un chemin plus discret, dans la montagne, à marcher jusqu'à… Jusqu'à où ? Jusqu'à Chicago ?

— Jack… Attendez !

Un chapeau marron à bords plats sur la tête, Caitlyn courait vers lui, un sac à dos à la main. Tout essoufflée, elle le lui tendit lorsqu'elle l'eut rejoint.

— Tenez, prenez ça.

Il jeta un coup d'œil à l'intérieur. Elle y avait mis l'équipement de base nécessaire à la survie en montagne : deux bouteilles d'eau, des barres énergétiques, un sweat-shirt et un téléphone portable. Refuser aurait été stupide, même s'il lui en coûtait d'admettre qu'elle avait eu raison en affirmant qu'elle pouvait l'aider.

Il la vit plonger la main dans la poche de son jean et en tirer une poignée de billets.

— Tenez, il y a cent vingt-sept dollars. C'est tout ce que j'ai en liquide.

— Caitlyn, pourquoi…

— Oh ! Et ceci aussi.

Elle ôta son chapeau de cow-boy et le lui donna.

— Pour protéger votre blessure à la tête.

Jack l'essaya. Il était à peu près à sa taille.

— Pourquoi tenez-vous absolument à m'aider ?

Ses yeux bleus soutinrent son regard.

— Pourquoi pas ?

— Vous ne me connaissez pas. Vous ne savez rien de la vie que j'ai menée.

— Vous apparteniez au clan Santoro, dit-elle posément. Donc, vous avez dû faire des tas de choses que je ne cautionnerais pas. Vous étiez peut-être un homme de main, un assassin ou un revendeur de drogue…

— Ça, sûrement pas. J'ai la drogue en horreur.

— Tout ça, c'est du passé, Jack. Vous avez changé. Vous avez décidé de témoigner contre les pires de ces hommes.

— Peut-être que je n'ai pas eu le choix.

— Peu importe. Je m'en moque.

Il nota avec surprise un léger tremblement dans sa voix. En était-il la cause ? Elle ne semblait pas être le genre de femme à s'enticher du premier venu. Elle lui avait dit et répété qu'elle était journaliste. On ne pouvait pas se permettre de se laisser guider par ses sentiments quand on exerçait cette profession.

— Je ne comprends pas votre attitude.

— Vous risquez votre vie pour aller témoigner, pour prendre le droit chemin.

Elle prit une longue inspiration.

— J'ai besoin de croire que, lorsque des gens se battent et se mettent en danger pour une cause juste, ce n'est pas en vain. Que les sacrifices qu'ils font ont un sens.

C'était le discours de quelqu'un qui avait connu la

guerre, la souffrance, la vraie. Son irritation céda le pas à l'admiration. Quelle femme, tout de même… Forte, avec des principes fermement établis. Pour la seconde fois, il regretta de ne pas l'avoir rencontrée dans d'autres circonstances.

— Ne me placez pas sur un piédestal que je ne mérite pas.

— O.K., concéda-t-elle. Du moment que vous ne minimisez pas le courage dont vous avez fait preuve. Vous avez renoncé à votre vie d'avant, décidé de faire le bon choix.

— Mais je n'ai rien d'une figure héroïque.

Elle pencha la tête sur le côté. Une mèche de cheveux tomba sur son front.

— Moi non plus.

— Bon… Il faut que je m'en aille.

— Laissez-moi quand même vous montrer comment fonctionne le GPS sur le portable. Il ne vous fournira pas une carte topographique détaillée, mais au moins aurez-vous une idée de l'emplacement des voies de circulation…

Il secoua la tête et lui rendit l'appareil.

— Si le GPS me permet de savoir où je me trouve, il permettra aussi à ceux qui me cherchent de me localiser.

— Oh ! Bien sûr… J'aurais dû y penser.

Elle rangea le téléphone dans sa poche.

— Ecoutez, puisque vous n'avez pas pris ma voiture, prenez au moins l'un des chevaux. Vous gagnerez du temps.

Il hocha la tête.

— D'accord, merci. Je trouverai le moyen de vous ramener votre animal.

— Prenez le mâle. Il s'appelle Fabio — à cause de sa crinière blonde — et c'est un vrai étalon.

Entrant dans le corral, elle désigna le beau cheval

palomino et produisit un claquement de langue. Les deux chevaux trottèrent docilement vers la porte de l'écurie.

Comme il la suivait derrière elle, il observa sa démarche athlétique. Il n'y avait rien d'artificiel chez elle. Pas de maquillage, pas de coiffure sophistiquée. Son corps était tonique et il soupçonnait qu'elle devait sa forme physique à la vie en plein air plutôt qu'à des heures passées dans une salle de gym. Son jean ajusté moulait ses jambes fuselées et les courbes féminines de son postérieur.

Il n'avait pas pris le temps d'apprécier vraiment sa beauté jusqu'alors. Il était arrivé à la cabane, croyant n'y passer que quelques minutes ; il n'avait pas imaginé faire connaissance avec son occupante.

Elle sella l'étalon tout en lui indiquant comment le soigner. Son efficacité l'impressionnait. Elle ne ressemblait à aucune des femmes qu'il avait connues. Hélas, il partait sans retour.

A quoi bon se bercer d'illusions en se disant qu'il reviendrait la voir après le procès ? Cela n'arriverait pas. Sa vie ne lui appartenait plus. Il allait témoigner dans un procès hautement sensible, ce qui, dans un sens, était une bonne chose, puisque cela lui valait la haute opinion que Caitlyn avait de lui. Mais qu'en serait-il si elle en apprenait davantage sur sa vie ?

— Voilà. Fabio est prêt à partir, dit-elle en se retournant.

— Mais, moi, pas tout à fait.

Il posa la main au creux de sa taille et l'attira doucement à lui.

4

Quand la main de Jack s'enroula, possessive, autour de sa taille, Caitlyn sut ce qui allait arriver. Une bouffée d'excitation l'envahit, chaude comme une brise d'été. Instinctivement, elle se laissa aller contre lui.

Une invite sans ambiguïté brillait dans ses yeux verts, mais il lui laissa tout le temps de faire machine arrière, de se dégager. Ayant vécu dans une compagnie presque exclusivement masculine ces dernières années, elle était passée maître dans l'art de faire clairement comprendre qu'elle entendait rejoindre son lit, seule, le soir. Mais, là, c'était différent. Elle avait envie que Jack l'embrasse. Son histoire avait fait vibrer sa corde sensible, lui avait rappelé des vérités importantes. *Mais oui, c'est ça, se dit-elle. Comme si c'était par fidélité à tes principes que tu voulais l'embrasser !* Il se jouait bien autre chose, évidemment, lorsque son regard se posait sur l'ourlé sensuel de sa bouche. Cet homme était beau comme un dieu. Et terriblement sexy.

Ses seins effleurèrent son torse tandis qu'elle renversait la tête en arrière. Ses lèvres s'entrouvrirent. Elle ferma les paupières.

Le contact de sa bouche sur la sienne déclencha en elle un véritable séisme. Elle retint son souffle, savourant les vibrations qui se propageaient dans tout son être. Il y avait longtemps qu'elle n'avait rien éprouvé de tel. Beaucoup, beaucoup trop longtemps.

Les mains de Jack glissèrent de sa taille vers ses hanches, la plaquant contre son corps dur comme le roc. La passion qu'elle muselait en temps normal se déchaîna.

S'ils avaient eu du temps devant eux, elle aurait fait l'amour avec lui. Mais il devait partir. D'ailleurs, peut-être était-ce pour cette raison qu'elle s'autorisait à l'embrasser aussi librement… Parce qu'elle savait qu'ils ne se reverraient jamais.

Visiblement à regret, il mit fin à leur étreinte et recula d'un pas.

— Je dois vraiment m'en aller.

Elle aurait tout donné pour le retenir. Mais, extérieurement, rien ne transparut.

— J'aimerais que vous me laissiez appeler mon ami, Danny.

— L'adjoint du shérif ?

Elle hocha la tête avec ferveur, s'efforçant de réprimer le désir intense qui l'aiguillonnait et de raisonner logiquement.

— Après ce que vous m'avez dit, je comprends que vous n'ayez guère envie de vous frotter à un représentant des forces de l'ordre. Mais je connais Danny depuis toujours. J'ai toute confiance en lui.

— Voilà précisément pourquoi vous ne devez pas l'appeler.

Il tendit la main et repoussa une mèche de cheveux derrière son oreille.

— Le fait de me venir en aide le mettrait en danger, lui aussi, ainsi que tout son entourage. Vous êtes journaliste, vous connaissez les méthodes des organisations criminelles.

Bien qu'il parût difficile d'imaginer un déchaînement

de violence dans ce coin perdu du Colorado, il avait raison, elle le savait. Sur l'échelle de l'horreur, la loi du talion qui avait cours dans les cartels de la drogue valait largement ce dont elle avait été témoin au Moyen-Orient. Ils n'hésitaient pas à massacrer sauvagement des familles entières — femmes et enfants compris.

Ces visions refroidirent subitement ses ardeurs. Jack devait partir. Trouver le moyen de se mettre à l'abri.

—- Je m'inquiète pour vous, dit-elle. Vous n'accepterez jamais que je vous accompagne, je suppose ?

Il sourit, et elle se rendit compte que c'était la première fois qu'elle le voyait sourire.

— Vous supposez bien. Je me demande même pourquoi vous posez la question.

— Un témoin en cavale… C'est un sacré bon sujet d'article.

— A condition que l'histoire se termine bien.

Il se mit en selle. Jack avait beau ne pas être un cow-boy, il avait fière allure, à cheval. Tout à coup, l'idée qu'il s'en aille pour toujours lui fut insupportable ; il devait y avoir un moyen de le revoir.

Mais bien sûr ! Elle savait où et quand le procès devait se tenir. En usant de ses relations et de sa carte de presse, elle devrait pouvoir se faufiler dans le tribunal pour assister à l'audience.

— Alors, à dans quatre jours, à Chicago.

— Si jamais j'arrive là-bas.

Avec un geste de la main, il quitta l'écurie.

Elle se retrouva seule dans le corral, à le regarder s'enfoncer dans la forêt, à l'arrière de sa cabane. Si elle avait été à son côté, elle lui aurait conseillé de prendre l'autre direction. Traverser la prairie l'aurait conduit vers le sud-est. Le terrain y était moins escarpé et il y avait des points d'eau. Il aurait fini par arriver à la Platte River. *Et s'il ne s'en sortait pas ?*

Jouer les spectatrices passives quand quelqu'un s'en allait au-devant d'un terrible danger n'était pas dans sa nature. Il fallait qu'elle fasse quelque chose.

Tirant son portable de sa poche, elle appela Heather et lui demanda le numéro de téléphone de son frère.

Danny Laurence n'était plus le séduisant jeune homme dont elle avait gardé le souvenir. Certes, il avait de l'allure dans sa chemise bleue d'adjoint du shérif, mais il avait pris un peu de ventre — conséquence, sans doute, de la sédentarité et des bons repas pris à la maison tous les soirs.

Il ôta son chapeau de cow-boy et s'assit à la table de la salle à manger. Ses cheveux coupés très court donnaient l'impression que ses oreilles étaient démesurément grandes. Avait-il toujours eu des oreilles comme ça ?

— Content de te voir, fit-il. J'avais l'intention de te rendre visite un de ces jours, histoire de parler du bon vieux temps.

— Moi aussi. Et je suis impatiente de connaître celle qui a réussi à convaincre Danny Laurence de la conduire jusqu'à l'autel !

— Elle s'appelle Sandra, dit-il avec tendresse. Je suis sûr qu'elle te plaira. C'est vraiment quelqu'un, tu sais.

— Tu dirais qu'elle est plutôt Bleu ciel ou Vert clair ?

Il éclata de rire. Heather et elle attribuaient ces codes aux garçons, autrefois.

— Mon Dieu, ça ne nous rajeunit pas ! Bleu ciel, ça voulait dire « chiffe molle », non ? Et Vert clair, c'était « O.K. ».

— Exactement. Et Flamme rouge, danger !

Ce qui cadrait parfaitement avec la situation actuelle puisque *rojas* signifiait « rouge » en espagnol.

— Ma Sandra est Vert clair, aucun doute là-dessus.

Elle était heureuse qu'il ait trouvé le bonheur. Mais cela ne l'étonnait pas : Danny avait toujours été le garçon le plus populaire du secteur.

Elle lui tendit un verre de citron pressé et s'installa en face de lui. Il était assis à l'exacte place qu'avait occupée Jack, mais l'atmosphère était bien différente. Avec Danny, elle se sentait à son aise — prête à rire de blagues stupides en se tapant sur l'épaule. Il ne subsistait rien de ce magnétisme sulfureux dont elle avait été la proie en présence de Jack. Le baiser qu'ils avaient échangé lui revint à la mémoire et les poils de ses bras se hérissèrent. Il fallait à tout prix qu'elle trouve le moyen de l'aider.

Si seulement elle avait pu parler franchement à Danny et poser les questions qui lui brûlaient les lèvres : le programme de protection des témoins avait-il une cache dans la région ? Avait-il entendu parler d'un témoin en fuite ? Quelle protection pouvait-on garantir à Jack contre un caïd de la drogue qui cherchait à se venger d'avoir été dénoncé ?

Mais l'approche directe était à proscrire. Si Danny n'était pas au courant, elle ne tenait pas à attirer sur lui les foudres de Rojas, ni à se rendre responsable d'un bain de sang dans le comté de Douglas.

Danny but une gorgée de citron pressé.

— Alors, que se passe-t-il ? Pourquoi voulais-tu me voir ?

— C'est à propos de ce cheval que j'ai trouvé chez moi. Est-ce que quelqu'un l'a réclamé ?

— Aucun vol de cheval n'a été signalé. Ce n'est pas surprenant : des animaux qui s'égarent, ça arrive… Les propriétaires hésitent à alerter les autorités parce que, le plus souvent, leur animal rentre tranquillement tout seul au bercail.

— As-tu vérifié son tatouage ?

— Pas encore. Tu sais, le comté a beau être plutôt paisible, un cheval qui s'échappe, ce n'est pas vraiment une priorité.

A la décontraction avec laquelle il s'exprimait, Caitlyn comprit qu'il n'avait pas d'enquête liée à une fusillade sur les bras. Les fédéraux chargés d'assurer la surveillance de Jack n'étaient sans doute pas pressés de signaler la disparition de leur « protégé »… surtout s'ils étaient de mèche avec Rojas. Qui plus est, rien ne les obligeait à se mettre en relation avec les autorités locales. Les caches du programme de protection étaient d'autant plus sécurisées que le nombre de personnes au courant de leur emplacement était réduit.

— Je me demandais s'il n'y avait pas eu un peu… Comment dire ? D'agitation inhabituelle par ici, ces derniers temps ?

— D'agitation ? De quel genre ?

— Oh ! je ne sais pas… L'arrivée d'étrangers en ville. Des choses un peu bizarres.

Il cligna de l'œil.

— Je vois. Tu travailles sur un article, c'est ça ? Décidément, Caitlyn, tu n'as pas changé. Mademoiselle Je-sais-tout… Toujours à l'affût d'un scoop !

Agacée par ses taquineries, elle le regarda avaler une autre gorgée de citron et se passer la langue sur les lèvres.

— Toi non plus, tu n'as pas changé. Tu as toujours cette fâcheuse tendance à jouer les grands frères condescendants.

— Je me souviens que vous me suiviez, Heather et toi, quand j'allais à une fête à Bailey avec ma petite amie. Résultat : j'étais obligé de vous ramener à la maison.

Ah, vous pouvez vous vanter de m'avoir fait tourner en bourrique !

— Je n'ai aucun regret, répliqua-t-elle tout sourire. Bon, admettons que je travaille à un sujet — attention, je n'ai pas dit que c'était le cas… Est-ce que tu aurais quelque chose à me révéler ?

— Tu peux être plus précise ?

Justement, non… Pas sans le mettre en danger.

— Eh bien, je me demandais si le FBI ou les marshals fédéraux n'auraient pas une opération en cours dans notre région ?

L'expression de Danny se fit sérieuse.

— Le FBI ? Caitlyn, si tu sais quelque chose, je veux que tu me le dises.

— Mais non ! Absolument rien.

— Alors, pourquoi ces questions ?

Consciente qu'elle avait trop dévoilé son jeu, Caitlyn changea de sujet.

— Connais-tu un dénommé Jack Dalton ?

— J'ai appréhendé cet abruti hier soir au Gopher Hole pour ébriété et trouble à l'ordre public. Il dessoûle derrière les barreaux.

Cela résolvait le mystère de l'artisan qui n'était jamais arrivé chez elle — le vrai Jack Dalton.

— J'ai failli l'embaucher pour faire des travaux chez moi.

— Nom d'un chien ! Ne me dis pas que ce Dalton est un agent du FBI ?

— Bien sûr que non. C'est juste un type qui a des problèmes. A ce propos, tu pourras lui dire, quand il émergera, que l'offre d'emploi ne tient plus.

— Ecoute, Caitlyn, je te trouve… bizarre. Tu ne veux pas me dire ce qui ne va pas ?

— Oh ! c'est simplement cette histoire de cheval… Ça me rend un peu nerveuse.

L'idée la traversa de mentionner les deux hommes armés, mais elle jugea préférable de s'en abstenir. Danny ne pouvait rien contre eux, de toute façon.

Elle vit l'irritation, dans son regard, céder peu à peu le pas à la compassion. Il lui tapota le bras.

— C'est bien normal, après ce par quoi tu es passée. Heather m'a raconté l'enfer que tu avais vécu lorsque tu étais en Afghanistan. Elle se fait du souci pour toi.

S'il était une chose dont elle ne voulait pas, c'était bien de sa pitié.

— Ça va, nsi tu le dis. En tout cas, sache que tu peux m'appeler à tout moment si tu as besoin de moi.

— En cas de problème relevant du code Flamme rouge, je n'y manquerai pas.

Il sortit sur le porche et se retourna vers elle.

— Au fait, le shérif vient juste d'engager un nouvel adjoint, un type qui était en Irak. Il est célibataire. Si jamais tu as besoin de parler, je suis sûr qu'il…

Elevant les deux mains, elle l'interrompit.

— Ça alors ! Si on m'avait dit que Danny Laurence jouerait un jour les marieurs !

Il haussa les épaules.

— Il faut croire que c'est ce qui arrive quand on a rencontré l'amour et qu'on en remercie le ciel tous les jours. On a envie que tout le monde connaisse le même bonheur.

— Eh bien, quand je serai prête à entrer dans la danse des célibataires en mal d'âme sœur, je te le ferai savoir.

— Touché !

— Merci d'être venu, conclut-elle en le gratifiant d'un sourire.

— A bientôt.

Elle le regarda partir au volant de sa voiture de police, dont la portière était ornée du logo du comté de Douglas. Exception faite de la confirmation que le véritable Jack Dalton n'était pas l'homme qui était venu chez elle, cette conversation ne lui avait rien appris qu'elle ne sût déjà. Son Jack Dalton était en réalité Tony Perez, mais il ne voulait pas utiliser cette identité. Pourquoi ? Parce que c'était un repenti ? Elle voulait croire qu'en acceptant de témoigner, Tony Perez avait définitivement tourné le dos à son ancienne vie.

Elle embrassa du regard les collines où elle l'avait vu disparaître, à cheval. Il devait être à des kilomètres à présent.

Il lui manquait.

Du reste, le vrai Jack Dalton lui faisait défaut, lui aussi. Sans artisan, réparer le toit de la grange n'allait pas être une mince affaire. Bah, après tout, qui s'en souciait ? Le toit fuyait, certes, mais cela ne lui semblait plus aussi important qu'auparavant.

Au fil des semaines passées, elle avait occupé ses journées à projeter toutes sortes de travaux : du nettoyage, de la peinture, des réparations diverses et variées. En comparaison de la passionnante quête d'identité de Jack, tout cela lui semblait vide de sens désormais, de l'énergie gaspillée en pure perte. Se documenter, mener une enquête en vue de la rédaction d'un article, c'était là ce qui la faisait se sentir vivante. Elle était journaliste ! C'était cela, et rien d'autre, qu'elle voulait faire de sa vie.

Sa décision était prise. Le temps était venu de mettre fin à cet isolement qu'elle s'était imposé. Son regard erra sur la prairie d'herbes folles et d'armoise, puis, au-delà, sur les pentes abruptes, recouvertes d'une forêt dense. Un paysage majestueux et riche, mais où elle ne se sentait pas dans son élément.

Son rôle, c'était de suivre cette affaire, de mener l'enquête. Faire sa valise ne lui prendrait pas longtemps ; elle avait l'habitude de voyager léger. Dans quelques minutes, elle roulerait vers l'aéroport international de Denver, où elle attraperait le premier vol pour Chicago.

Mais si jamais Jack avait des ennuis ? S'il revenait ? Non, elle devait rester, ne serait-ce que vingt-quatre heures. Et, quitte à être là, autant s'attaquer à la réparation de ce maudit toit !

Elle rentra dans la cabane et se munit de sa ceinture à outils puis, mue sans doute par un besoin de sécurité accru du fait des récents événements, elle sortit en prenant soin de verrouiller la porte principale et la porte de derrière, elle qui, en temps normal, ne fermait jamais la maison à clé.

Le soleil de la mi-journée réchauffait ses épaules. Elle menait une vie idyllique ici, mais ce n'était décidément pas sa place. Comment avait-elle pu se laisser ainsi gagner par le doute ? Il était tellement évident que sa raison de vivre était le reportage ! De quoi avait-elle eu peur ? *Oh ! voyons... D'un million de choses, au bas mot !* Non qu'elle fût un code Bleu ciel... Elle avait toujours été d'un naturel plutôt intrépide, et le fait de vivre dans une zone de guerre avait achevé de l'endurcir. Confrontée au danger et à l'horreur au quotidien, elle avait appris à faire taire ses émotions, à refouler la peur. Mais celle-ci n'avait pas disparu pour autant.

Bien qu'elle n'en eût jamais parlé à quiconque, elle avait connu depuis son retour des accès de pleurs incontrôlables, des cauchemars, des hallucinations, même. Une fois, elle avait entendu un hélicoptère passer au-dessus de sa tête et la panique l'avait submergée. Elle s'était jetée à terre, recroquevillée sur elle-même, les mains sur la tête. Il fallait se faire une raison : elle n'était pas — ou plus — taillée pour couvrir les guerres.

Pour autant, rien ne l'obligeait à renoncer au journalisme ; partir en reportage ne signifiait pas forcément foncer bille en tête au-devant des pires périls.

S'avançant dans l'écurie, elle leva la tête et contempla la charpente. L'un des trous était assez large pour laisser passer la lumière du jour.

Dans le box, près de la porte, la jument poussa un hennissement en frappant le sol du sabot.

— Oh ! Lacy… Désolée, tu n'as pas eu ta promenade aujourd'hui ! Un peu de patience… Tout à l'heure, O.K. ?

Lacy secoua la tête comme pour marquer son désaccord. Caitlyn considéra le box vide, juste à côté. La pauvre bête se retrouvait abandonnée à son sort, enfermée dans son box, sans son compagnon, et privée de sa sortie quotidienne.

— D'accord, d'accord. Mais juste un petit tour, alors.

Caitlyn venait juste de seller la jument lorsque, tournant la tête, elle vit le 4x4 noir remonter son allée.

5

Après son départ de la cabane, Jack avait continué à se découvrir une multitude de talents qu'il ne se rappelait pas posséder. Mais, s'il en était un qui ne figurait pas à son palmarès, c'était clairement l'équitation. Chaque fois qu'il essayait de faire trotter Fabio, il se mettait à rebondir sur sa selle comme un pantin désarticulé.

Heureusement, l'étalon palomino était un vrai génie. Il réagissait à ses talonnades maladroites avec une intelligence intuitive qui forçait son admiration et, tant bien que mal, monture et cavalier parvinrent à se frayer un chemin au milieu de la végétation dense de la forêt. Ils trouvèrent un ruisseau où le cheval put se désaltérer, puis des formations rocheuses qui pourraient, le cas échéant, servir de cachette.

Las d'avoir les bras fouettés par les branches, Jack avait enfilé le sweat-shirt que Caitlyn avait eu l'idée judicieuse de lui donner. Il ne s'était pas attendu à tant de générosité de sa part. Et encore moins à ce qu'elle l'embrasse. Ce baiser… Il avait vraiment compté. Au-delà de la satisfaction physique que lui avait procuré le fait de tenir une femme dans ses bras, il avait éprouvé quelque chose de bien plus profond, comme si un lien invisible les unissait. Le souvenir de ce que c'était que d'être amoureux traversa sa mémoire, mais il reflua dans les replis de son esprit aussi vite qu'il était venu.

Il ne pourrait rien y avoir entre Caitlyn et lui. S'il survivait aux quatre prochaines journées, il devrait démarrer une nouvelle vie, sous une autre identité, en tant que témoin protégé. Et elle n'en ferait pas partie.

Regardant le ciel à travers l'entrelacs des cimes, Jack nota la position du soleil et en déduisit où se trouvait le nord. Cette aptitude à se repérer lui venait de l'entraînement qu'il avait suivi en extérieur, dans un endroit aride, difficile… Un désert. Il se souvint d'un instructeur qui parlait espagnol et aussi — surprise, surprise ! — de sa capacité à comprendre ce que l'homme lui disait. Bien. Il était donc bilingue. Autre compétence qui pouvait se révéler utile.

Il possédait également un sens aiguisé de la survie. Rojas et ses hommes étaient à ses trousses, il le savait, de même que les fédéraux censés assurer sa protection et qui l'avaient trahi. Ses poursuivants devaient avoir accès à de la haute technologie. Bien qu'il n'eût pas entendu d'hélicoptère jusqu'à présent, il était très possible que toute la zone fasse l'objet d'une surveillance aérienne. Son plan consistait donc à progresser sous les arbres, à couvert, jusqu'à la nuit tombée.

Il continua sa route vers le nord, suivant à peu près la direction qu'avait prise le van à chevaux qu'il avait vu sur la route menant à la cabane de Caitlyn. Le logo imprimé sur sa portière proclamait « Ranch Circle L, Pinedale, Colorado ». Ma foi, localiser la bourgade la plus proche ne pouvait pas nuire, et Fabio semblait savoir où il allait. Il laissa donc le grand cheval poursuivre tranquillement son avancée dans la forêt, jusqu'à ce qu'ils atteignent une crête surplombant une prairie.

De ce point de vue dominant, Jack aperçut un petit troupeau de bovins noirs, de vingt-cinq à trente têtes. Des cow-boys s'affairaient autour d'un point d'eau. L'espace d'un instant, il hésita à descendre et à leur demander asile pour la nuit. Dans un ranch, il y avait toujours de la place pour se cacher. Mais il ne pouvait pas courir le risque de mettre des innocents en danger. Si Rojas les soupçonnait de l'avoir aidé, il les tuerait tous sans le moindre scrupule. La règle en vigueur dans les cartels de la drogue était simple : régner par la peur et la plus extrême violence.

Mark Santoro avait-il été à l'image de ces truands ? Jack avait respecté cet homme, O.K., mais ce n'était pas parce qu'il l'aimait bien que cela faisait de Santoro — et de lui – des citoyens au-dessus de tout soupçon.

Une pensée s'imposa soudain clairement à lui : *Aucun crime ne justifie qu'on se fasse justice soi-même.* Il croyait en ce principe. Et pourtant, il l'avait violé, il en avait la certitude. Il s'était rendu coupable d'une exécution. Les circonstances demeuraient floues, mais Jack avait bel et bien abattu un homme désarmé.

Tirant sur les rênes de Fabio, il lui fit faire demi-tour et ils s'enfoncèrent de nouveau dans la forêt. Il n'arrivait pas à se sortir de l'idée que Rojas pouvait revenir. Gregorio Rojas était réputé pour ses coups de tête et la brutalité de ses réactions. S'il ne trouvait pas d'autre piste, il pouvait fort bien revenir pour forcer Caitlyn à parler. Même si elle ne savait rien. Même si elle était innocente.

Parvenu à proximité de la cabane, il attacha Fabio à un arbre et s'installa pour surveiller les abords de l'habitation. Un espace dégagé en forme de triangle s'étendait jusqu'à la porte de service. L'arrière de la grange n'était qu'à deux cents mètres de distance. Prenant appui contre un rocher tiédi par le soleil, il ouvrit l'une des bouteilles d'eau et mordit dans une barre de céréales. Cela lui ouvrit l'appétit. Un repas complet aurait été le bienvenu — un bon steak avec des pommes de terre. Assorti, peut-être, d'un verre de chianti et d'un cigare.

Le souvenir de ces riches saveurs titilla son palais. Le reste de son passé demeurait nébuleux, mais il savait ce qu'il réclamerait pour son dernier repas. Mentalement, il inhala l'arôme d'un tabac doux. Un cigare de Cuba, bien sûr.

Lorsqu'il vit le véhicule de police s'arrêter dans la cour de Caitlyn, il supposa qu'il s'agissait de l'ami dont elle lui avait parlé. Danny, le shérif adjoint. Il était grand, semblait plutôt bel homme. Il donna l'accolade à Caitlyn sur le porche… Une accolade qui dura un tantinet plus longtemps que la simple politesse l'exigeait. Un ex-petit ami ? Pourvu qu'elle ne se sente pas obligée de parler de lui à l'ami Danny ! Il ne lui manquerait plus qu'un avis de recherche lancé par le bureau du shérif… Comme s'il n'y avait pas assez de gens à ses trousses !

Jack regarda Danny s'en aller tout seul, déçu que Caitlyn ne l'accompagne pas. Au moins aurait-elle été en sécurité, avec un policier armé à son côté.

Seule, elle était vulnérable.

Il songea à se faufiler jusqu'en bas de la pente pour lui demander de venir avec lui, mais il se ravisa. *Mauvaise idée.* Avec lui, elle serait vraiment en danger. *Rester tranquille. Observer. Ne pas bouger.*

Caitlyn paraissait reprendre le cours ordinaire de sa vie. Il la vit émerger de la porte arrière et se diriger, munie de ses outils, vers la grange. Son obstination le fit sourire. Décidément, rien ni personne ne l'empêcherait de réparer ce toit !

Il était presque sur le point de se détendre lorsqu'il aperçut le 4x4 noir au loin. Il roulait trop vite sur la route gravillonnée. A tombeau ouvert.

Vite ! Il fallait qu'il sorte Caitlyn de là. Il se redressa

et se mit à courir. Puis, instinctivement, il fit un bond de côté et se courba en deux pour éviter la zone à découvert, approcher sans être vu.

Le SIG à la main, il dévala la pente aussi vite qu'il le pouvait, la tête rentrée dans les épaules. Il avait vérifié le chargeur ; il lui restait quatre balles. S'il se glissait à l'arrière de la grange, il aurait les hommes en ligne de mire. Il éliminerait d'abord le gorille, Drew Kelso. Puis, ce serait au tour de Rojas.

La grosse voiture noire stoppa dans l'allée. Quatre hommes et Rojas en descendirent. Cinq cibles, et il n'avait que quatre balles. Pas besoin d'être un as en calcul pour comprendre que la situation n'était pas en sa faveur.

Kelso marcha droit sur la cabane, l'arme au poing. Il donna un coup de pied dans la porte.

— Sors de là, sale menteuse ! Ouvre !

Les autres se tenaient juste derrière lui.

Jack s'accroupit à la lisière des arbres, réfléchissant rapidement. Il devrait avancer à découvert pour rejoindre l'arrière de la grange. Il contempla la paroi de bois grisé par les ans. Pas d'issue de ce côté-là. Ç'aurait été trop facile.

Caitlyn surgit par la porte principale, à l'avant du bâtiment, chevauchant la jument baie, sa ceinture à outils autour des hanches. Si elle tentait d'atteindre le grand portail du corral, cela la rapprocherait de Rojas. Heureusement, il la vit orienter sa monture dans la direction opposée — vers lui, toujours caché sous les arbres — et la lancer au grand galop. Tout au bout, un petit portail — fermé — donnait sur un champ.

Elle fonçait droit dessus, penchée en avant, debout sur ses étriers. C'était une cavalière chevronnée, cela sautait aux yeux, et il ne put s'empêcher de l'admirer.

Trop occupés à vociférer et à forcer la porte de la cabane, Rojas et ses hommes ne l'avaient pas vue.

Il courut à travers bois pour aller ouvrir le portail. Caitlyn n'en était plus très loin. *Vas-y, ma belle, tu vas y arriver !* Si elle parvenait à sortir du corral, elle était sauvée.

Les cris, du côté de la cabane, changèrent soudain de tonalité. Ils avaient repéré leur proie. Devançant les autres, Kelso courait vers le corral. Une rafale de coups de feu déchira l'air.

Caitlyn se raidit subitement. Elle tira sur les rênes.

Bon sang, mais qu'est-ce qu'elle fait ?

Il était au portail, il ôtait le loquet, poussait le battant.

— Caitlyn ! cria-t-il. Par ici ! Vite !

Elle tourna la tête dans sa direction. Tout le sang semblait s'être retiré de son visage ; elle haletait, bouche ouverte, comme en état de choc. Avait-elle été touchée ?

A l'autre bout du corral, les cinq gangsters se ruaient dans l'enclos, les armes à la main.

Il fallait répliquer. Mais il ne disposait que de quatre balles. Il ne pouvait pas se permettre de manquer sa cible.

Il s'abaissa, un genou à terre, pointa le SIG vers le groupe et appuya sur la détente.

Kelso poussa un hurlement de douleur et s'attrapa la cuisse à deux mains avant de s'écrouler, face contre terre.

Ses compagnons marquèrent un temps d'hésitation. Ils n'avaient pas anticipé le danger ; ils s'étaient crus en présence d'une femme seule, désarmée.

Tirant parti de leur confusion momentanée, Jack pressa une seconde fois la détente, visant toujours les jambes. Un autre homme cria et s'effondra.

Sans demander leur reste, les autres battirent en retraite. Les lâches ! Ils ne savaient pas qu'il ne lui restait que deux balles. Empoignant les rênes du cheval de Caitlyn, il l'entraîna fermement vers le portail.

— Attendez, fit-elle d'une voix tremblante. Montez derrière moi.

Elle se déplaça vers l'avant pour libérer la selle et il glissa ses pieds dans les étriers. Puis il planta sans ménagement ses talons dans les flancs de la jument et celle-ci bondit en avant. Enfin ! Ils étaient sortis du corral !

— Où allons-nous ? demanda-t-elle.

— Dans la colline. A l'abri des arbres.

Derrière eux, deux détonations retentirent. Se penchant en avant, il l'enveloppa dans ses bras. La poignée d'un tournevis s'enfonça dans ses côtes.

Ils réussirent à atteindre la forêt.

Lançant un regard par-dessus son épaule, il vit Rojas qui les contemplait. La vengeance était sa seule raison de vivre. Ce salaud ne les lâcherait pas tant qu'il n'aurait pas eu sa peau. Et maintenant il avait une seconde cible dans le collimateur : Caitlyn.

Un terrible sentiment de culpabilité assaillit Jack. C'était sa faute si elle était en danger. A cause de lui, sa vie paisible n'était plus qu'un souvenir. Encore une mauvaise action à mettre au compte de Tony Perez — si telle était bien son identité.

— Où est Fabio ? s'enquit Caitlyn.

— Là-haut. Vers la droite.

Entendant encore les tirs de leurs poursuivants au loin, ils approchèrent de l'arbre où était attaché le cheval. Ce dernier hennit en les voyant arriver.

Jack mit pied à terre et le rejoignit tandis que Caitlyn reprenait sa position initiale en selle.

Elle posa la main sur sa ceinture à outils.

— Est-ce que je dois m'en débarrasser ?

— Non, gardez-la. On ne sait jamais… Une clé de douze, ça peut toujours servir.

— Je crois que nous devrions aller au ranch Circle L.

Si sa voix était encore mal assurée, elle avait repris des couleurs. Il ne savait pas ce qui lui était arrivé quand les coups de feu avaient éclaté, mais sa réaction l'inquiétait. C'était comme si elle avait été brusquement… tétanisée.

Il secoua la tête.

— Non, impossible. Nous mettrions en péril les gens du ranch. Suivez-moi.

Se volatiliser dans la forêt ne serait pas difficile, mais cacher leurs montures allait poser problème. Non seulement ils devraient trouver une grotte assez grande pour Fabio et Lacy, mais il leur faudrait faire en sorte que les animaux se tiennent tranquilles.

Il se tourna vers elle.

— Est-ce que vous avez vos clés de voiture ?

— Oui. Dans ma poche. C'est une chance, d'ailleurs… Normalement, je ne ferme jamais la maison à clé.

— Vous avez été bien inspirée. Ça a retardé Rojas et ses acolytes. Et ça vous a laissé le temps de vous échapper.

— Oh ! bon sang, grommela-t-elle. Je parie qu'ils ont défoncé ma porte ! Après tout le mal que je me suis donné pour restaurer la cabane !

Il la dévisagea, désarçonné. Un moment plus tôt, elle était paralysée par la peur et voilà que, tout à coup, elle semblait se soucier davantage des dommages causés à son habitation que des dangers qui la menaçaient !

— C'est un moindre mal, croyez-moi. Estimez-vous heureuse que Rojas n'ait pas réduit la maison à un tas de cendres.

— Ce serait terrible. Un incendie dévasterait des hectares de forêt.

Un éclair passa dans ses yeux bleus.

— Mais je suppose que les questions environnementales ne sont pas la préoccupation première des narcotrafiquants.

Incroyable… Elle avait recouvré son sang-froid au point d'être capable de plaisanter. De son côté, crispé sur sa selle, Jack était tendu à l'extrême. La lenteur de leur progression le long du cours d'eau le rendait fou. Il aurait voulu voler, mais ils ne pouvaient pas accélérer l'allure sans se mettre à découvert.

L'un derrière l'autre, ils gravirent une pente rocheuse qui les éloigna du torrent. Un rayon de soleil tomba droit sur la tête de Fabio. La crinière claire du cheval se mit à scintiller comme une balise lumineuse.

— Regardez la crinière de Fabio, lança-t-il. Il va falloir renoncer aux chevaux. Si on continue à pied et qu'on les laisse ici, que vont-ils faire ?

— Probablement trotter derrière nous.

C'était bien ce qu'il craignait. Il leva les yeux, regardant autour de lui. Une falaise de granit s'élevait au-dessus des arbres. S'ils la gravissaient, ils trouveraient peut-être des anfractuosités rocheuses où se terrer jusqu'à la nuit.

— J'ai une idée, reprit Caitlyn. Ces animaux appartiennent au Circle L. Si nous nous rapprochons du ranch et que nous les chassons, ils rentreront chez eux.

— Je vous l'ai dit. Nous ne pouvons pas impliquer d'autres que nous dans cette histoire. Si les chevaux rentrent seuls à l'écurie, cela mettra immédiatement la puce à l'oreille des gens du ranch. Et ils préviendront le shérif.

— Comme si c'était le plus grave qui puisse nous arriver !

Sa remarque sarcastique acheva de l'exaspérer. Il fit faire demi-tour à Fabio et vint se poster face à elle. Elle affichait un air blasé, désinvolte.

— Ecoutez, Caitlyn, il y a un temps pour tout. Et je

vous garantis que le moment est vraiment mal choisi pour faire de l'esprit.

— Que voulez-vous que je fasse ? Que j'éclate en sanglots ?

Les larmes auraient certainement été plus appropriées au contexte que cette attitude fanfaronne.

— Rojas cherche à nous tuer. Ce n'est pas un jeu. Ce n'est pas une jolie petite aventure que vous coucherez sur le papier pour la joie de vos lecteurs.

— Une jolie petite aventure ? Vous ne savez rien de la nature exacte de mon travail !

— Eh bien, allez-y, je vous écoute.

— J'étais avec les militaires sur la ligne de front, au Moyen-Orient. J'ai vu de près les atrocités de la guerre.

— Il y a une différence entre être en reportage dans un pays en guerre et être une cible directe.

— Ah oui ? Parce que vous croyez que les bombes font la distinction ? Les mines antipersonnel ne savaient pas que j'étais journaliste. Croyez-moi, Jack, je sais ce que c'est que d'être en danger. Je me souviens de chaque minute, chaque terrible minute. Parfois, je me réveille la nuit en…

Elle n'acheva pas sa phrase. Jack la regarda. Il comprenait mieux maintenant pourquoi elle s'était soudain pétrifiée au moment de quitter le corral.

— C'est ce qui s'est passé quand vous avez entendu les coups de feu, n'est-ce pas ? Vous avez eu un flash-back.

— Le seul moyen que j'ai trouvé pour contenir la panique, c'est de faire comme si elle n'existait pas, comme si tout s'était effacé de ma mémoire. Seulement, ce n'est pas le cas. Je ne peux pas oublier. La peur est imprimée dans mon cerveau.

S'ils voulaient survivre, il allait falloir remédier à ce problème. Qu'elle reste maîtresse d'elle-même en toute circonstance. Qu'elle contrôle ces réminiscences qui la privaient de ses réflexes, de sa capacité à réagir.

Sinon, ses souvenirs traumatiques les conduiraient tout droit à la mort.

6

C'était plus fort qu'elle, Caitlyn ne pouvait s'empêcher de masquer sa frayeur par une bonne dose d'ironie. Tourner les choses en dérision contribuait à créer un sas entre elle et sa peur, une sorte de zone tampon. Un confrère reporter, en Irak, se plaisait à dire d'elle qu'elle était la reine de l'humour noir. Mais que faire d'autre, à part s'endurcir jusqu'à avoir un bloc de granit à la place du cœur ?

Dans nombre de situations d'urgence ou de combat, elle avait su garder son sang-froid et suivre les instructions à la lettre. Mais le retour des criminels à sa cabane l'avait prise au dépourvu, si bien que la peur l'avait submergée. Ça ne devait pas se reproduire. Son absence de réaction avait bien failli leur coûter la vie.

Comblant l'espace qui séparait leurs chevaux, Jack esquissa un geste pour lui toucher gentiment le bras. Elle le rabroua d'une tape sur la main et détourna les yeux.

— Ça va. Laissez-moi tranquille.

— Caitlyn, écoutez-moi, les réseaux de crime organisé…

— Inutile de rabâcher. J'ai compris. J'ai lu quantité d'articles sur les cartels de la drogue, je sais tout ce qu'il y a à savoir sur eux : qu'ils ont la culture de la vengeance et sont réputés pour leur barbarie. Que leurs victimes sont décapitées, démembrées, brûlées vives, qu'ils dissolvent les cadavres dans des cuves d'acide. Je sais de quoi Rojas est capable.

— Regardez-moi.

A regret, elle s'exécuta. Les yeux de Jack étaient deux fentes de jade. Un muscle joua sur sa mâchoire. Avec cette expression implacable, il avait l'air d'un vrai guerrier. Calmement, elle déclara :

— Je suis contente de vous avoir avec moi.

— Je ne les laisserai pas vous faire du mal, Caitlyn.

Une lueur d'acier brilla dans son regard.

— Et, croyez-moi, je ne fais jamais de promesses à la légère.

Et comment comptait-il s'y prendre ? Certes, il avait de la ressource et avait fait la preuve qu'il était un tireur hors pair quand elle avait été attaquée, mais il était seul.

— Il nous faut de l'aide.

— Pensez-vous vraiment que votre ami Danny soit de taille à affronter un Rojas ?

— Que savez-vous de Danny ?

— N'est-ce pas le policier qui est venu vous voir ?

Caitlyn le dévisagea.

— Vous étiez là. Vous êtes revenu surveiller la cabane…

Cette marque d'attention la toucha. Au lieu de mettre autant de distance que possible entre Rojas et lui, il était resté pour la protéger.

— … Comment saviez-vous qu'ils reviendraient ?

— Je ne le savais pas. C'était juste le pire scénario.

Il scruta la forêt d'un regard impatient.

— C'est une règle chez moi : toujours prévoir le pire et croiser les doigts pour qu'il n'arrive pas.

— Une règle que vous avez apprise auprès de Santoro ?

— Santoro…

Il hésita.

— Ce n'était pas mon cœur de métier. Revenons à

Danny. Vos embrassades n'en finissaient plus… Vous êtes très proches ?

— Je le connais depuis l'enfance. C'est un peu comme un grand frère pour moi. Quoi qu'il en soit, qu'est-ce que ça peut vous faire que nos embrassades aient duré longtemps ou pas ? Vous êtes jaloux ?

— Bien sûr que non, quelle idée !

Il s'était récrié un peu trop vite. Il était bien jaloux.

— Danny est marié et heureux en ménage.

— Tant mieux pour lui. Bien, maintenant, voilà mon plan : nous allons conduire les chevaux jusqu'à un champ, dans la vallée, où nous les laisserons. Ensuite, on remonte ici, on grimpe dans les rochers et on trouve un endroit où se cacher jusqu'à la nuit.

— Je connais la région mieux que vous. Laissez-moi passer devant.

— O.K., mais dépêchez-vous.

Tandis qu'elle traversait une petite clairière, derrière un bosquet de pins, elle repensa aux informations fort intéressantes que Jack lui avait livrées : il tenait suffisamment à elle pour être revenu monter la garde près de sa maison, et il avait ressenti de la jalousie en voyant un autre homme la serrer contre lui. C'était donc qu'il éprouvait de l'attirance pour elle. Après tout, il l'avait embrassée.

Et, pour être honnête, elle devait reconnaître que cette attiance était réciproque. Il était beau, agressif, viril et… totalement inaccessible. C'était bien sa chance de tomber sur un homme qui avait travaillé pour une organisation criminelle et allait être placé sous programme de protection des témoins !

Lorsqu'ils eurent atteint la rivière en bordure du champ, elle descendit de cheval, imitée par Jack, retira les selles et à l'aide d'un des rênes donna une petite tape sur les pattes avant des animaux. Abandonner Fabio et

Lacy dans la nature pour un laps de temps indéterminé ne lui plaisait guère, mais, dès que Jack et elle seraient en sécurité, elle appellerait Heather pour lui indiquer où trouver les chevaux.

Jack se chargea du petit sac à dos qu'elle lui avait préparé.

— Donnez-moi votre ceinture. Nous allons marcher vite et elle est lourde.

Sans commentaire, elle déboucla la ceinture et la lui tendit.

— De combien de temps disposons-nous avant qu'ils ne se lancent à notre recherche, à votre avis ?

— Pas longtemps.

Il fixa la ceinture autour de ses hanches, puis empoigna son arme.

— Ils ont deux blessés... Il leur aura fallu trouver un moyen de transport adapté à la forêt... Ça prend du temps, mais je pense qu'ils sont déjà en route.

Elle réprima un frisson.

— Ça, c'est le pire scénario, je présume ?

— Non. Le pire, ce serait qu'ils nous rattrapent.

Il balaya les rochers du regard, puis leva la tête.

— Pensez à marcher le plus possible sous les arbres.

— Pourquoi ?

— En cas de surveillance aérienne.

Il pensait vraiment à tout.

— Un avion ? Vous croyez que c'est possible ?

— Assez discuté. En route. Et au pas de course, de préférence.

Même si elle ne pratiquait pas d'activité sportive régulière, Caitlyn était en bonne condition physique. Elle se mit à courir, sautant par-dessus les souches d'arbres et baissant la tête pour éviter les branches basses. Le rythme soutenu de leur progression ne tarda pas à faire battre son cœur. Mais elle constata avec satisfaction qu'elle n'était pas essoufflée. Après un mois passé à la cabane, elle était habituée à l'altitude. Jack, en revanche, n'était probablement pas acclimaté à la raréfaction de l'oxygène. Elle jeta un coup d'œil par-dessus son épaule.

L'arme au poing, chaque trait de son visage empreint d'une féroce détermination, il courait sans montrer le moindre signe de fatigue.

— Plus vite, dit-il.

— Je fais attention, objecta-t-elle. Je n'ai pas envie de me tordre la cheville.

— Vous pouvez aller plus vite.

Elle accéléra l'allure. Lors de ses vacances en famille à la cabane, elle avait maintes fois crapahuté dans ces rochers avec son frère. Elle connaissait l'endroit rêvé pour se cacher. Les muscles de ses cuisses fournirent un ultime effort comme elle s'engageait dans la dernière partie de leur ascension.

Marquant une pause, elle respira un grand coup.

— On va descendre au fond de ce ravin, remonter sur l'autre versant et grimper sur ces gros rochers, là-bas.

— O.K.

Sa cachette n'était pas à proprement parler une grotte, plutôt une cavité naturelle formée par d'énormes blocs de granit amoncelés. La portion la plus périlleuse du parcours les attendait, tout en haut. Lorsqu'ils y arrivèrent, elle s'aplatit, dos à la paroi, et s'engagea prudemment sur une étroite corniche.

— Faites attention, lui recommanda-t-elle. Une chute ne serait peut-être pas mortelle, mais vous vous feriez sacrément mal.

Malgré l'encombrante ceinture d'outils, il se glissa sans peine à sa suite.

Parvenue à l'extrémité du passage, elle se faufila dans l'interstice entre deux blocs de pierre et se mit à descendre, cherchant précautionneusement du pied ses appuis. Peu à peu, une ombre fraîche l'enveloppa.

Elle se trouvait tout au fond, dans la caverne souterraine. Les eaux de la rivière ruisselaient le long de la roche et s'accumulaient dans une dépression, formant un petit bassin qui se déversait à son tour plus bas, dans une autre caverne, invisible depuis l'endroit où elle se tenait accroupie.

Jack s'assit à côté d'elle. Il n'avait pas assez de place pour étendre ses longues jambes sans tremper ses pieds dans le bassin.

— Bravo, Caitlyn. Bien joué. C'est une excellente cachette.

Assez de lumière pénétrait dans ce puits pour qu'elle le voie. Quand elle s'assit, dos contre la roche, au bord du bassin, elle sentit l'humidité pénétrer son jean.

— C'est vrai qu'il y a peu de chances qu'ils nous trouvent, ici. Il faudrait qu'ils grimpent là-haut et qu'ils aient ensuite l'idée de s'agenouiller et de se démancher le cou pour nous apercevoir. Est-ce qu'il vous reste des balles ?

— Deux.

Il déboucla la ceinture et se rapprocha d'elle.

— Le bruit du cours d'eau couvrira nos voix si nous parlons bas.

Les muscles de Caitlyn palpitaient encore de leur course à travers bois, mais la proximité de Jack fit naître en elle une palette de sensations d'une tout autre nature. En dépit du danger et de l'appréhension, elle songea combien il serait doux de se pelotonner contre lui et de sentir son bras s'enrouler autour de ses épaules.

Il désigna la saillie rocheuse où l'eau ruisselait.

— Il y a une autre grotte au-dessous, n'est-ce pas ?

— Deux autres. Une grande à laquelle on peut accéder

en suivant le cours d'eau. Puis une autre. Et, enfin, cette petite cavité.

— L'accès à la première caverne est-il facilement repérable ?

— Pas vraiment, surtout s'ils sont à cheval. Il faudrait qu'ils mettent pied à terre, et Rojas ne m'a pas paru particulièrement patient…

— N'oubliez pas mes chers anges gardiens du programme de protection… Les marshals fédéraux qui m'ont trahi.

Cette idée lui déplaisait souverainement, mais Rojas ne manquait pas d'argent pour soudoyer des policiers.

— Comment les marshals se justifieraient-ils, selon vous, si on vous retrouvait mort ?

— Ils pourraient prétendre que des hommes masqués ont fait irruption dans la cache et m'ont enlevé… Ou que je me suis retourné contre eux et qu'ils ont dû se défendre.

— Et moi ? Comment expliqueraient-ils ma mort ?

La pénombre adoucissait les contours de ses traits.

— Ils n'auraient rien à expliquer. Vous disparaîtriez, tout simplement. Il n'existe aucun lien tangible entre vous et moi.

— Si, la jument grise. Elle appartenait aux hommes chargés de vous protéger, à la cache. Un bon enquêteur ferait tôt ou tard le rapprochement entre ce cheval et ma disparition. Sans compter que Rojas et ses hommes ont tenté de pénétrer par effraction dans ma cabane. Ça éveillerait forcément les soupçons.

— Ils me mettraient ça sur le dos.

Sa voix douce se mêlait au clapotis de l'eau.

— Ou sur celui de mes prétendus ravisseurs. Les marshals ne seraient sans doute même pas suspectés.

Même si Rojas et ses hommes représentaient une menace directe, Caitlyn était plus préoccupée encore par ces policiers fédéraux. Ils ne s'introduiraient pas chez elle en tirant tous azimuts. Non, leur approche serait plus habile, plus subtile...

— Et s'ils entrent en contact avec Danny pour lui demander de participer aux recherches ? Il connaît cette caverne. Il pourrait les conduire à nous.

— Réfléchissez. Ils ne sont sûrement pas pressés de voir les autorités locales mettre leur nez dans leurs affaires. Pas tant que Rojas est dans les parages.

Regrettant de ne pas se sentir plus en sécurité, elle se laissa aller contre l'épaule de Jack. La chaleur de son corps contrastait avec la surface froide des rochers. Son bras vint se poser sur son épaule.

Allait-il l'embrasser de nouveau ? Elle aurait adoré renouveler l'expérience, mais elle était trop nerveuse pour pouvoir se détendre et s'abandonner aux sensations d'un baiser.

— A la nuit tombée, nous retournerons à la cabane et prendrons votre voiture.

— Mais... s'ils ont laissé des gardes en faction ?

— Si c'est le cas, je le saurai.

Il avait l'air tellement sûr de lui qu'elle le crut. Il avait travaillé pour le clan Santoro, ce qui impliquait à l'évidence qu'il s'y connaissait en armes à feu et maîtrisait la technique du corps à corps. Mais le champ de ses compétences semblait beaucoup plus vaste.

— Je ne sais pas grand-chose de vous. Avez-vous reçu une formation spécifique en matière de surveillance ?

— Je suis resté pendant deux heures près de votre cabane... Vous êtes-vous doutée de ma présence ?

— Non, mais je vous croyais loin.

— Je sais filer quelqu'un, observer sans être vu, passer le temps qu'il faut en planque sans me faire repérer. J'ai appris tout ça d'un vieil homme qui vivait en Arizona.

C'était un limier, un vrai chasseur. Il m'a appris à me fondre dans la nature, à sentir venir une menace.

— Sentir une menace ? Comment s'y prend-on ?

— Il faut être en état d'hyper-réceptivité. A l'affût du moindre signe.

Il montra une lueur vacillante sur la paroi rocheuse.

— Vous voyez ce rond de lumière ? Il provient de la caverne située en contrebas. Si une ombre s'y glisse, je saurai que quelqu'un tente d'approcher.

Elle hocha la tête. C'était élémentaire, mais elle n'y avait pas pensé.

— Quoi d'autre ?

— Ecoutez le ruissellement de l'eau de cette grotte dans celle du dessous… Il compose un enchaînement de sonorités particulier. Si quelqu'un mettait le pied dans l'eau, en bas, cela romprait le motif sonore. Même si l'intrus se montrait très discret, je saurais qu'il est là.

Elle eut beau se concentrer sur le bruit de l'eau, elle n'entendit qu'une suite de gargouillis et de clapots.

— Cette histoire d'ultraperception… ça m'évoque des pratiques zen ou chamaniques. Votre professeur était-il une sorte de gourou ?

— Il n'employait pas ce terme-là, mais… oui.

Jack dit une phrase en espagnol, qu'il traduisit ensuite.

— « La sagesse naît d'un esprit ouvert et d'une profonde simplicité. »

— Vous parlez espagnol. Etes-vous mexicain ?

— C'est important ?

— Pas vraiment. Mais je dois dire que vous avez aiguisé ma curiosité. D'où vous viennent ces cicatrices sur la poitrine ?

— A votre avis ?

— Vous faites exprès de vous montrer énigmatique et évasif.

Et cela commençait à l'irriter.

— Vous n'avez aucune raison de faire tant de mystères. Je sais déjà que vous n'êtes pas le vrai Jack Dalton puisque Danny m'a dit qu'il cuvait en prison après avoir été arrêté pour ébriété et atteinte à l'ordre public. Je sais aussi que vous devez témoigner dans un important procès fédéral. Et je suis à peu près certaine que vous êtes Tony Perez.

— Il semblerait que vous ayez fait le tour de la question.

De son point de vue, elle avait à peine commencé à gratter la surface de l'homme complexe qu'il était. Et il ne lui facilitait pas la tâche.

— Quand je pose une question, j'aime bien obtenir une réponse. Dans quelles circonstances avez-vous été blessé ?

— Un accident de moto. Une attaque à l'arme blanche. Et on m'a tiré dessus par deux fois.

Il n'avait pas vécu une vie de tout repos, mais cela elle le savait.

— Pour quelle raison ? Comment cela s'est-il passé ?

— J'ai des ennemis. Et ce ne sont pas des tendres.

— Des gens du genre de Gregorio Rojas et de son frère…

Du pouce, il lui souleva le menton, puis il plongea son regard dans le sien. Son expression était insondable, mais ses yeux verts scintillaient d'une lueur rassurante. Elle se souvint de ce mercenaire qu'elle avait interviewé quelques années plus tôt en Afghanistan ; elle avait vu dans son regard une froideur glaçante, comme si son corps était une coquille vide, dépourvue d'âme. Elle ne ressentait rien de tel chez Jack. Certes, il avait dû tuer, elle en était sûre, mais il avait encore une conscience.

La crispation de sa mâchoire se relâcha comme il se penchait vers elle. Elle renversa la tête et ferma les yeux, attendant qu'il l'embrasse. Ses lèvres se pressèrent contre les siennes. Il recula un quart de seconde, puis s'empara plus avidement de sa bouche, mordillant sa lèvre inférieure, faisant glisser sa langue contre la surface lisse de ses dents.

La subtilité de son baiser aviva son désir et elle se pressa contre lui, réclamant davantage. Si ce n'était ni sage ni profondément simple, cela lui fournit en revanche l'occasion d'expérimenter une merveilleuse sensation d'hyper-réceptivité.

Il se tendit tout à coup et s'écarta. Sans un mot, il pointa du doigt la tache de lumière sur le rocher. Le rond s'était déformé. Elle nota une différence dans le gargouillement de l'eau.

Quelqu'un était entré dans la grotte, au-dessous d'eux.

7

Se déplaçant silencieusement pour ne pas trahir leur présence, Jack installa Caitlyn dans le recoin le plus sombre de leur cachette, au cas où la panique la gagnerait de nouveau. Préférant ne pas prendre le risque de jeter un coup d'œil en bas, il s'allongea à plat ventre sur la roche, près de l'eau.

Une voix résonna, au-dessous d'eux.

— Tu vois quelque chose ?

Le rayon d'une lampe de poche monta des profondeurs de la deuxième grotte. Jack s'en voulut de ne pas avoir exploré les lieux plus avant. De ne pas s'être mieux préparé. Derrière lui, Caitlyn semblait tendue, mais elle n'avait pas cette expression choquée qu'il lui avait vue quand elle avait entendu tirer.

Un bruit d'éclaboussure retentit.

— Nom d'un chien ! J'ai mouillé mes chaussures.

— Pas de trace de leur présence ?

— Non, rien.

— Bon, alors, on s'en va. De toute façon, ils sont à cheval ; ils ne sont sûrement pas restés aussi près de la cabane.

Jack se concentra. L'une de ces voix avait un accent texan qui ne lui était pas étranger.

La lumière s'éteignit ; des bruits de pas dans l'eau se firent entendre. Une voix plus lointaine déclara :

— Ce que je ne comprends pas, c'est pourquoi il n'a pas appelé de renforts s'il est venu chez cette femme. Il avait accès à un téléphone.

Jack se demanda à qui ils faisaient allusion. Qui aurait-il dû appeler ? Le Q.G. des Santoro était à Chicago. Ils ne pouvaient pas lui venir en aide depuis l'autre bout du pays.

— Qui sait ce qui peut lui passer par la tête ? rétorqua l'autre voix. On n'a pas affaire à un homme ordinaire. Ce gars-là est une légende.

— Ouais, je sais, je sais, répliqua le Texan. Il paraît qu'il s'est caché pendant six semaines dans la jungle pour pouvoir terminer une mission.

Les hommes continuaient à parler, mais ils étaient sortis de la grotte. Jack n'entendait plus que des bribes de leur conversation... Quelque chose à propos d'un « cavalier seul » et de « tuer un homme ».

Il ne se rappelait pas avoir survécu dans une jungle. Et de quel genre de mission avait-il bien pu être investi ? Plonger dans les méandres de sa mémoire lui faisait l'effet de tâtonner à l'aveuglette dans une brocante : on ne pouvait pas savoir s'il allait en sortir une médaille d'or ou du linge sale... vraiment très sale.

Lorsqu'il sentit la main de Caitlyn l'effleurer, il roula sur le dos et la regarda. Elle en avait entendu autant que lui ; les questions n'allaient pas tarder à pleuvoir. Mais, même s'il avait connu les réponses, il lui semblait sage de ne pas entrer dans les détails. Mieux valait parfois ne pas remuer certains souvenirs.

Il se rassit, toujours sans bruit. Elle était tout près de lui, agenouillée sur le roc, la mâchoire serrée. Dans un murmure à peine audible, elle dit :

— Ils sont partis ?

Il opina.

— Oui... Pour l'instant.

Exhalant un soupir, elle s'assit, les talons repliés. Il eut l'impression qu'elle avait retenu son souffle pendant tout le temps que leurs poursuivants avaient passé dans la grotte. Murmurant toujours, elle demanda :

— De quels renforts parlaient-ils ?

Si seulement je le savais. Espérant esquiver la question, il ouvrit son sac à dos.

— Une barre de céréales ? s'enquit-il en lui en tendant une.

Elle s'en empara et déchira l'emballage.

— Heureusement que je vous en ai donné plusieurs, je meurs de faim. Alors, cette histoire de renforts ?

Au temps pour sa diversion. Il jeta un coup d'œil au fond du sac. Il restait deux barres. Comme pour les balles, ils allaient devoir rationner leur nourriture. Il étudia l'inclinaison des rayons du soleil dans l'ouverture, au-dessus de leurs têtes.

— Il nous reste environ trois heures avant la tombée de la nuit.

— C'étaient les marshals fédéraux ?

Il haussa les épaules, espérant contre tout espoir la voir renoncer à le questionner.

Elle mâchonna sa barre énergétique, puis lui jeta un regard suspicieux.

— Alors ? C'est oui ou c'est non ?

— Eh bien, c'est difficile à dire, en fait.

— Comment ça, difficile à dire ? Cette façon que vous avez de vous exprimer par énigmes commence à me taper sur les nerfs, vous savez.

— Je vous dis la vérité.

— Comment voulez-vous que je vous croie ? L'un de ces hommes avait un accent à couper au couteau !

Noyer le poisson n'allait pas être aisé. Elle était intelligente et d'une ténacité à toute épreuve. Son regard erra sur les parois rocheuses qui les entouraient. La seule idée de devoir passer les trois heures à venir dans cet espace clos sous le feu roulant de ses questions le rendait fou. Mieux valait jouer cartes sur table et lui dire la vérité.

— Je ne me souviens pas.

— Vous ne vous souvenez pas… de quoi ?

— En fait, je ne me souviens pas de grand-chose. Ce doit être à cause de ce coup que j'ai reçu à la tête.

Elle se remit à genoux et crapahuta jusqu'à lui.

— Vous voulez me faire croire que vous souffrez d'amnésie ?

— Quelque chose comme ça.

— Oh ! pour l'amour du ciel, ne vous moquez pas de moi ! Si vous ne voulez pas me dire la vérité, ayez au moins le courage de l'admettre.

Son intonation caustique irrita Jack. Elle avait ajouté foi à tous ses mensonges quand elle l'avait pris pour l'artisan qu'elle attendait. Mais la vérité était plus dure à avaler.

— Très bien, croyez ce que vous voudrez.

— Si vous êtes amnésique, comment se fait-il que vous vous rappeliez de Mark Santoro ?

— Je l'ai vu tomber mort sur le trottoir, à Chicago. C'est un souvenir malheureusement très clair dans mon esprit.

Au travers de sa chemise, il effleura le tracé irrégulier de la cicatrice qui lui barrait le ventre… Lui aussi avait reçu une balle.

— Je n'ai jamais été soldat, mais je comprends les instructions militaires. Mark Santoro était en quelque sorte mon capitaine. J'étais censé le protéger et j'ai échoué. Ça, je ne risque pas de l'oublier.

— Et la cache du programme fédéral de protection ? Vous vous la rappelez ?

— Oui, plus ou moins…

Un toit de bardeaux, un long porche, une grange rouge… Oui, il devrait être capable de la reconnaître.

Haussant les épaules, il secoua la tête.

— Mais, tout ce dont je suis absolument certain, c'est que je dois être au procès mardi.

— Mmm.

— C'est la vérité.

— Cette amnésie qui vous frappe, reprit-elle d'un air sceptique, elle m'a l'air plutôt capricieuse, non ? Elle va, elle vient. Au gré de vos envies.

— Si seulement c'était vrai ! riposta-t-il en lui décochant un regard noir. Figurez-vous que, si j'avais su qui appeler à l'aide, j'aurais sauté sur le téléphone en arrivant chez vous. Jouer à cache-cache avec Rojas n'est pas vraiment mon passe-temps favori.

— Mmm. Les blessures à la tête causent toutes sortes de troubles étranges. Mais je ne sais pas si je dois vous croire.

— Croyez-moi ou pas, je m'en fiche. Une seule chose importe pour l'instant : que nous nous sortions de ce guêpier.

— Pourquoi ne m'avez-vous pas parlé de cette amnésie ?

— Parce que vous êtes la reine des enquiquineuses, dit-il en la saisissant aux épaules. Et que je n'ai pas envie de passer les deux heures qui nous restent à subir un interrogatoire de police !

Elle le repoussa.

— Lâchez-moi.

— Avec plaisir.

Il prit la ceinture d'outils derrière elle et examina l'éventail de tournevis, de limes et de râpes.

— Je suppose qu'il n'y a pas de couteau ni de pistolet à clous ?

D'un ton calme mais décidé, elle revint à l'assaut.

— Vous avez parlé de ce vieil homme dans le désert qui vous a dispensé des enseignements... D'autres souvenirs à ce propos ?

— Je me le rappelle bien, lui. Il m'a formé... Mais je ne sais pas exactement à quoi ni dans quelles circonstances.

Sans la regarder, il ajouta :

— Je sais que je parle l'espagnol, bien que j'ignore où je l'ai appris. Et que j'ai des compétences qui semblent correspondre à celles d'un tireur d'élite.

— Ça, je m'en suis rendu compte, à la cabane.

— Je ne sais pas non plus où j'ai appris à tirer. Je ne me souviens pas d'avoir été entraîné.

— Mais quand vous m'avez dit...

— Caitlyn, ça suffit.

Ses trous de mémoire importaient peu au regard de leur problème immédiat. Il fallait qu'ils s'éloignent de Rojas. Ils n'avaient déjà que trop tardé.

Caitlyn ne savait plus dans quelle position se mettre. De quelque côté qu'elle se tournât, son dos heurtait la pierre. Et elle commençait à avoir froid dans cette cavité aux parois suintantes.

Qui était cet homme ? A regret, elle décida d'accepter l'explication qu'il lui avait fournie. Après tout, sa blessure au crâne était bien réelle et un traumatisme de ce genre pouvait avoir des conséquences imprévisibles.

Bien. Donc, il était amnésique.

Quant à son identité, la seule plausible semblait être celle de Tony Perez, membre du clan Santoro. A ce titre, il devait témoigner au procès de l'aîné des frères Rojas.

Mais les propos qu'avaient tenus les hommes qui étaient venus dans la grotte, en bas, ne cadraient pas avec cette hypothèse. Quels secours Perez aurait-il été censé appeler ? Et cette histoire de mission dans la jungle… Ça ne collait pas non plus. Elle se prit à regretter de n'avoir pas eu le temps de pousser ses recherches sur internet un peu plus avant.

Jack avait beau dire qu'il ne répondrait plus à la moindre question, elle n'était pas du genre à capituler à la première injonction. Elle s'éclaircit la gorge.

— Il me semble qu'il nous serait extrêmement utile de savoir qui vous auriez pu appeler.

Il marmonna quelque chose d'incompréhensible.

— Si vous m'y autorisez, j'aimerais tenter de stimuler votre mémoire. On pourrait commencer par la dernière chose dont vous vous rappelez et remonter ensuite dans le temps… Qu'en dites-vous ?

Elle vit ses phalanges se resserrer autour du manche du tournevis qu'il avait en main, puis il se mit à faire tourner l'objet entre ses doigts.

— Ecoutez, vous voudriez trouver une solution expresse pour me faire retrouver la mémoire. Moi aussi, j'aimerais bien. Mais l'amnésie, ce n'est pas comme égarer ses clés ou oublier l'endroit où l'on a garé sa voiture. Il y a dans mon cerveau des blancs que je suis incapable de combler.

Elle refusa de lâcher prise.

— Rien n'empêche d'essayer. Nous n'avons rien à perdre.

— Et si je ne *veux* pas me rappeler ?

De nouveau, il fit tournoyer le tournevis dans sa main. Sa dextérité était remarquable.

— Pourquoi ? Parce que vous préférez ne pas savoir ?

— Etre Jack Dalton, un homme sans passé, me convient.

Bien sûr, il avait peut-être commis des actes dont il n'était pas fier lorsqu'il travaillait pour Santoro, mais de là à tirer un trait définitif sur l'ensemble de son passé…

— Vous êtes quelqu'un de bien, Jack. Vous avez

écouté votre conscience et accepté de témoigner devant un tribunal fédéral pour faire tomber des gangsters.

— Je tiens à ce que Rojas paie pour l'assassinat de Mark Santoro.

— C'est un point de départ, l'encouragea-t-elle. Y a-t-il autre chose qui vous tienne à cœur ?

— Votre sécurité. Vous mettre à l'abri.

Il fixa son regard sur elle. Dans la semi-obscurité, elle ne distinguait pas clairement ses traits, mais elle sentait la chaleur qui émanait de lui. Comme si des braises ardentes couvaient en lui. Elle se sentit fondre. Si elle devait s'en tenir à ce que lui disait son corps, elle se moquait bien en cet instant d'où il venait et de qui il était. Mais elle ne renonça pas pour autant.

— Et si vous demandiez de l'aide à un membre du clan Santoro ?

Il eut un sourire en coin.

— Ils accueilleraient sûrement à bras ouverts une journaliste parmi eux.

Touché. Elle laissa passer quelques secondes.

— Mais… mieux vaut les Santoro que Rojas, non ?

— Laissez mon passé tranquille, Caitlyn.

Il se détourna d'elle et reporta son attention sur les outils. Entre ses mains, elle vit le grattoir à peinture se transformer comme par magie en un outil capable de taillader, le marteau et le pied-de-biche se muer en armes contondantes. Lorsqu'il eut retiré les clés et les tournevis de petite taille, il ajusta la ceinture de sorte qu'elle forme une sorte de holster.

Elle ne put résister à la tentation de poser une dernière question.

— Vous avez déjà fait ça ?

— Non, pas que je sache. Il faut croire que je suis doué pour l'improvisation.

— En fait, je sais qui vous êtes : MacGyver.

— N'importe quel objet peut devenir une arme. Une boucle de ceinture, un lacet de chaussure, un miroir, un caillou. En réalité, tout est dans l'intention.

— Et quelles sont vos intentions ?

— Etre paré en cas d'attaque. Franchement, j'espère ne pas avoir à me servir de tout cet attirail. Nous allons récupérer votre voiture et aller quelque part où je pourrai me rendre sans crainte aux autorités. A combien de kilomètres sommes-nous de Denver ?

— Environ une heure. Mais, si nous empruntons les chemins de traverse, je pense que Colorado Springs est plus proche.

Il jeta un nouveau coup d'œil à l'interstice entre les rochers.

— Encore deux heures avant le coucher du soleil. Nous ferions bien d'essayer de dormir un peu.

Elle avait appris, sur le terrain, avec l'armée, à voler chaque fois que c'était possible de précieuses minutes de sommeil, même dans un environnement difficile. Et elle était d'accord avec lui : autant profiter de leur inactivité forcée pour se reposer.

Jack s'installa contre la paroi du fond et lui fit signe.

— Venez. Calez-vous sur moi, ce sera plus confortable.

Ou pas. Chaque fois qu'elle approchait de lui, une pure concupiscence supplantait son instinct de survie. Pourquoi diable éprouvait-elle cette irrésistible attirance pour lui ? Bien sûr, il était follement séduisant, très masculin, avec son épaisse crinière noire et ses extraordinaires yeux verts. Mais elle avait vécu entourée de mâles à la virilité tout aussi exacerbée en Irak ou en Afghanistan et aucun, jamais, ne lui avait fait cet effet-là.

Il avait remarqué son hésitation. De nouveau, il lui décocha son sourire un peu goguenard, tellement sexy.

— Qu'est-ce qu'il y a ? Vous avez peur ?

— De vous ? rétorqua-t-elle un peu trop vite, d'une voix qui évoquait une crécelle rouillée. Ça m'étonnerait.

— Eh bien, alors, qu'attendez-vous ? Venez, utilisez-moi comme oreiller.

Un oreiller, c'était quelque chose de doux et de moelleux. Tout le contraire du corps dur, bardé de muscles de Jack. Jamais elle ne parviendrait à s'endormir, blottie contre lui.

Elle tira son portable de sa poche.

— Et si nous appelions tout de suite les autorités de Denver ?

— Vous plaisantez ? Les mobiles sont repérables par leur signal GPS.

— Je sais, je sais. Mais pas celui-ci. C'est l'appareil que m'avait confié mon ancien employeur ; il est sécurisé.

— Vous en êtes sûre ?

— Certaine.

— Attendons la nuit, décréta-t-il avant de fermer les yeux.

8

Jack ne dormait toujours que d'un œil. Ce n'était pas un vague souvenir rescapé de sa mémoire fluctuante, mais une certitude. Quand on avait le sommeil léger, c'était inscrit en vous aussi sûrement que le fait d'être droitier.

Adossé au roc de la caverne, il se laissa glisser dans un état de relaxation qui lui permettrait de recharger ses batteries, une partie de son cerveau demeurant en alerte. Tout petit déjà, il avait compris qu'il était important de rester à l'écoute afin de pouvoir entendre les pas chancelants dans le couloir et surveiller la porte de sa chambre, dans la hantise qu'elle ne s'ouvre pour livrer passage à l'homme qui lui voulait du mal. Son odeur était gravée dans sa mémoire : une odeur de sueur, de whisky, de malfaisance.

Le danger était omniprésent. Sa survie dépendait de son degré de préparation — à endurer la douleur de la gifle ou des coups de ceinture autrefois, à affronter Rojas aujourd'hui.

Ainsi au repos, il continuait à percevoir les mouvements de Caitlyn. Elle s'était d'abord roulée en boule au bord de l'eau, puis s'était levée, avait pris une barre énergétique dans le sac avant de marcher comme un lion en cage — deux pas dans un sens, deux pas dans l'autre, c'était toute la marge de manœuvre qu'offrait l'exiguïté de la caverne. Enfin, elle s'était décidée à venir près de lui. Sa tête reposait contre sa poitrine, son corps mince épousant les contours du sien.

Il l'attira plus près. La tenir dans ses bras lui procura un sentiment de bien-être et d'apaisement qui allait bien au-delà du simple plaisir d'étreindre une belle femme. Physiquement, ils étaient bien assortis. Et il y avait autre chose, cette étrange connexion entre eux. Son insatiable curiosité le rendait fou, mais il appréciait sa vivacité d'esprit, son dynamisme, son obstination… et sa force. La guerre l'avait profondément marquée, certes, mais elle ne l'avait pas brisée. Et puis elle ne se plaignait jamais.

Il y avait eu d'autres femmes, beaucoup d'autres femmes. L'une d'elles avait compté… Il l'avait chérie, adorée. Une part de lui brûlait d'entendre le son de sa voix douce, de revoir son visage bien-aimé. Mais cela n'arriverait pas. Sans pouvoir expliquer pourquoi, il savait que son amour s'en était allé… Pour toujours.

Une soudaine sensation de vide à côté de lui puis une altération de la luminosité lui firent entrouvrir les paupières.

Caitlyn était en train de grimper vers la sortie.

— Qu'est-ce que vous faites ?

— J'aurai une meilleure réception à l'extérieur. Il faut que j'appelle Heather au Circle L pour lui dire où sont les chevaux.

— Mieux vaut ne pas la mêler à nos problèmes. Ne lui dites rien d'autre.

Elle inclina la tête, passa son appel puis annonça en redescendant :

— J'ai reçu un message de Danny il y a vingt minutes.

Il s'étira et bâilla, suffisamment revigoré par le petit somme qu'il s'était autorisé pour poursuivre l'exécution de son plan. Il avait bien conscience des obstacles qui risquaient de se mettre en travers de leur chemin. Il pourrait être utile de savoir ce que le shérif adjoint avait à dire.

Caitlyn porta le téléphone à son oreille, écouta avec attention et se raidit tout à coup.

— Ecoutez ça, dit-elle en lui tendant l'appareil.

Danny s'exprimait d'une voix grave.

— Salut, Caitlyn. J'ai trouvé les propriétaires de la jument grise. Il me semblait bien que j'avais déjà vu ce cheval.

Ainsi, il avait découvert la cachette du programme de protection… Mauvaise nouvelle.

L'adjoint poursuivait :

— Ils tiennent à te remercier et à te récompenser. Ils sont installés non loin de là où vit ce vieil Indien arapaho… Tu sais, Flamme rouge ? Ensuite, tu tournes à Clover Creek…

Il fournissait une série d'autres repères et terminait le message par :

— J'attends ton arrivée ici, avec eux. Dépêche-toi.

Jack la regarda et lut l'effroi sur son visage, dans la lueur grise du crépuscule. Elle murmura d'une voix blanche :

— C'est une mise en garde. Nous usions d'un langage codé quand nous étions adolescents. Flamme rouge signifie « danger ». Rojas est là-bas. On ne peut pas le laisser entre les mains de cette brute.

Les chances que ceux qui retenaient l'adjoint du shérif lui laissent la vie sauve étaient bien minces. Ni Rojas ni les fédéraux ne pouvaient tolérer qu'un officier de police puisse témoigner contre eux. La raison aurait voulu qu'il poursuive son plan sans se soucier du sort de l'ami de Caitlyn. L'important, c'était d'être présent au procès et de témoigner.

Mais Jack ne pouvait pas laisser un innocent mourir à sa place.

— Donnez-moi le téléphone.

— Qu'allez-vous faire ?

— Sauver votre ami.

Il enfonça la touche de rappel du dernier numéro et attendit, sa tension grandissant à chaque sonnerie. Danny était peut-être déjà mort.

La voix qui répondit enfin lui était inconnue.

— Nous attendons.

— Je vais venir, dit-il d'une voix claire.

En même temps que les mots sortaient de sa bouche, il eut la certitude d'avoir déjà conduit de telles négociations. La première étape consistait à accepter tout ce que réclamaient les ravisseurs. Ensuite, on exigeait la preuve que le ou les otages étaient toujours en vie.

— Je veux parler à Danny.

— Il est ligoté.

Un rire mauvais ponctua la réponse.

— Ficelé comme un gigot !

— Si vous ne me le passez pas tout de suite, c'est au tribunal que nous nous reverrons. Pas avant.

— Attendez…

Il y eut une série de bruits divers, puis une voix annonça :

— C'est moi, Danny Laurence.

— Etes-vous blessé ? s'enquit Jack.

— Où est Caitlyn ?

— Je suis là, Danny, dit celle-ci, haussant le ton. Tu vas bien ?

— Oui. Nous n'avons pas le choix : il faut faire ce qu'ils demandent.

Rojas avait dû menacer la famille et l'entourage de Danny, déduisit Jack.

— Je peux faire protéger vos…

— Non ! coupa Danny. Moins ils en sauront, mieux ce sera.

Jack ne pouvait que lui donner raison sur ce point.

L'adjoint du shérif, manifestement prêt à se sacrifier pour sauver la vie de ses proches, monta dans son estime.

L'autre voix se fit de nouveau entendre.

— Je vous conseille de faire ce que dit Danny. Et ne prévenez personne. Vous savez où est la maison. Je vous attends. Et amenez la fille.

Accepter aurait été suicidaire.

— Non. Je veux qu'on fixe un autre lieu de rendez-vous. En terrain neutre.

— Parce que vous croyez pouvoir poser des conditions ?

— C'est moi que vous voulez, Rojas. Vous êtes bien Gregorio Rojas, n'est-ce pas ?

— Continuez.

— Si vous ne mettez pas la main sur moi, je témoignerai au procès, à Chicago. Et votre frère ira en prison pour le restant de ses jours. La seule façon de me faire venir, c'est d'accepter de me rencontrer autre part.

Un long, un très long silence s'ensuivit.

— Où ça ? fit finalement Rojas.

— Je rappellerai dans un quart d'heure pour vous le dire. Et vous amènerez Danny. S'il est blessé, le marché ne tient plus.

Jack raccrocha et, tout en enfilant la ceinture à outils transformée en holster, demanda d'un ton bref :

— Combien de temps nous faut-il pour aller jusqu'à la cabane ?

— Quinze minutes environ, en marchant vite. Qu'est-ce qu'on va faire ?

— Réfléchissez à un endroit qui pourrait servir de lieu d'échange. Un endroit isolé.

Il se mit à grimper vers la sortie, puis se retourna pour lui tendre la main. Il aurait préféré attendre qu'il fasse nuit noire, mais Rojas ne lui laissait pas le choix. Ils devaient agir vite. Mentalement, il commença le compte à rebours jusqu'à son prochain appel, un quart d'heure plus tard.

Rojas avait l'avantage du nombre, en hommes et en armes. L'atout de Jack, c'était sa mobilité et son instinct. Et la présence de Caitlyn à son côté. S'il avait été seul, il aurait perdu un temps précieux à trouver son chemin, dans la forêt. Mais elle connaissait la montagne par cœur. Elle sautait de rocher en rocher, s'élançait en courant chaque fois que le terrain le permettait. Dix minutes plus tard, ils amorçaient la grande descente qui menait à sa cabane.

A la lisière des arbres, il se courba en deux derrière elle.

— Je ne vois pas de lumière dans la cabane, nota-t-elle à mi-voix. Vous croyez que Rojas a laissé une sentinelle ?

Les acolytes de Rojas n'étaient pas assez futés pour songer à laisser les lumières éteintes, mais, pour ce qui était des fédéraux, c'était une autre histoire…

Il y avait fort à parier qu'ils n'avaient pas voulu être mêlés à la prise d'otage. Auquel cas ils n'étaient pas dans la cache, avec Rojas. Ce qui les laissait libres de continuer leurs recherches de leur côté.

Jack s'efforça de rassembler ses souvenirs de la période qu'il avait passée sous leur garde… Ils étaient trois. Deux d'entre eux, dont celui à l'accent texan, étaient venus jusqu'à la grotte à cheval. Où était le troisième ? Peut-être bien dans la cabane. Ou dans la grange.

— Comment fait-on ? reprit Caitlyn.

— Donnez-moi les clés de votre camionnette.

— Non, c'est moi qui conduis. Je connais les routes d'ici comme ma poche, pas vous.

— Et si vous paniquez, comme l'autre fois ?

— N'ayez crainte, ça n'arrivera pas. Il y a trop en jeu.

L'heure n'était pas aux tergiversations.

— Bien… On va descendre, courir jusqu'à la voiture et sauter à l'intérieur. Si on nous tire dessus, surtout baissez la tête et ne vous souciez que de foncer droit devant. Je m'occupe du reste.

Elle acquiesça.

— Le quart d'heure est passé. Vous devriez les appeler. Je pense que le meilleur endroit est le vieux cimetière de Sterling Creek. C'est au bout d'un chemin par lequel personne ne passe jamais.

— Inutile de m'en dire plus. Ils n'accepteront pas.

— Comment le savez-vous ?

— J'ai l'impression que j'ai déjà fait ce genre de chose auparavant. Rojas voudra choisir lui-même le lieu de rendez-vous, j'en suis sûr.

L'appel dura moins d'une minute. Ainsi qu'il l'avait prévu, Rojas refusa de venir au cimetière et proposa de les retrouver dans un vieux ranch abandonné. Jack mit fin à la conversation en déclarant :

— C'est trop loin de l'endroit où nous nous trouvons. Je rappelle dans dix minutes.

— Eh, se récria Caitlyn, alarmée. Ils vont faire du mal à Danny.

— Non, répondit-il en rangeant le téléphone dans sa poche. Suivez-moi. Si l'un des fédéraux est à l'intérieur de la maison et nous repère avant que nous soyons arrivés à la voiture, prenez vos jambes à votre cou et retournez vous cacher dans la grotte.

— Mais… et vous ?

— Chut… Allez, on y va.

Il se mit en route, Caitlyn sur ses talons. Il se déplaçait aussi vite et silencieusement que possible. S'ils parvenaient à atteindre la voiture sans être repérés, ils avaient une bonne chance de réussir leur coup.

Il plongea sur le siège passager pendant que Caitlyn sautait derrière le volant. Elle mit le contact, démarra en un temps record et ils quittèrent la cabane sans être inquiétés. Pas de coup de feu. Pas de poursuite.

Loin d'être rassuré, Jack n'en nourrit que plus de méfiance. Les marshals préparaient quelque chose. Il était certain que Rojas faisait peser une menace sur les proches de Danny pour l'obliger à coopérer et il était tout aussi persuadé que les trois traîtres fédéraux ne voudraient pas d'un bain de sang. S'ils voulaient sauver leur peau, il leur fallait renverser la situation, se faire passer pour des héros. Ils comptaient vraisemblablement lui faire porter le chapeau, à lui.

En attendant, Caitlyn et lui devaient délivrer Danny des griffes de Rojas. Elle s'en sortait à merveille, négociant les tournants sur l'étroite route sinueuse comme un vrai pilote de rallye.

— Elle est nerveuse pour un utilitaire, observa-t-elle.

— Puisque c'est un utilitaire, pourquoi dites-vous « elle » ?

— Parce que tous mes véhicules sont du genre féminin. J'ai surnommé celle-ci « la Perruche » à cause de sa couleur verte.

La Perruche devait être équipée de toutes les options dernier cri : traçage GPS, logiciel de localisation. En bref, ce n'était pas le véhicule idéal pour se déplacer incognito.

— Combien de temps encore pour atteindre la cache ?

— En roulant normalement, quinze à vingt minutes. Mais je peux y arriver en douze minutes.

— Trop long. Il faut qu'on y soit dans huit minutes.

Elle lui lança un bref coup d'œil et enfonça la pédale d'accélérateur.

Ce qu'il voulait, c'était appeler Rojas et le garder en ligne pendant qu'ils approchaient de la cache. Un minutage précis était essentiel à la réussite de son plan.

Jack n'avait pas l'intention de retrouver Rojas où que ce

soit. Il entendait surprendre ses adversaires en passant à l'attaque au moment où ils ne s'y attendraient pas, quand ils quitteraient la cache.

Après de longs pourparlers, Jack finit par déclarer :

— Très bien. Je vous rejoindrai à l'endroit dit. Caitlyn le connaît. Selon elle, il nous faut quarante-cinq minutes pour nous y rendre.

— Quarante-cinq minutes, pas plus.

— Mais à deux conditions, dit Jack d'une voix menaçante. La première, c'est que vous ne touchiez pas à un cheveu de Danny. Je veux votre parole d'honneur.

— Vous l'avez, répliqua Rojas du tac au tac.

Il mentait, bien entendu. Ce salaud avait autant de sens de l'honneur qu'un cobra. Jack n'avait aucun scrupule à lui mentir lui aussi.

— Je vous fais confiance, Gregorio. Cet échange d'otages peut parfaitement se dérouler sans effusion de sang. Voici ce que je vous propose…

Parlant lentement, il se lança dans des explications compliquées pendant que Caitlyn, arc-boutée sur son volant, négociait une large courbe sur les chapeaux de roues. A la sortie du virage, il eut le temps de voir une pancarte de bois indiquant « Ranch Circle L ».

En conclusion, Jack suggérait à Rojas de le laisser s'envoler pour le Costa Rica, une fois l'échange terminé.

— Et vous n'entendrez plus jamais parler de moi, acheva-t-il.

Lorsqu'il eut raccroché, il se tourna vers Caitlyn.

— A combien sommes-nous de la cache ?

— Moins d'un kilomètre.

— Joli travail, mademoiselle Schumacher !

— Et je ne vous dis pas ce que ç'aurait été si nous avions été à bord d'un Hummer !

— Eteignez vos phares, maintenant. Approchez le plus possible de la maison sans entrer dans l'allée.

Elle opina.

— Ensuite, vous garerez la voiture et resterez à l'intérieur. Moi, j'irai récupérer Danny et on reviendra à toute vitesse à la voiture. Il faudra vous tenir prête à démarrer en trombe.

— Et si quelque chose tourne mal ?

— Ça ne se produira pas.

Du moins l'espérait-il.

9

Après sa course folle dans les méandres de la route gravillonnée, l'attente angoissée commença pour Caitlyn, qui avait dissimulé sa camionnette derrière un bosquet de pins. Elle était grisée par la vitesse, vibrante d'émotion, furieuse que Danny ait été capturé, soulagée d'être arrivée à bon port sans avoir basculé dans un ravin au détour d'un virage. Inquiète, aussi, de la suite. L'adrénaline se déversait dans ses veines.

Elle desserra ses doigts crispés sur le volant. Elle ne pouvait strictement rien faire sinon attendre ; elle n'avait pas d'arme.

Si elle s'était déjà trouvée dans cette situation quand elle était journaliste embarquée avec les soldats, aujourd'hui c'était différent. Elle n'était pas une observatrice. Il s'agissait de sa mission. C'était *son* ami qui était en danger. Le port d'un casque et d'un gilet pare-balles l'aurait rassurée, même si elle savait que cela n'aurait pas changé grand-chose. Etre prêt à livrer bataille tenait davantage à l'état d'esprit, qui découlait d'un entraînement spécifique et d'une expérience qu'elle ne possédait pas. Certes, elle avait vécu la guerre sur le terrain, mais pas en tant que combattante.

Non, décidément, étant donné les circonstances, c'était Jack l'homme de la situation.

Elle s'agita sur son siège. De là où elle était, elle ne

voyait même pas la maison. Il fallait qu'elle bouge, sinon elle allait exploser. Retirant l'ampoule de la veilleuse qui s'allumait automatiquement à l'ouverture des portières, elle se faufila sans bruit à l'extérieur et s'approcha de la clôture de fil de fer barbelé qui entourait la propriété.

La lune décroissante était basse dans le ciel nocturne, mais elle y voyait assez pour discerner la silhouette de Jack courbée en deux. Il se déplaçait rapidement entre les taillis, le long de l'allée d'asphalte qui menait à l'habitation du ranch — un bâtiment bas, tout en longueur.

Dans la maison, Rojas et ses hommes ne prenaient pas la peine de cacher leur présence. Outre la lumière qui filtrait par les fenêtres, le porche était allumé. La grange et le corral se trouvaient sur la droite. Elle aperçut le 4x4 noir garé près du bâtiment. Et une berline, une voiture de location probablement. Combien pouvaient-ils être à l'intérieur ?

Elle fit les cent pas le long de la clôture, revint vers la voiture, repartit vers la clôture. Plissant les yeux, elle vit Jack disparaître dans l'ombre, au coin de la maison. Il avançait à pas furtifs, sûr de lui. En temps ordinaire, il devait fondre droit sur sa proie, en prédateur dangereux qu'il était. S'il prenait soin de se cacher, c'était uniquement parce que la situation exigeait une extrême prudence.

L'anxiété la saisit de plus belle. Comment comptait-il procéder, muni seulement de quelques outils et de deux balles dans le canon de son revolver ? Comme tout le monde, elle avait lu les articles traitant des cartels mexicains. Ils étaient tout aussi barbares que les chefs de guerre afghans qu'elle avait interviewés. Des images terrifiantes défilèrent dans son esprit. Des souvenirs de corps mutilés. *Stop ! Pas question de te laisser dominer par la peur… Pas maintenant !*

L'idée lui vint qu'être frappée d'amnésie aurait été un

soulagement, dans son cas. Mais une amnésie sélective, alors. Car ses souvenirs n'étaient pas tous mauvais. Pour rien au monde, elle n'aurait voulu que les jours heureux de son enfance s'effacent de sa mémoire. Il y avait tant de moments qu'elle se rappelait avec plaisir : la première fois qu'elle avait vu imprimé l'article dont elle était l'auteur, l'excitation que procurait le travail d'enquête préalable à la rédaction d'un sujet, le matin de Noël, son seizième anniversaire… La première fois qu'elle était tombée amoureuse. Fermant les yeux, elle ressuscita dans son esprit ce moment merveilleux.

Le soleil se couchait sur la mer. Les palmiers se balançaient sous la brise. Elle marchait le long de la rive, main dans la main avec un grand et beau garçon. L'eau venait lécher ses chevilles. Elle levait les yeux vers lui et voyait…

Jack ! Torse nu, musclé, les cicatrices zébrant son torse comme autant de repères d'un passé qu'il avait partiellement oublié. Il lui souriait, se penchait vers elle. Elle ouvrit les yeux avant qu'il ne l'embrasse…

Il faisait noir. Elle aurait tellement aimé se retrouver dans ses bras. Pour être franche, elle désirait davantage qu'un simple baiser. S'ils se sortaient vivants de cette affaire, elle ferait l'amour avec lui. Ensemble, ils forge-raient un souvenir inoubliable — celui d'un moment de passion qui ne connaîtrait jamais de suite.

Le destin de Jack était scellé. Le procès terminé, il se volatiliserait grâce au programme de protection des témoins. Mais elle était lucide : même si ce n'avait pas été le cas, elle s'imaginait mal entretenir une relation durable avec un homme qui avait appartenu à une famille mafieuse.

Elle repoussa nerveusement une mèche de cheveux derrière son oreille et regarda la maison. Que se passait-il ?

Pourquoi était-ce si long ? Et Jack qui ne lui avait même pas expliqué la teneur de son plan ! Mais elle ne pouvait pas lui en vouloir. Il n'en avait pas eu le temps. Et puis, à quoi bon ? Il n'aurait pas pu compter sur son aide, de toute façon. D'autant moins qu'il l'avait vue complètement tétanisée quand on s'était mis à lui tirer dessus.

Cela ne se reproduirait pas.

Elle tremblait, mais elle ne ressentait pas de peur. C'était la colère qui prédominait — une colère noire, qui lui donnait envie de hurler.

Sciemment, consciencieusement, elle alimenta sa rage. Elle méprisait Rojas et les gens de son espèce, elle haïssait la façon dont il avait fait de Danny une victime. Elle voulait que justice soit faite, que Rojas et sa bande paient pour tous les crimes qu'avait perpétrés le cartel.

Combien de fois, alors qu'elle observait les militaires, ne s'était-elle pas demandé si elle aurait été capable de tuer un être humain… En cet instant, il lui semblait qu'elle n'aurait pas hésité.

La porte d'entrée s'ouvrit et elle entendit des voix. Un homme sortit sur le porche.

Elle calcula la distance qui séparait sa voiture de la maison. Plus de cent mètres, peut-être deux cents. Jack lui avait ordonné de ne pas bouger, mais qu'arriverait-il si Danny n'était pas en état de courir ? Elle devait rapprocher le véhicule.

Jack vit un jeune homme aux cheveux coupés en brosse se diriger vers les véhicules. Il allait passer tout près de l'endroit où il était caché. Sa désinvolture — il marchait d'un pas décontracté en faisant sauter ses clés dans sa main — indiquait qu'il n'était pas un décideur, mais un simple exécutant. Rojas avait dû demander à Coupe-en-Brosse d'avancer la voiture devant la porte.

Portant la main à sa ceinture-holster, Jack empoigna le marteau de sa main droite et un tournevis de la gauche. Il avait vu la bosse du revolver sous le blouson du jeune homme, mais les armes qu'il avait à sa disposition étaient tout aussi létales. On survivait rarement à un coup de marteau sur le crâne. Non qu'il ait l'intention de tuer cet homme, mais, si les circonstances l'y obligeaient...

Un souvenir surgit dans son esprit.

Prenant soin de maintenir une distance d'une centaine de mètres entre eux, il pistait un homme aux cheveux roux. Cette ordure marchait en bombant le torse et en balançant les bras comme s'il était le roi du monde.

Une bouffée de haine le submergea. Dans sa poche, sa main se referma sur un couteau à cran d'arrêt, illégal dans cet Etat. Il suffirait d'un seul coup pour trancher la carotide du rouquin. En quatre minutes, il se viderait de son sang.

Mais il y avait trop de monde dans la rue. Le moment était mal choisi. Il devrait patienter avant de prendre sa revanche.

Jack se secoua pour chasser la vision. Il s'occuperait du passé plus tard ; il avait besoin d'être totalement focalisé sur le présent.

En jetant un coup d'œil par la fenêtre, il avait dénombré sept hommes à l'intérieur, Rojas et le grand balèze à la jambe blessée inclus. Il n'avait pas eu le temps de voir si les fédéraux étaient parmi eux, mais il lui semblait que non.

Danny était affalé sur une chaise, menotté. La cagoule noire qui dissimulait son visage était un signe encourageant. Rojas veillait à ce que le shérif adjoint ne voie pas leurs visages.

Ils allaient partir pour pouvoir arriver en avance et préparer leur traquenard. Ils ne s'attendaient pas à être pris au piège avant leur départ. En comptant Danny, ils étaient huit ; ils auraient donc besoin de deux véhicules.

Quand Coupe-en-Brosse dirigea sa clé vers le 4x4 pour le déverrouiller, Jack passa à l'action. Sortant de l'ombre, il se rua vers lui et lui assena un coup de marteau suffisant pour le mettre hors d'état de nuire pendant un bon moment, mais pas pour lui fracasser le crâne. Il survivrait.

Plongeant la main sous le blouson, il s'empara de son arme, puis traîna le jeune homme inconscient derrière la grange avant de revenir vers le 4x4. Il sauta derrière le volant et roula jusqu'à la porte d'entrée, où il s'arrêta, laissant le moteur tourner.

Quelques instants plus tard, deux hommes sortirent, massifs et baraqués. Des gorilles, le genre de types qu'il valait mieux ne pas croiser dans une ruelle sombre. Ils rejoignirent l'autre voiture — une berline de couleur foncée. Ils se disputaient.

L'un d'eux boitait. Il attrapa son compagnon par la manche et grommela :

— Donne-moi ces clés. C'est moi qui conduis.

— Imbécile, tu es blessé ! Assieds-toi et ferme-la.

— Parce que tu crois pouvoir me donner des ordres ?

Celui des deux qui était valide se dégagea de l'emprise de l'autre et s'éloigna rapidement.

— Hé ! cria le blessé en s'efforçant de lui courir après, grimaçant de douleur.

— Tu ne connais même pas la route !

— Et alors ? Qu'est-ce que ça peut faire puisqu'on est censés suivre le 4x4 ?

Ah. Les choses se compliquaient. Jack avait espéré voir les deux gorilles partir en éclaireurs. Il allait devoir se débarrasser d'eux avant de pouvoir arracher Danny à ses geôliers… Et en silence s'il ne voulait pas alerter Rojas.

Il n'eut pas besoin de se montrer particulièrement discret dans son approche tant les deux gros bras étaient absorbés par leurs chamailleries.

Il frappa d'abord l'homme valide, qui s'écroula comme une masse au sol, sans un bruit.

L'autre réagit. Il plongea la main sous sa veste. *Mauvaise idée.*

Si Jack ne se souvenait pas avoir pratiqué les arts martiaux, il avait l'expérience du corps à corps. Dans ces circonstances, la rapidité était le mot-clé. Le temps que le malfrat tire l'arme de son étui, que ses doigts se referment autour de la crosse, Jack fit un seul mouvement : tournoyant sur lui-même, il détendit le bras, et la pointe du tournevis alla se loger dans l'abdomen du gorille. Celui-ci baissa la tête et regarda le sang qui s'écoulait de la plaie. Jack l'acheva d'un uppercut à la mâchoire.

En quelques secondes, les deux hommes se retrouvèrent allongés, inconscients, à ses pieds. Il prit les clés de voiture qui avaient été leur sujet de discorde et les lança au hasard, à bonne distance.

Il en avait éliminé trois. Il en restait quatre. Drew Kelso était handicapé par sa jambe blessée ; Rojas serait sans doute lent à réagir et maladroit, habitué qu'il était à déléguer le sale travail à ses porte-flingues. Ce qui signifiait qu'il devait se concentrer sur les deux tueurs restants.

Jack rangea les outils dans son holster de fortune. Il avait fini sa mission de Monsieur Bricolage. Pour le travail qu'il lui restait à accomplir, il lui fallait une arme à feu. Délestant l'un des gorilles de son semi-automatique, il courut vers le 4x4, dont le moteur tournait toujours, et s'accroupit à l'avant du véhicule, entre les phares. L'ennui avec ce genre d'attaque, c'était qu'il était impossible de prévoir la tournure qu'allaient prendre les choses. L'emporter était surtout une affaire d'instinct et de réactivité.

La tête rentrée dans les épaules, il jeta un coup d'œil en direction de l'endroit où Caitlyn avait garé la voiture. On en devinait à peine les contours dans l'obscurité. Ça n'allait pas être facile de courir avec Danny jusque là-bas. Mais il avait préféré que Caitlyn reste à l'abri. Quand tout ceci serait terminé, il voulait pouvoir la regarder en face, au fond de ses yeux bleu azur, et lui assurer que le monde n'était pas aussi pourri qu'il pouvait sembler l'être… Que, parfois, les gentils l'emportaient sur les méchants.

Trois silhouettes apparurent sur le pas de la porte. Un homme maintenait par un bras Danny, toujours menotté et cagoulé, et le poussait en avant sans ménagement. Kelso et Rojas n'étaient pas encore en vue. L'autre acolyte alla ouvrir la portière arrière du 4x4.

Jack bondit. Il abattit la crosse du revolver sur la tête de l'homme qui tenait Danny. Le gorille vacilla et tomba contre la voiture.

— Danny, murmura Jack. Je suis de votre côté. Laissez-moi faire.

D'un même mouvement, il arracha la cagoule et donna une violente bourrade à Danny pour le mettre hors de la ligne de tir.

L'homme qui était près de la portière arrière porta la main à son holster. Jack n'avait pas le choix. Il visa le pistolet de son adversaire et pressa la détente. L'arme vola des mains de l'homme, qui poussa un cri de douleur en détalant.

Vif comme l'éclair, Jack se retourna et se positionna face à la porte d'entrée, arme au poing.

Rojas et Kelso sortirent sur le porche, désarçonnés par cette attaque surprise. Ils n'avaient pas l'habitude d'être pris pour cibles. Ils étaient les prédateurs, les dominants. Pour une fois, les rôles étaient inversés.

Rojas l'épingla du regard.

— Nick Racine.

De lointains échos résonnèrent dans la mémoire de Jack tandis que sa main se crispait sur son arme. Une voix coléreuse — celle de son père — criant ce nom. Une femme… le murmurant d'une voix caressante. Celle d'un professeur… *Racine, Racine, Racine.*

— Non.

Ce n'était pas lui. Il déchargea son arme en direction du porche. Trop tard.

Ces deux secondes d'hésitation lui avaient coûté cher. Elles avaient permis à Rojas et Kelso de se replier à l'intérieur.

Mais Jack n'était pas absolument certain d'avoir souhaité les tuer. Son devoir, c'était de les remettre entre les mains de la justice. La mort aurait été une sentence trop douce pour ces fumiers ; ils méritaient de croupir pour le restant de leurs jours dans une minuscule cellule.

Son « devoir » ? D'où diable avait bien pu lui venir cette idée ?

Il entraîna Danny de l'autre côté de la voiture. S'ils réussissaient à monter dans le véhicule, il pourrait… Des coups de feu retentirent, venant de la maison. Les balles criblèrent la carrosserie du 4x4. Il fallait trouver autre chose.

Il regarda Danny. Son visage était tuméfié, ses yeux gonflés et hagards.

— Danny ? Danny, vous m'entendez ?

Celui-ci hocha lentement la tête.

— Pouvez-vous courir ?

Danny essuya le sang qui coulait de sa lèvre éclatée.

— J'y arriverai, s'il le faut.

Sa combativité était admirable, mais le physique suivrait-il ? Seul, Jack aurait pu s'enfuir facilement, mais s'il devait supporter le poids d'un homme blessé…

Ils étaient coincés. Pris au piège.

Au même moment, le vrombissement d'un moteur lui fit tourner la tête. L'utilitaire vert remontait l'allée à toute vitesse en marche arrière.

Caitlyn.

Non, il n'était pas seul. Pour une fois dans sa vie, il avait une partenaire. La meilleure de toutes !

10

Reculer à fond de train dans une allée étroite n'était pas chose aisée. Comme Caitlyn déviait de la bande d'asphalte, des broussailles frottèrent la carrosserie et ses pneus dérapèrent dans le gravier qui bordait l'allée.

Le claquement des détonations résonnait dans sa tête, mais elle ne succomba pas à un accès de PTSD paralysant. Quand elle avait vu, depuis son poste d'observation près de la clôture, Jack et Danny pris sous le feu de leurs adversaires, plus rien d'autre n'avait compté que de voler à leur secours.

La tête tournée en arrière, elle vit les phares du 4x4… Elle avait le temps de freiner, mais elle décida de se servir de *la Perruche* comme d'un bélier pour mettre l'autre véhicule hors service.

Son pare-chocs percuta la calandre du gros 4x4 dans un fracas retentissant. L'impact la projeta violemment vers l'avant puis la renvoya en arrière, plaquée contre son siège. Elle avait bien fait de boucler sa ceinture. Sous les balles, les vitres arrière volèrent en éclats. Elle baissa la tête… Elle aurait dû être terrifiée, mais non ; elle n'avait qu'une idée en tête : sauver Jack et Danny.

La portière arrière s'ouvrit et Danny, poussé par Jack, s'affala sur le siège, le visage en sang, affreusement contusionné.

Par-dessus son épaule, elle vit Jack viser et tirer dans

les pneus du 4x4, puis il sauta à côté de Danny et claqua la portière.

Elle démarra en trombe. Au croisement avec la route principale, l'arrière de sa voiture chassa dangereusement, mais elle garda le contrôle. Pour un utilitaire, *la Perruche* s'en tirait plus qu'honorablement. Peut-être conviendrait-il de lui attribuer un qualificatif moins… délicat désormais. Quelque chose comme le *Frelon vert*.

Elle sentit la main de Jack lui presser l'épaule.

— Vous m'aviez dit de ne pas bouger, je sais, mais quand je vous ai vus en difficulté…

— Vous avez bien fait, chérie.

En temps normal, si un homme se permettait de l'appeler « chérie » ou « ma belle », Caitlyn n'hésitait pas à le remettre vertement à sa place. Mais, dans la bouche de Jack, ce terme était sexy.

— Où va-t-on ?

— Au Circle L, intervint Danny. Nous devions y dîner, Sandra et moi. Je veux m'assurer qu'elle va bien. Et Heather aussi.

— Voyons si on peut enlever ces menottes, dit Jack en se tournant vers lui.

— Ce sont les miennes, j'ai un double de la clé dans ma poche arrière, répliqua Danny avec agacement. Mais peu importe… Ce que je veux, c'est aller là-bas tout de suite ! Vous ne comprenez pas…

— Mais si, rétorqua posément Jack. Rojas a menacé de s'en prendre à votre femme et à votre sœur si vous refusiez de coopérer, c'est bien ça ?

— Oui.

— Et il a poussé le vice jusqu'à vous décrire en détail ce qu'il leur ferait. Il est comme ça : c'est une brute sadique.

Il n'avait pas haussé le ton, mais Caitlyn nota l'écho

métallique de la colère dans sa voix. Tout en parlant,
Jack avait libéré les poignets de Danny.

— Rojas est hors d'état de nuire pour encore un
moment. Ils n'ont plus de moyen de transport. Arrêtez-
vous un instant au bord de la route, Caitlyn. On va
appeler Heather. Je vais prendre le volant et vous vous
occuperez de Danny.

Caitlyn ralentit et se gara sur le bas-côté. Elle composa
le numéro de Heather.

— C'est Caitlyn. Heather, ça va ? Et Sandra ? Est-ce
qu'elle est là, avec toi ? Est-ce qu'elle va bien ?

— Mais… oui. Elle est là et elle va bien. Pourquoi
cette question ? J'ai récupéré les chevaux et ils vont bien,
eux aussi.

Heather baissa le ton.

— Qu'est-ce qui se passe ? Dans quoi t'es-tu fourrée ?

Caitlyn avait entendu ce qu'elle voulait entendre. Si
Heather avait couru un quelconque danger, elle aurait
trouvé le moyen de le lui faire savoir.

— Je te passe quelqu'un qui veut te parler.

Elle tendit le téléphone à Danny et quitta l'habitacle.
En examinant le véhicule, elle fit la grimace. Le pare-
chocs arrière était démoli, les feux de croisement brisés.
Le hayon était irréparable. Trois vitres avaient explosé et
il y avait des impacts de balles sur toute la longueur de
la carrosserie, côté conducteur. Expliquer ce sinistre à sa
compagnie d'assurance n'allait pas être facile.

Jack s'avança vers elle et laissa courir ses doigts le long
de son avant-bras. Il lui prit les clés des mains.

— Si jamais il m'arrivait malheur, je voudrais que
vous sachiez une chose…

De quoi parlait-il ? Ils étaient hors de danger — ou
presque.

— Qu'est-ce que vous racontez ? Il ne vous arrivera rien.

La bouche de Jack s'incurva lentement et le sourire un peu narquois qui lui donnait tellement envie de l'embrasser apparut.

— Juste au cas où.

— Nom d'un chien, Jack, vous ne pouvez pas être optimiste, juste pour une fois ?

— Comme je vous l'ai dit, je prévois toujours le pire.

Elle éleva la main et caressa sa mâchoire râpeuse. La clarté des étoiles et de la lune dessinait les angles et les traits rudes de son visage.

— De là où j'étais, je ne distinguais pas tout, mais, d'après ce que j'ai vu, vous avez été formidable, là-haut, à la cache. Seul contre sept... Il fallait le faire ! Cependant, une chose m'intrigue : à un moment, il m'a semblé que vous aviez Rojas dans votre angle de tir, or vous n'avez pas tiré. Pourquoi ?

— Parce que... ce n'est pas mon travail.

Etrange réponse. Car, s'il travaillait pour le compte de Santoro — et tout semblait le confirmer — , le meurtre faisait partie de ses attributions. En y repensant, elle se rendit compte qu'il n'avait pour l'instant tué personne. Ni à la cache, ni chez elle.

— Justement, à ce propos, j'aimerais bien en savoir un peu plus sur la nature exacte de votre travail.

— Moi aussi.

Il se tapota le crâne de l'index.

— L'amnésie... vous vous rappelez ?

— Un peu facile... et très pratique.

— Pas vraiment.

Sa grande main s'enroula autour de sa nuque et il l'attira vers lui. Ses lèvres étaient chaudes. Les pointes des seins de Caitlyn effleurèrent son torse comme elle se laissait aller dans ses bras. Un frisson de désir la parcourut, plus puissant que jamais, attisé par le fait que le temps leur était compté. Elle se pressa fermement contre lui, l'encercla dans ses bras.

— Caitlyn ! rugit Danny, depuis la voiture.

Comme prise en faute, elle se dégagea de l'étreinte de Jack et mit une distance polie entre eux.

— Je crois qu'on nous attend.

— Ce que je voulais vous dire, Caitlyn, c'est que tout ira bien pour vous désormais.

Elle pencha la tête sur le côté.

— Comment ça ? Que voulez-vous dire ?

— Vous doutez de vous, c'est pour ça que vous êtes venue jouer les ermites dans ces montagnes. Mais vous êtes forte, bien plus forte que vous ne le croyez. Et j'ai confiance en vous. Je sais que, quoi que la vie vous réserve, quelle que soit la direction que vous décidiez de prendre, vous vous en sortirez toujours. Voilà ce que je tenais à vous dire. Je crois en vous.

Interloquée, elle le contempla.

— Caitlyn ! cria de nouveau Danny. On y va, oui ou non ?

En la dépassant pour aller prendre place au volant, Jack lui assena une tape sur les fesses. Là encore, c'était une familiarité qu'elle n'aurait jamais tolérée de la part de quiconque. Pourtant, elle ne souffla mot.

Les propos de Jack l'avaient stupéfiée par leur clair-voyance. Qu'un homme séduisant à ce point soit en plus doué d'un esprit aussi pénétrant, c'en était presque indécent.

Car il avait raison. En dépit du temps qu'elle s'était accordé pour méditer et se retrouver, elle n'avait pas fait le lien entre ses symptômes de PTSD et ses incertitudes professionnelles. En réalité, sans qu'elle s'en rende compte, ses peurs avaient contaminé tous les domaines de son existence. Jusqu'à maintenant.

Mais c'était fini. Dorénavant, tout irait bien.

Elle avait été traumatisée, oui, mais la guerre ne l'avait pas brisée.

Elle était journaliste, passionnée par la recherche de la vérité. Et elle le resterait. Elle n'était pas moins compétente ni moins douée parce qu'elle avait perdu son emploi au Moyen-Orient. Ce n'étaient pas les sujets de reportage qui manquaient… A commencer par Jack. L'envie de raconter son histoire la démangeait déjà.

Elle monta dans la voiture auprès de Danny et ils se remirent en route.

— Faut-il que je vous guide ? s'enquit-elle.

— Non, je me souviens du chemin.

Evidemment ! Tout ce qu'il faisait, il le faisait bien. Elle se tourna vers Danny. Il n'avait plus rien du héros de son adolescence ; son aura de garçon le plus populaire du village n'était plus qu'un souvenir.

Doucement, elle toucha sa main. Au lieu de l'abreuver de vaines paroles de réconfort, elle lui dit simplement :

— On est presque arrivés. Tu seras bientôt avec ta femme.

— J'ai appelé le shérif. Il va faire protéger Sandra et Heather jusqu'à ce que ce dingue soit appréhendé.

— Arrêter Rojas est très risqué, rétorqua Jack.

— Comme si je ne le savais pas.

Avec effort, Danny se pencha en avant.

— C'est vous, n'est-ce pas, le témoin qu'ils recherchent ?

— Oui, confirma Caitlyn. C'est aussi l'homme qui t'a sauvé.

— Et je vous en remercie, dit Danny. Franchement, je ne pensais pas m'en sortir vivant.

Elle détestait le voir ainsi. Son arrogance naturelle lui manquait.

— Comment vous appelez-vous ? demanda Danny.

— Appelle-le Jack.

— Comme… Jack Dalton ? Je t'ai dit qu'il était en prison.

Se lancer dans des explications aurait été trop compliqué.

— Contente-toi de l'appeler Jack pour le moment, d'accord ? fit Caitlyn.

Danny se laissa aller contre la banquette.

— Tu as toujours eu le chic pour te mettre dans des situations impossibles ! Et cela parce que tu te crois plus futée que les autres…, mademoiselle Je-sais-tout.

— Je ne me « crois » pas futée. Je le suis.

Le ton de Danny la dérangeait. Il semblait sous-entendre qu'elle avait commis une erreur.

— Tu as quelque chose à me reprocher, Danny ?

Il se pencha vers elle et baissa le ton.

— Que sais-tu de Jack ?

— Qu'il m'a sauvé la vie, à moi aussi. Pourquoi ?

— Ils étaient huit dans la maison. L'un d'eux était un marshal fédéral. Il est mort. Je sais que c'était un policier parce qu'ils ont placé son badge sur son front. Ils l'ont… mutilé.

Elle jeta un coup d'œil à Jack. Ils savaient maintenant où était le troisième marshal. Apparemment, il était en dehors du coup et il l'avait payé de sa vie.

D'un ton ouvertement hostile à présent, Danny s'adressa à Jack.

— Qu'est-ce que ça vous fait de savoir qu'un policier a été tué par votre faute ?

— Arrête, Danny, souffla Caitlyn. Regarde, nous arrivons.

Ils franchirent le portail du ranch et se dirigèrent vers la maison blanche à un étage. Bien qu'il n'y eût pas d'enfants au ranch, une balançoire faite d'un pneu suspendu à des cordes était accrochée au grand peuplier qui s'élevait à la hauteur du toit.

Tout paraissait calme, mais Caitlyn eut le sentiment étrange que quelque chose n'allait pas.

— Danny… qu'est-ce qu'il y a ?

Il ne répondit pas. Son visage s'éclaira en voyant Heather, appuyée sur la balustrade du porche, et, à côté d'elle, une blonde menue qui devait être Sandra.

— Merci, mon Dieu ! Elles sont saines et sauves, c'est tout ce qui compte !

Jack s'arrêta. Au moment où il coupait le contact, deux hommes jaillirent de l'ombre. En deux temps, trois mouvements, ils se postèrent de part et d'autre du véhicule. Celui qui était du côté du conducteur pointa un fusil sur Jack.

— Service fédéral des marshals, proclama-t-il avec l'accent caractéristique du Texas. Vous êtes en état d'arrestation.

11

Caitlyn réfléchit à toute vitesse. Si elle n'agissait pas tout de suite, ils allaient menotter Jack et l'embarquer séance tenante. Elle ne pouvait pas les laisser faire.

Son expérience de reporter de guerre sur les points chauds de la planète lui avait appris à retourner n'importe quelle situation par la parole. Elle avait été la première journaliste à décrocher un entretien avec un chef de guerre afghan qui combattait avec les moudjahidin. Elle avait interviewé des généraux, des politiciens… Elle avait même affronté un tueur en série dans le couloir de la mort. L'argumentation, c'était son champ de bataille à elle ; les mots, ses armes de prédilection.

Elle sauta à bas de la voiture et passa à l'attaque. S'exprimant avec autorité, elle dit la première chose qui lui passait par la tête — quelque chose à propos de la légitimité et des juridictions compétentes.

— C'est Danny Laurence ici présent, le shérif adjoint de ce comté, qui était le premier sur les lieux, ce qui signifie que c'est lui qui est en charge de cette affaire. Cet homme est sous la responsabilité du shérif du comté de Douglas.

Son arme toujours braquée sur Jack, le Texan jeta un regard à son équipier et dit de son intonation traînante :

— Qu'est-ce que c'est que cette histoire ?

— Je dis qu'il est à nous, répliqua-t-elle avec force.

Brandissant les menottes qui étaient autour des poignets de Danny un moment plus tôt, elle ouvrit la portière du conducteur et se pencha à l'intérieur.

— Laissez-moi faire, murmura-t-elle.

Jack, les mains sur le volant, tourna imperceptiblement la tête vers elle. Ils se comprirent sans qu'un mot soit échangé. Il avait foi en elle, il le lui avait dit. C'était à elle maintenant de justifier sa confiance.

Tandis que Caitlyn refermait le bracelet métallique autour de son poignet droit, il dit à voix basse :

— J'espère que vous savez ce que vous faites.

— Vous devriez le savoir. J'ai presque toujours raison.

— Mademoiselle Je-sais-tout.

Lorsqu'il sortit de la voiture, elle lui passa l'autre menotte. Elle hésita à lui glisser la clé dans la main ; pour finir elle s'en abstint. Jack était une force de la nature que rien ne pouvait arrêter quand il se déchaînait, et elle préférait jouer la partie plus en finesse, cette fois. Moins il laisserait de blessés dans son sillage, mieux ce serait.

Faisant volte-face, elle se planta devant le marshal texan.

— Baissez votre arme.

Danny — le traître ! —, qui était sorti lui aussi, parut sur le point de protester, mais le groupe formé par sa femme, sa sœur et les employés du ranch se referma autour de lui.

L'un des cow-boys du ranch tapota de la main le fusil du marshal. Heather lança d'un ton sec :

— Vous avez entendu Caitlyn ? Baissez cette arme avant qu'un coup de feu ne parte tout seul.

Le Texan grimaça, mais s'exécuta. Son partenaire, le plus âgé des deux, contourna la voiture pour venir de leur côté.

— Merci du coup de main, merci à tous. Maintenant que nous le tenons, ce gars est sous notre responsabilité.

— Où est votre mandat ? fit Caitlyn.

— Pas besoin de mandat.

Le marshal aux cheveux grisonnants ouvrit son portefeuille et lui montra son badge avec l'étoile à cinq branches et sa carte de policier fédéral.

Caitlyn étudia attentivement les documents.

— Marshal Steven Patterson.

— Oui. Et, maintenant, je vous serais reconnaissant de nous laisser faire notre travail.

— Cet homme est-il un criminel ?

— Non.

— Alors, pourquoi voulez-vous l'arrêter ?

— C'est un témoin.

— Un témoin sous protection ?

— Affirmatif.

— Pointer le canon d'un fusil sur son visage ne me semble pas être la meilleure façon d'assurer la sécurité de votre témoin. Peut-être qu'il n'a pas envie de votre prétendue protection.

— Il est sous notre responsabilité. Vous n'avez pas à en savoir plus.

Caitlyn poussa ostensiblement du coude Heather.

— Ça ne te paraît pas un peu curieux, cette façon de procéder ?

Heather se redressa de toute sa taille. Avec ses bottes de cow-boy, elle était presque aussi grande que Jack. Elle s'avança devant Patterson, le pouce négligemment glissé dans le passant de sa ceinture, à côté de son revolver.

Tous les cow-boys du ranch étaient armés, eux aussi, nota Caitlyn, et ils guettaient la réaction de Heather.

Elle déclara :

— Personne ne bouge d'ici pour l'instant. Sandra, emmène Danny à l'intérieur et appelle le médecin.

L'épouse de Danny ne se le fit pas dire deux fois ; elle

entraîna son mari en le soutenant avec une réelle dévotion. L'amour qu'elle lui portait toucha Caitlyn, et elle aurait été heureuse que son ami ait trouvé l'âme sœur… si elle n'avait pas eu envie de l'étrangler de ses propres mains. Il les avait sciemment entraînés dans ce piège.

Patterson s'adressa à Heather.

— Ecoutez, madame, nous maîtrisons la situation maintenant. Nous allons vous laisser.

— Pas si vite, objecta-t-elle. Vous êtes dans *mon* ranch. Sur *mes* terres. La seule personne habilitée à prendre les décisions ici, c'est moi.

— Mais enfin, qu'est-ce que c'est que ce cirque ?

— Je veux que vous répondiez d'abord aux questions de Caitlyn.

— Je n'ai pas d'ordre à recevoir de vous.

Le vernis de politesse de Patterson était en train de se craqueler.

— Je suis officier fédéral, et votre ranch n'est pas un Etat souverain, que je sache !

Caitlyn se réjouit de le voir creuser sa propre tombe : il n'aurait pas pu choisir plus mauvais argument. Dans ces montagnes du Colorado, le respect de la terre et de la propriété était aussi profondément ancré dans le cœur des habitants que le marquage sur la peau du bétail.

— Marshal Patterson, je vois que vous n'êtes pas très au fait des pratiques de l'Ouest.

Elle se tourna vers son équipier.

— Expliquez-lui donc, vous, le Texan.

Le jeune marshal s'éclaircit la gorge.

— Je m'appelle Bryant, dit celui-ci. Et je vous assure, madame, que nous ne voulons pas créer d'ennuis.

— Ça, c'est moi qui en jugerai, répliqua Heather. Donc, Caitlyn, tu disais ?

— D'après le marshal Patterson, il est en droit d'arrêter

un témoin et de l'emmener où bon lui semble, avec ou sans le consentement dudit témoin… Je ne sais pas ce que vous en pensez, ajouta Caitlyn en jetant un regard à Heather et à ses cow-boys, mais ça me paraît extrêmement arbitraire… d'autant que Patterson est un officier « fédéral », comme il l'a si bien fait remarquer. Ce qui implique qu'il travaille au service de la nation, c'est-à-dire de nous tous. *Vous* et *moi*. Et moi, je n'aimerais pas du tout qu'on me traîne où que ce soit contre mon gré.

Heather et ses employés hochèrent la tête avec conviction.

— Ah, elle marque un point, marshal, souligna son amie.

— Et moi j'ai un travail à faire, que vous le vouliez ou pas.

Caitlyn sortit son portable de sa poche.

— Ecoutez, il est hors de question que je vous laisse partir comme ça. Il faut d'abord que je fasse une petite vérification auprès du directeur du service des marshals ou du procureur général.

— Ce n'est pas possible, vous le savez bien.

— Oh ! je pense que si. Je suis journaliste, voyez-vous, et je travaille pour un grand média national.

Un petit mensonge pour la bonne cause, ça ne pouvait pas nuire. Elle régla son téléphone en mode photographie et, braquant l'objectif sur les fédéraux, prit Patterson et son équipier en photo.

— Si quelque chose cloche dans la façon dont cette affaire a été conduite, c'est mon devoir de journaliste d'alerter l'opinion publique. Et, croyez-moi, je suis prête à ameuter la terre entière. Donc, voulez-vous appeler vous-même le directeur du service des marshals ou préférez-vous que je m'en charge ? demanda-t-elle en lui tendant l'appareil.

Bryant regarda son collègue en ouvrant de grands yeux affolés.

— Elle a le droit de faire ça ?

— Absolument, assura-t-elle.

Jack prit la parole.

— Si je peux me permettre un petit conseil : écoutez ce qu'elle vous dit.

— Et pourquoi ça ?

— Parce que, sous ses allures de poupée Barbie, cette femme est en réalité G.I. Jane. Elle est allée sur le terrain, en Afghanistan, en Irak, au Pakistan, avec les troupes. Elle en revient tout juste.

Patterson la contempla avec un peu plus de respect — et un peu plus de haine aussi.

— Ah ouais ?

— Elle a des relations, continua Jack. Des gens… très haut placés, qui auraient tôt fait de mettre un terme à la carrière de deux marshals qui ont commis une faute grave.

Caitlyn enfonça le clou.

— Ce serait dommage, Patterson. Perdre votre pension… vous qui êtes, j'imagine, si près de la retraite…

Deux véhicules de police remontèrent l'allée et s'arrêtèrent dans un crissement de pneus, bloquant l'issue. Quatre adjoints du shérif en émergèrent et se ruèrent vers eux, demandant ce qui était arrivé à Danny et quel en était le responsable. Tout le monde se mit à parler en même temps et, en quelques minutes, la confusion la plus totale régnait.

— Assez ! cria Patterson d'une voix de stentor. Taisez-vous, tous. Et reculez !

Sous l'effet de la colère, il avait viré à l'écarlate. Il attrapa Jack par le bras, initiative que Caitlyn jugea bien téméraire. Même désarmé et menotté, Jack était capable de mettre à terre les deux marshals. Voire de vaincre les adjoints du shérif, de sauter dans un véhicule et de prendre la fuite…

Mais la tentative aurait été hasardeuse. Il y avait trop d'armes, trop de doigts nerveux prêts à presser la détente.

— Marshal Patterson, dit Caitlyn, j'ai une suggestion.

Le policier fédéral était tellement à cran qu'il accepta de l'écouter.

— Allez-y, aboya-t-il.

— Pourquoi ne pas appeler votre supérieur pour prendre ses instructions ? Je suis sûre que Heather vous permettra d'utiliser son bureau. Quand vous aurez fourni la preuve que ce témoin est officiellement sous votre garde, tout le monde sera content.

— O.K. Mais cet homme vient avec nous, à l'intérieur. Il est hors de question que je le lâche d'une semelle.

Ce n'était pas exactement ce qu'avait prévu Caitlyn. Patterson et son coéquipier étaient coriaces. Il allait lui falloir imaginer une nouvelle ruse pour arracher Jack à leurs griffes. Mais au moins avait-elle réussi à gagner un peu de temps…

Depuis que Danny avait évoqué le meurtre d'un troisième marshal, Jack avait commencé à se rappeler ce qui s'était passé dans la cache… Peu à peu, les détails lui revenaient, de plus en plus précis, comme si la mention de ce crime avait rouvert les vannes de sa mémoire.

Le troisième officier fédéral s'appelait Hank, se souvint-il. Hank Perry… Il avait quarante-deux ans. Taille moyenne, yeux bruns, cheveux bruns. Il était divorcé, et son fils aîné venait juste d'entrer à l'université.

Hank Perry était mort dans l'exercice de ses fonctions, en voulant le protéger. Et Jack entendait bien veiller à ce que le sacrifice ultime de Perry ne serve pas à rien.

D'une façon ou d'une autre, il devait s'échapper et arriver à temps à Chicago.

Assis par terre dans un coin du bureau, adossé à une bibliothèque, il regarda du côté des marshals. S'ils l'avaient pu, ils l'auraient attaché et lui auraient enfoncé un bâillon dans la bouche, mais ils étaient obligés de le traiter avec humanité s'ils ne voulaient pas s'attirer une nouvelle fois les foudres de Caitlyn.

Jack sourit intérieurement en songeant à la véhémence avec laquelle elle avait pris sa défense. En dépit de ses vêtements sales et fripés et de sa crinière blonde échevelée, Caitlyn avait imposé le respect. Telle la justice faite femme, elle avait érigé un mur d'obstacles. Avec une logique imparable et des questions offensives, elle avait forcé les marshals à reculer.

Avec une sombre satisfaction, il se félicita d'avoir pris le temps de lui dire le fond de sa pensée. La vie avait ébranlé sa détermination, mais elle avait repris du poil de la bête. Ils formaient une sacrée équipe, tous les deux.

Patterson, affalé dans un siège pivotant, le téléphone collé à l'oreille, parlait depuis bientôt dix minutes, répétant encore et encore ses explications alambiquées, reconnaissant qu'ils avaient commis une erreur en ne demandant pas de renforts. Pour sa défense, il prétendait avoir voulu éviter l'épreuve de force avec Rojas, de peur qu'il n'en résulte un massacre dans cette petite bourgade tranquille du Colorado.

Tout en parlant, Patterson jouait avec le SIG qu'il lui avait confisqué. L'arme avait appartenu à Perry, et Jack bouillait de rage de voir cette ordure s'amuser avec le revolver de l'officier vertueux qu'avait été Perry.

Le grand Texan au regard vide vint sans se presser se planter devant lui. Du bout de sa santiag, il lui cogna le pied.

— Vous ne dites rien.

Saisissant sens de l'observation, pensa Jack. Il n'avait pas desserré les lèvres depuis qu'ils étaient entrés dans la pièce, trop obnubilé par les images de l'assaut de la cache, au cours duquel Perry avait perdu la vie. Il ne se souvenait pas de la manière dont il avait été blessé, lui ; en revanche, il revoyait clairement Perry tomber, touché par une balle en pleine tête.

Et Patterson qui continuait à répéter qu'il « avait fait son travail »… Le fumier ! Comme si un lâche et un traître de son engeance savait ce que cela signifiait !

Bryant s'accroupit face à Jack.

— On n'a pas beaucoup eu l'occasion de discuter, là-haut, à la cache. Je suis encore en bas de l'échelle, moi. J'étais chargé de faire le guet dehors.

Et de fermer les yeux au moment où Rojas arriverait. Jack ne se souvenait pas d'avoir vu Patterson ou Bryant pendant l'attaque. Sans doute était-il prévu qu'ils le laisseraient seul, sans protection, à ce moment-là…

Bryant continua.

— C'est vrai, tout ce qu'on dit de vous ? Du légendaire Nick Racine ?

Encore ce nom, Racine. Si ç'avait été son vrai nom, l'entendre prononcer aurait dû réactiver sa mémoire. Or ça ne lui évoquait rien. Il décida néanmoins de tirer parti de l'admiration que le Texan semblait vouer à ce Racine.

Si Bryant était tellement impressionné par ses hauts faits, peut-être Jack réussirait-il à le faire tourner casaque ?

— Vous avez vraiment tué douze hommes sans rien d'autre qu'une boucle de ceinturon et vos mains nues ?

Certain qu'il n'avait jamais rien fait de tel, Jack n'en acquiesça pas moins d'un signe de tête.

— Et vous avez survécu un mois dans le désert sans eau ni nourriture ?

Là, indubitablement, ça relevait de la légende !
Imperturbable, Jack répondit :

— J'ai eu un bon professeur, un vieux maître qui
vivait en Arizona. Je lui dois tout le savoir que j'ai acquis.

Il marqua un temps d'arrêt, puis ajouta à voix basse :

— Vous pourriez apprendre, vous aussi.

— Moi ? se récria Bryant. Je n'ai jamais été doué en
classe.

— Il ne s'agit pas de connaissances théoriques. C'est
une affaire d'instinct.

— De l'instinct, ça, oui… j'en ai.

Bryant fronça les sourcils comme s'il produisait un
intense effort de concentration.

— C'est bête qu'il faille vous éliminer. Mais on ne
peut pas courir le risque que vous alliez tout dévoiler au
service des marshals, hein ?

D'une voix basse, persuasive, Jack répondit :

— Ce n'est pas vous, le responsable. Vous n'avez fait
que suivre les ordres. C'est Patterson qui a indiqué à
Rojas l'emplacement de la cachette, non ?

— Oui. Il m'a dit qu'on serait riches, qu'il nous suffirait
de quitter la maison pendant une heure… Ça paraissait
facile.

— Mais il y a eu un hic : Perry.

— Oh ! ça, ça a été une fichue bourde ! Rojas avait
promis que Perry ne serait pas blessé.

*Mais bien sûr… Et tout se terminerait bien au pays
des Bisounours !* Même Bryant, pour jeune et borné qu'il
fût, avait passé l'âge de faire confiance à un personnage
tel que Rojas. Non, à un moment donné, il avait fait le
choix délibéré de laisser abattre son collègue.

— Qu'est-ce qui était censé m'arriver, à moi ?

— Je ne sais pas. Je n'ai pas pensé à ça, sur le coup.

Evidemment ! Se servir de sa cervelle n'était pas le fort de Bryant.

— Vous avez l'occasion de vous racheter, ne la laissez pas passer.

— Vous essayez de me piéger... Ça aussi, ça fait partie de la légende. Vous êtes un caméléon : vous changez d'identité comme de chemise.

Il lui jeta un regard chargé de haine.

— Patterson a raison : vous êtes comme les animaux quand ils redeviennent sauvages. Incontrôlable. Vous savez ce que ça veut dire, incontrôlable ?

La question était tellement ridicule que Jack s'abstint de répondre. Bryant était peut-être un crétin, mais il n'était pas assez fou pour trahir Patterson. Il alliait bêtise et loyauté... La plus lamentable des combinaisons.

— Vous savez, reprit Bryant, j'ai vu une émission à la télé, un jour, sur les éléphants d'Afrique. J'ai un écran plat d'un mètre vingt et je peux vous garantir qu'il était gigantesque, cet éléphant. Une bête magnifique. On pourrait dire : légendaire, comme vous.

Il secoua la tête, l'air ennuyé.

— Mais le guide du safari a expliqué qu'il était devenu dangereux et qu'il n'y avait qu'une chose à faire dans ces cas-là : l'abattre avant que lui ne vous tue.

Je suis un homme mort, se dit Jack.

12

Dans la salle à manger du ranch, Caitlyn se plaça de façon à pouvoir surveiller la porte du bureau. Les rouages tournaient à plein régime, dans sa tête, tandis qu'elle essayait d'échafauder un nouveau plan de secours. Les marshals n'oseraient sans doute pas toucher à Jack tant qu'il était sous leur garde, mais cela ne la rassurait qu'à moitié : de leur point de vue, il était impératif que Jack disparaisse.

Elle regarda son téléphone, espérant l'entendre sonner. Elle avait laissé un message à son ex-petit ami de Chicago, mais elle ne lui avait pas parlé depuis des années et ne savait pas s'il travaillait toujours au journal. Après ses années passées à l'étranger, elle avait perdu le contact avec la plupart de ses relations aux Etats-Unis. Les seules personnalités haut placées vers lesquelles elle pouvait aujourd'hui se tourner appartenaient à l'armée, et les militaires ne lui seraient d'aucun secours dans le cas présent.

Lorsque Heather lui tendit une tasse de café, elle sourit avec gratitude.

— Merci de m'avoir soutenue.

— Je n'ai pas apprécié que ces marshals débarquent dans mon ranch, soi-disant pour nous protéger. Tout le monde est armé, au Circle L, et nous n'avons pas besoin d'eux.

— Ton intuition ne t'a pas trompée. Ces gars-là ont basculé du mauvais côté.

— Explique-moi.

Caitlyn jeta un coup d'œil à la ronde, et baissa le ton.

— Jack est cité comme témoin dans un important procès fédéral. Il doit comparaître mardi à Chicago. Il était placé sous protection policière dans un endroit tenu secret lorsque l'attaque a eu lieu, hier soir. Il a réussi à s'enfuir avec la jument grise que j'ai retrouvée sur le pas de ma porte. J'en viens au plus important : ces deux marshals fédéraux étaient censés le protéger, mais, au moment de l'attaque, ils ont quitté la cache pour laisser le champ libre aux gangsters.

— Sauf un, intervint Danny qui approchait en claudiquant. Le troisième marshal, qui était un homme intègre et qui est mort en héros.

Il s'était lavé et changé, mais il avait toujours une mine de déterré. Caitlyn n'allait pas le plaindre ; elle lui en voulait toujours.

— Tu savais que les fédéraux attendaient Jack ici.

— Ils étaient ici pour protéger ma famille.

— Ah oui ? Et comment savaient-ils qu'elle avait besoin d'être protégée, ta famille, s'ils n'étaient pas de mèche avec Rojas ?

— Ils surveillaient la maison… Ils ont dû voir ce qui m'était arrivé, répliqua Danny, tentant de les défendre.

— Et ils n'ont rien fait pour te venir en aide ! Ils n'ont pas appelé le shérif, pas demandé de renforts ! Quel officier de police digne de ce nom aurait agi ainsi ?

— S'ils avaient donné l'assaut à la maison, je serais mort à l'heure qu'il est.

Voyant qu'il s'agitait, sa femme s'approcha de lui et posa une main sur son bras.

— Tu devrais aller t'allonger en attendant l'arrivée du médecin, chéri.

— Non… Pas tant que tout ceci n'est pas réglé.

Elle pinça les lèvres et ne répondit pas. Caitlyn comprenait son dilemme. Ce n'était pas facile d'aimer un homme obstiné, qui refusait l'aide que vous lui offriez. Un homme… comme Jack ? Bien sûr, elle ne pouvait comparer sa relation avec Jack à celle d'un couple marié, mais elle tenait vraiment à lui. Comment aurait-il pu en être autrement ? Si elle était vivante, c'était grâce à lui. Elle repensa à la façon dont il l'avait sauvée à la cabane, puis au tour de force qu'il avait accompli, à la cache. Quel diable d'homme ! Mais ce n'était pas pour cette raison qu'elle lui était tellement attachée. C'était parce qu'il avait vu clair en elle. Qu'il avait le pouvoir de révéler le meilleur d'elle-même. Et aussi parce que… Seigneur ! Il embrassait merveilleusement bien.

Elle lança un regard assassin à Danny.

— Tu ne connais pas tous les tenants et les aboutissants de cette affaire, mais je ne dirai plus un mot tant que tu ne te seras pas assis. Tu as l'air sur le point de tourner de l'œil.

— Elle a raison, renchérit Sandra en la remerciant du regard. Asseyons-nous et écoutons ce qu'elle a à dire.

Caitlyn se percha sur le bras d'un fauteuil, face à eux.

— Tu admettras que le comportement de ces deux fédéraux est plus que suspect. Ils ont eu une journée entière pour prendre en chasse Rojas et ses hommes. A quoi diable ont-ils bien pu l'employer ?

— A chercher leur témoin.

Ce qu'ils avaient été à deux doigts de réussir à la caverne !

— Oui, et il s'en est fallu de peu qu'ils ne nous retrouvent.

— Attends, fit Heather. Je ne comprends pas. Si vous

cherchiez à leur échapper, c'est que vous saviez déjà que c'étaient des traîtres ?

— Pas de façon certaine, mais Rojas et ses comparses étaient venus chez moi. Ils avaient dû deviner que Jack s'était réfugié là, à cause de la jument grise. Quand ils ont débarqué, j'étais dans la grange. Ils étaient armés. J'ai entendu crier, taper, ils ont commencé à défoncer la porte de la cabane… J'ai eu la peur de ma vie ! Par chance, Jack surveillait la maison. Il a volé à mon secours et nous avons pu nous enfuir à cheval.

— Heureusement qu'il était là. Sinon, ils t'auraient passée à tabac, comme Danny.

— Ensuite, nous nous sommes cachés dans cette caverne, pas loin de chez moi, celle dans laquelle coule la rivière. C'est là qu'ils ont bien failli mettre la main sur nous.

— Tu aurais dû signaler ta présence, commenta Danny. Si tu avais remis Jack entre leurs mains, toute cette histoire aurait été terminée.

Le sang de Caitlyn ne fit qu'un tour.

— Mais pourquoi es-tu tellement remonté contre lui ? C'est quelqu'un de bien.

— Il doit témoigner dans un procès mafieux, c'est donc probablement un criminel qui a négocié son immunité. Je le répète, Caitlyn, tu ne sais rien de cet homme.

Incapable de demeurer assise plus longtemps, elle sauta sur ses pieds, manquant renverser le fauteuil à bascule.

— Je n'ai pas fini mon récit ! Si tu veux bien écouter la suite…

— D'accord, vas-y.

— Pendant que nous étions dans la caverne, j'ai reçu ton message m'indiquant que tu étais retenu prisonnier à la cache par Rojas. Jack n'a pas hésité une seconde ! Il a immédiatement mis sur pied un plan pour aller te libérer. A l'heure qu'il est, tu serais mort, sans Jack.

Les yeux de Sandra s'écarquillèrent ; elle dévisagea son mari, stupéfaite.

— Il t'a sauvé alors qu'il ne te connaissait même pas, et toi tu laisserais ces hommes l'embarquer, menottes aux poignets ?

— Tu n'as pas une vision d'ensemble de la situation, Sandra, rétorqua Danny. Pour ce que j'en sais, Jack pourrait fort bien être de mèche avec Rojas.

— C'est complètement insensé, dit Caitlyn avec mépris.

— Alors, explique-moi pourquoi il n'a pas tiré sur Rojas, à la cache ? Il lui suffisait d'appuyer sur la gâchette, et il ne l'a pas fait !

Elle secoua la tête. Elle n'avait pas la réponse à cette question.

— Je n'en sais rien. Rojas se repliait à l'intérieur... Peut-être qu'il ne voulait pas tirer sur un homme qui lui tournait le dos.

— Oh ! Il t'a peut-être convaincue qu'il était un héros, mais je ne suis pas dupe, moi. Je place la parole d'un marshal fédéral au-dessus de celle d'un criminel repenti.

— Même si c'est celui-ci qui t'a sauvé, intervint durement Heather.

Elle se leva et alla se poster au côté de Caitlyn.

— Eh bien, pardonne-moi de te le dire, Danny, mais c'est proprement ignoble.

Il se rembrunit et jeta un regard anxieux vers sa femme.

Sandra haussa un sourcil.

— Je suis d'accord avec Heather sur ce point. Caitlyn, que pouvons-nous faire ?

Le vote de confiance des deux femmes lui mit du baume au cœur. Elle allait avoir besoin de réunir autant d'alliés que possible.

— Je ne m'oppose pas à ce que Jack soit placé sous protection. Lui non plus d'ailleurs. Son vœu le plus cher, c'est de pouvoir témoigner à ce procès, pour détruire le cartel Rojas. Ce que je ne veux pas, en revanche, c'est qu'il soit confié à la garde de ces deux marshals-*là*.

La porte s'ouvrit brusquement et Bob Woodley fit une entrée remarquée, le fusil à la main. En dépit de son âge, il débordait de vitalité et d'énergie. Il semblait s'être habillé à la hâte et sa tignasse blanche était tellement échevelée qu'on aurait dit qu'il avait confondu son peigne avec un fouet électrique.

Il se rua vers Caitlyn, les bras ouverts, et l'enserra dans une chaleureuse accolade.

— Caitlyn, ma petite, Dieu merci, tu vas bien ! Je suis tellement navré de t'avoir mise en danger…

— Vous ne pouviez pas savoir, dit-elle en s'efforçant de reprendre son souffle.

— Si quelque chose t'était arrivé, je m'en serais voulu toute ma vie. Et jamais ta mère ne me l'aurait pardonné.

— Mais je vais bien.

Elle se dégagea doucement de sa féroce étreinte.

— Comment avez-vous appris ce qui s'était passé ?

— En tant qu'élu, je ne pouvais qu'être mis au courant. La moitié des effectifs de police du Colorado est sur le pont — police d'Etat, équipes d'intervention spéciale, bureau du shérif, shérifs adjoints. Tout le monde recherche Rojas.

Danny fit mine de se lever.

— Tout le monde est mobilisé. Il faut que je…

— Assieds-toi, ordonna Sandra. Tu en as fait assez.

Woodley se tourna vers Danny.

— Qu'est-ce qui vous est arrivé ?

— C'est une longue histoire. Dites-nous plutôt où en sont les recherches.

— Je n'en sais pas plus pour l'instant. Dès que j'ai su que Caitlyn avait des ennuis, j'ai sauté dans ma Ford Fairlane et j'ai foncé ici.

Il se retourna vers elle.

— Tu n'es pas blessée, au moins ?

— Non, mais je suis très inquiète. Quelque chose de terrible va se produire et, seule, je ne suis pas en mesure de l'empêcher.

Woodley carra les épaules et se redressa de toute sa taille.

— Dis-moi ce que je peux faire.

— Ça vaut aussi pour moi, dit Heather. Je tiens à aider l'homme qui a sauvé mon frère.

— Arrêtez, tous, marmonna Danny. Laissez les marshals faire leur travail. C'est la loi.

Caitlyn lui fit face.

— Mais, parfois, pour que justice soit rendue, il faut savoir faire une entorse à la loi. Ces fédéraux t'ont abandonné à ton sort alors que Jack t'a secouru quand rien ne l'y obligeait.

Visiblement déchiré entre son sens du devoir et les arguments de son amie, Danny plaida.

— Je n'ai pensé qu'à la sécurité de Sandra et de Heather.

— Je sais, dit sa femme en posant sa main sur la sienne. Mais, maintenant, tu dois rectifier le tir.

Lorsque tous les regards convergèrent vers Caitlyn, son cœur se gonfla de reconnaissance. Ces gens étaient ses amis, animés par la même solidarité que celle qui liait les soldats sur un champ de bataille.

Un plan commença à s'esquisser dans son esprit.

— J'ai peut-être une idée…

*
* *

Jack n'arriverait à rien par la négociation. Il n'avait d'autre choix que de livrer bataille. Le mieux, c'était d'attendre qu'ils aient quitté le Circle L, ce qui éviterait que quelqu'un soit blessé. Il s'attaquerait d'abord à Bryant. Certes, le jeune policier n'était pas très vif d'esprit, mais il avait de bons réflexes. Ensuite, il s'occuperait de Patterson. Hum. Vague, extrêmement vague. Ce projet tenait davantage du vœu pieu que d'un plan à proprement parler.

Patterson, pendu au téléphone, continuait à parlementer. Il avait peu de chances de sauver sa peau, songea Jack. Un marshal avait péri dans cette embuscade ; il ne s'en tirerait pas avec un simple blâme.

L'air las, Patterson se redressa. Il paraissait avoir vieilli de dix ans au cours de la dernière demi-heure. Il conclut sa conversation par un « Oui, monsieur » sec. Puis il se tourna vers Bryant, un sourire froid étirant ses lèvres minces, décolorées.

— Ils ont marché.

Guilleret comme un chiot à qui on aurait donné un os, Bryant opina du chef. Patterson se tourna vers Jack.

— On a les ordres de mission. J'ai des confirmations signées qui viennent de très haut. Ça devrait satisfaire votre petite amie.

— Ce n'est pas ma petite amie, répondit Jack. C'est juste quelqu'un qui s'est trouvé au mauvais endroit, au mauvais moment.

— Mais elle est journaliste et, ça, c'est très fâcheux. Enfin, peu importe… Elle n'a aucune chance d'obtenir les réponses qu'elle cherche parce que, sous peu, toute cette affaire sera estampillée « top secret ».

— Et quels sont les ordres ? s'enquit Bryant.

— Il y a un aérodrome pas loin d'ici. Un hélicoptère nous y attendra. Il nous conduira à Colorado Springs. De là, on prendra un vol pour Chicago. Mais vous ne monterez jamais dans cet hélico, ajouta Patterson à l'adresse de Jack, ses yeux cernés luisant de haine. Le fait que Rojas coure toujours tombe à pic en ce qui me concerne : il sera le parfait bouc émissaire.

On frappa un coup bref à la porte.

— Qu'y a-t-il encore ?

La tête de Danny apparut dans l'embrasure.

— Un agent du FBI est en route. Il veut s'entretenir avec vous.

— Le FBI ? répéta Bryant, l'air affolé.

— Le représentant de notre état au Congrès, Bob Woodley, est très contrarié par toute cette histoire. Il a appelé un agent spécial du FBI de sa connaissance pour tirer les choses au clair. Si vous n'accédez pas à sa demande, je crains qu'il n'en réfère directement au gouverneur.

— Qu'il fasse donc ! lança Patterson en agitant son téléphone. J'ai toutes les autorisations voulues pour emmener cet homme.

— Parfait, parfait, dit Danny, conciliant. Dans ce cas, il suffit de les lui montrer, ça devrait s'arranger. Woodley veut vous voir, tous les deux. Je garde un œil sur votre homme pendant ce temps, ne vous inquiétez pas.

Sitôt Patterson et Bryant sortis, Danny se précipita vers la fenêtre et l'ouvrit en grand.

— Dépêchez-vous, filez par là.

— Pourquoi faites-vous ça ?

— Disons que je m'acquitte de ma dette.

Jack ne prit pas la peine de s'interroger au sujet de ce subit revirement. Il connaissait la réponse : Caitlyn.

13

Impressionnée, Caitlyn regarda Jack enjamber la fenêtre et sauter agilement sur les platebandes qui bordaient la maison, comme si ses poignets menottés ne le gênaient pas le moins du monde.

Elle lui fit signe de la main. Dès qu'il l'eut rejointe, elle murmura :

— Baissez-vous. On va passer au milieu des voitures.

— Si je fonce jusqu'à la grange, je pourrai…

— Je n'ai pas le temps de vous expliquer. Ne discutez pas.

Heather s'était déjà chargée de fabriquer quelques fausses pistes. Un moment plus tôt, elle avait envoyé deux cow-boys à cheval jeter un œil aux deux cents têtes de bétail qui paissaient dans la partie du ranch la plus éloignée de l'habitation. Un autre employé avait pris l'un des véhicules tout-terrain pour se rendre à l'extrémité sud de la propriété. Cela devrait suffire à occuper les marshals pendant que Jack et elle prendraient le large.

Il la suivit, se faufilant entre les huit ou neuf véhicules qui encombraient l'allée, garés en désordre. Elle se déplaçait en silence, prenant soin de ne pas alerter les deux shérifs adjoints qui se trouvaient sur le porche. Bien conscients de la menace que représentait Rojas, tous étaient désormais sur le qui-vive.

Lorsqu'elle atteignit la Ford Fairlane turquoise et crème

de Woodley, elle ouvrit lentement le coffre et signifia à Jack de monter. Il la dévisagea, mi-incrédule, mi-irrité, puis regarda alentour. Trop de monde sur le porche pour pouvoir s'enfuir en courant. Maugréant à mi-voix, il grimpa à l'intérieur, suivi par Caitlyn qui rabattit doucement le hayon sur leurs têtes.

La malle arrière de la voiture ancienne avait beau être spacieuse, ils se retrouvèrent néanmoins serrés l'un contre l'autre, jambes enchevêtrées. Cela sentait l'essence et l'huile de moteur. Caitlyn ne savait pas où mettre ses bras sans les enrouler autour de lui.

— Ôtez-moi ces menottes.

Se contorsionnant, elle réussit à plonger une main dans sa poche arrière, puis utilisa la fonction flash de son téléphone pour localiser la serrure.

Dès qu'il fut libre de ses mouvements, il emprisonna sa main et lui prit l'appareil. Il le retourna vers elle, l'éclairant à son tour.

— Vous vous êtes coiffée. Et vous avez changé de vêtements.

— Merci de le remarquer.

— Le bleu vous va bien.

— A quoi jouez-vous ? C'est un premier rendez-vous ?

Elle eut le temps d'entrevoir son sourire sexy avant que la lumière ne s'éteigne. Cette proximité avec Jack produisait déjà son effet sur elle et elle croisa les bras sur la poitrine pour éviter que ses seins n'entrent en contact avec son torse.

Il passa un bras autour d'elle et posa sa main dans le creux de ses reins.

— Comment Danny va-t-il expliquer ma fuite ?

— Il n'expliquera rien du tout. Quand les marshals retourneront dans le bureau, il sera au lit avec sa femme, à l'étage. Et, après ce qu'il a traversé, personne n'ira le réveiller, croyez-moi. C'est un héros, aux yeux de tous les gens d'ici.

Chuchotant toujours, elle lui parla des fausses pistes qu'elle et ses complices avaient préparées.

— En supposant qu'ils soient capables de suivre une piste, de nuit, conclut-elle. Patterson ne m'a pas paru particulièrement à l'aise en extérieur. Cela dit, le Texan doit avoir l'habitude de chasser.

— Possible. Il doit bien exister un domaine dans lequel Bryant ne soit pas complètement nul.

Le brouhaha des voix en provenance de la maison avait pris une intonation urgente. Il y eut des bruits de pas précipités, des portes claquées. Les fédéraux avaient dû s'apercevoir que Jack avait disparu. Elle sentit le bras de Jack se resserrer autour d'elle.

Les yeux fermés, elle blottit son visage dans son cou. Son parfum lui titillait les narines ; elle sentait la chaleur qui irradiait de son corps. Sa poitrine se soulevait et s'abaissait au rythme de sa respiration, et même ce simple mouvement lui semblait sexy. Si elle se laissait aller…

Elle se força à prendre du recul et à considérer la situation d'un point de vue objectif. A plusieurs reprises, elle s'était demandé pourquoi il était si crucial pour elle de sauver Jack. La raison principale en était simple, elle crevait les yeux : parce qu'il méritait de l'être. Elle se battait pour cet homme parce que c'était son devoir de citoyenne de le faire. Sa motivation première, c'était son amour de la vérité, de la justice, en bref, pour les valeurs américaines.

Et le fait qu'il soit tellement séduisant ne gâchait rien, il fallait bien l'avouer. La proximité forcée dans laquelle ils se trouvaient avait allumé en elle un brasier qui n'avait que peu de rapport avec la noblesse de ses réflexions.

Elle ne voulait pas le perdre, elle refusait de voir l'exaltante passion qu'elle ressentait réduite à néant.

Tâchant de s'installer plus confortablement, elle remua les jambes ; Jack bougea, lui aussi. Ils devaient faire attention. Le moindre balancement de la voiture pouvait les trahir.

Les voix se rapprochaient. Il lui sembla reconnaître celle de Patterson vociférant des ordres. Des portières claquèrent, mais il n'y eut aucun bruit de moteur. S'étaient-ils mis à fouiller les voitures ? Quelqu'un heurta le pare-chocs de la Ford Fairlane et elle retint son souffle.

Jusqu'à présent, elle avait été trop occupée par la mise en œuvre de son plan et prise dans l'action pour songer aux conséquences désastreuses d'un échec. Jamais elle n'aurait dû mêler tant de gens à cette histoire : Danny pouvait perdre son travail pour avoir facilité l'évasion de Jack ; Heather et Woodley, être poursuivis en justice… Oh ! Seigneur ! Et Jack… Cette fois, si les marshals mettaient la main sur lui, ils le tueraient. Elle se mit à trembler.

— Vous avez peur ? dit Jack à son oreille.

Elle se borna à hocher la tête.

— Pensez à autre chose. Quelque chose de positif.

La méthode paraissait enfantine, comme de siffloter dans un cimetière pour prouver aux fantômes que vous n'avez pas peur.

— Concentrez-vous sur de bons souvenirs, continuat-il d'une voix à peine audible. Pensez à votre enfance…

Elle se revit par un après-midi d'été. Elle avait seize ans et venait juste d'obtenir son permis de conduire. Sa mère lui avait demandé de porter un plat de cookies à M. Woodley.

Elle avait roulé prudemment jusqu'à chez lui. Assis sur un rocher, il l'attendait. La plupart des amis de ses parents se montraient aimables avec elle, mais sans véritablement lui prêter attention. M. Woodley, lui, était différent. Professeur d'anglais au lycée, il portait un réel intérêt à ses élèves.

Il avait accepté les gâteaux et lui avait demandé de remercier sa mère.

— Et maintenant, avait-il ajouté, venons-en au but réel de ta visite.

Il l'avait conduite dans la chambre d'amis, où se trouvait un ordinateur. Pendant les vacances à la cabane, ses parents bannissaient l'usage de l'informatique. Son frère et elle étaient censés profiter de cette « coupure salutaire » pour jouir pleinement des joies de la nature, pas pour surfer sur internet. Mais Caitlyn avait autre chose en tête que ramasser des pommes de pin et patauger dans les torrents à longueur de journée.

Quelques jours plus tôt, elle s'était rendue au Circle L pour assister à la naissance d'un poulain. Elle brûlait d'envie de relater par écrit cette expérience nouvelle. En attendant que l'ordinateur se soit initialisé, elle avait sorti un petit carnet à spirale de sa poche arrière et l'avait tendu à M. Woodley. Les pages étaient couvertes de notes rédigées d'une écriture serrée.

— J'ai interviewé le vétérinaire, avait-elle annoncé.

— C'est bien. Ça donnera de la profondeur à ton récit.

— Et je veux aussi parler aux employés du ranch pour savoir ce que va être la vie de ce poulain.

— Je croyais que tu avais l'âme d'une poétesse, mais je pense que je me suis trompé.

Il avait posé la main sur son épaule.

— Un jour, tu seras une bonne journaliste.

Se souvenir de ces instants apaisa l'affolement qui s'était emparé d'elle. Sa respiration redevint régulière.

Caitlyn était encore loin d'être calme, mais elle n'était plus au bord de la panique.

Le bruit de la poignée de la Ford qu'on actionnait la ramena brutalement à la réalité.

La voix de Woodley retentit dans la nuit.

— Hé, doucement, Patterson ! C'est une voiture de collection.

— Ouvrez-la.

— Pas de problème, répondit Woodley. Mais il n'y a personne dedans. Je la ferme toujours à clé.

La portière fut déverrouillée. La voiture balança et elle supposa que Patterson était monté à l'intérieur pour regarder à l'arrière. Elle pria en silence pour qu'il continue ses recherches ailleurs. Il lui semblait tout à coup que leur cachette était aussi évidente qu'un cadeau de Noël orné d'un gros ruban rouge.

Patterson grommela :

— Vous m'avez causé beaucoup de tracas, avec vos exigences fantaisistes.

— Je vous propose d'en discuter avec mon ami du FBI Il devrait arriver d'une minute à l'autre.

— Je n'ai pas de temps à perdre avec le FBI

Il haussa le ton.

— Bryant, je suis là !

Arrivant au pas de course, le Texan dit, hors d'haleine :

— J'inspectais la grange… Je crois que nous avons une piste. Il manque deux chevaux dans l'écurie.

— Il s'est échappé à cheval, comme l'autre fois, marmonna Patterson. J'aurais dû m'en douter.

Plusieurs minutes s'écoulèrent. Les bruits s'éloignèrent peu à peu. Puis la portière de la vénérable Ford Fairlane s'ouvrit et quelqu'un se glissa derrière le volant et mit le contact. Tandis qu'on enclenchait la marche arrière, Caitlyn entendit M. Woodley lancer :

— C'est parti ! Direction la rivière et les bois.

Ils avaient réussi. Joli tour de passe-passe.

S'enfuir au fond d'un coffre de voiture n'était pas une façon très virile de s'évader, mais Jack n'en avait cure. A la moindre bosse, les suspensions de la vieille Ford projetaient Caitlyn contre lui — et ce n'étaient pas les bosses qui manquaient sur la petite route cahoteuse ! Ils avaient dû parcourir un kilomètre lorsque, comme elle dépliait les bras, il s'aperçut qu'elle avait toujours les menottes à la main.

— Donnez-moi ces menottes, dit-il.

— Je n'y vois rien. Je vais les ranger dans la poche de ce magnifique blouson bleu, qui sera sûrement fichu quand j'émergerai de ce coffre.

Une secousse plus forte que les autres la jeta contre lui et elle se mit à rire sans plus pouvoir s'arrêter. Ils étaient tour à tour propulsés contre les parois du coffre puis de nouveau l'un contre l'autre, un peu comme s'ils faisaient l'amour dans un énorme tambour de machine à laver.

Il profita d'une accalmie pour demander :

— Ça vous ennuierait de me dire où nous allons ?

— J'ai d'abord pensé aller jusqu'à Denver. Mais c'est trop risqué, avec tous les barrages policiers mis en place pour retrouver Rojas.

— Les fédéraux ne doivent pas être contents que je leur aie faussé compagnie.

Le bras de Caitlyn heurta sa poitrine.

— Non, sans doute pas.

— Vous n'avez pas répondu à ma question.

— Pourquoi tenez-vous absolument à savoir où nous allons ? Vous ne voulez pas me laisser faire et attendre tranquillement ?

Elle n'avait pas son pareil pour résoudre les problèmes, il fallait le reconnaître. C'était un coup de maître qu'elle avait réussi là. Mais, c'était plus fort que lui, il aimait avoir la situation en main.

— Allons, dites-le-moi.

— Que ferez-vous si je refuse ?

Il avait bien une idée. Une idée très précise même, avec son corps qui ne cessait d'entrer en collision avec le sien aux endroits les plus inappropriés. De sa main libre, il emprisonna son épaule et l'attira à lui.

— Je vous embrasserai jusqu'à ce que vous ne sentiez même plus vos lèvres, chérie. Après quoi, j'enlèverai ce blouson bleu, puis votre chemise. Et ensuite…

Sa main s'abaissa et se promena sur sa chute de reins.

— Vous implorerez grâce. Vous passerez aux aveux.

— On va chez Bob Woodley, murmura-t-elle, haletante.

— Woodley ? Si sa maison est aussi ancienne que sa voiture, ce n'est pas une cachette sûre…

— Il m'a dit qu'il a fait installer un système d'alarme dernier cri, suite à un cambriolage, l'an dernier.

Jack doutait que ce brave Bob Woodley puisse garantir leur sécurité, mais ils avaient besoin d'un endroit où se reposer et manger autre chose que des barres de céréales.

La voiture s'arrêta enfin. Le mécanisme d'une porte de garage automatique se fit entendre.

Le coffre s'ouvrit. Ebloui par l'ampoule nue du garage, il cligna les yeux. Démêlant son corps de celui de Caitlyn — ce qui déclencha chez elle un nouvel accès de rire —, il déplia tant bien que mal ses jambes et sortit.

La première chose qu'il vit, ce fut le second véhicule qui était rangé dans le garage : une Land Rover flambant neuve. Au fond, un établi équipé d'un outillage électrique perfectionné occupait tout le mur. Leur sauveur était moins traditionaliste qu'il ne l'avait cru de prime abord.

Se retournant, il fit face à l'étranger aux cheveux blancs qui était l'ami fidèle de Caitlyn — un professeur à la retraite. Un ami de ses parents.

— Merci de votre aide.

Woodley le toisa d'un regard impénétrable.

— Alors, c'est vous qui êtes à l'origine de tous ces problèmes…

Jack tendit la main.

— J'en ai bien peur. Appelez-moi Jack.

— Ce n'est pas votre vrai nom.

Woodley lui serra fermement la main.

— Je n'apprécie guère les gens qui se cachent derrière des pseudonymes. Utilisons plutôt votre vrai nom, voulez-vous… Nick Racine.

14

Il n'arrivait pas souvent à Jack d'être pris au dépourvu. Sa nature le portait à se tenir en permanence sur le qui-vive, prêt à réagir à la moindre alerte. Le nom Nick Racine était synonyme de danger. A peine Woodley l'eut-il prononcé que Jack cherchait déjà à justifier l'usage d'un nom d'emprunt. Tromper son monde était devenu, par la force des choses, une seconde nature chez lui. Mais il ne pouvait pas regarder cet homme intègre en face et lui mentir. Et, par-dessus tout, il voulait jouer franc jeu vis-à-vis de Caitlyn.

Elle lui jeta un regard soupçonneux puis considéra Woodley.

— D'où tenez-vous ce nom ?

— De mon ami du FBI C'est un de mes anciens élèves. Il s'est entretenu avec Patterson au téléphone. Entre parenthèses, ce type est impoli et déplaisant au possible, mais bref... Mon ami m'a dit qu'il lui serait difficile d'interférer avec les marshals. C'est là qu'il a mentionné le nom de Nick Racine. J'ai trouvé ça curieux, parce que Caitlyn vous avait appelé différemment.

Lorsqu'elle se tourna vers lui, ce fut le regard acéré de la journaliste qui se posa sur lui. Elle n'avait plus rien de la femme qui riait aux éclats dans le coffre de la voiture en roulant contre lui.

— Nick Racine... Ça vous dit quelque chose, Jack ?

Il n'associait pas cette identité à sa personne, et il ne croyait pas un mot des prouesses que Bryant lui avait attribuées. S'il avait été aussi fort que ça, il s'en serait souvenu, non ?

— D'après Bryant et Patterson, ce serait moi.

— Je croyais que vous étiez Tony Perez.

— Moi aussi, fit-il dans un haussement d'épaules. Maintenant, je ne peux ni confirmer ni infirmer.

— Il va falloir creuser un peu cette histoire d'identité, décréta-t-elle en pivotant sur ses talons pour gagner d'un pas décidé la porte intérieure du garage. J'ai besoin de l'ordinateur.

— Eh, attends un peu, je m'y perds, moi, intervint Woodley. Qui est Tony Perez ? Et pourquoi diable ce type ne sait-il pas comment il s'appelle ?

Caitlyn revint sur ses pas et lui fit face.

— L'important, c'est que, quelle que soit son identité, cet homme est quelqu'un de bien. Par commodité, nous continuerons à l'appeler Jack.

Elle prit les mains de M. Woodley dans les siennes.

— J'ai entière confiance en Jack, et je vous demande d'en faire autant.

Jack les observait. Il avait l'impression d'assister aux retrouvailles d'un vieil oncle et de sa chère petite nièce blonde qu'il n'avait pas vue depuis des années.

— Dans ce cas… Si Caitlyn se porte garante pour vous, je ne peux que m'incliner et vous accepter… avec vos diverses identités, vraies ou fausses.

— Merci, monsieur.

— Et maintenant, l'ordinateur, reprit Caitlyn.

Woodley contourna la voiture.

— Vous devez avoir faim, tous les deux ?

— Oh oui ! Je suis affamée. Vous savez ce que je rêve de manger ? La soupe à la tomate et les sandwichs grillés au fromage que vous prépariez pour mon frère et moi quand vous veniez jouer au Scrabble avec mes parents à la cabane. De la nourriture bien roborative !

— D'accord, je m'en occupe. Mais je ne veux pas vous voir dans la cuisine, ni l'un ni l'autre. Il y a trop de lumière et trop de fenêtres… Et trop de gens qui sont à vos trousses.

Jack apprécia la prudence dont faisait montre Woodley. Rojas courait toujours et il n'était pas impossible que Patterson décide de faire un tour ici lorsqu'il aurait constaté que les pistes sur lesquelles il s'était lancé ne menaient à rien.

— N'allumez pas la lumière, les mit encore en garde Woodley en ouvrant la marche.

De nouveau, Jack approuva. Le clair de lune, de toute façon, éclairait suffisamment la salle à manger qu'ils traversèrent avant de s'engager dans un couloir. Parvenu dans une petite chambre d'amis, Woodley alluma le plafonnier.

Les volets étaient fermés et un épais rideau obturait la fenêtre. Il y avait là un curieux mélange de mobilier ancien et de matériel high-tech. Un ordinateur portable trônait sur le bureau à cylindre en chêne sculpté. Sur le lit en fer forgé, un jeté en patchwork égayait la pièce d'une touche de couleur. A en juger par les étagères de bois chargées d'une collection éclectique d'ouvrages allant de la poésie médiévale aux manuels d'électronique, le maître des lieux était un lecteur chevronné. Un angle de la pièce était réservé à la surveillance et à la sécurité.

— C'est ici que vous dormirez, Jack.

Le vieil homme se dirigea vers la console de l'alarme, dans le coin de la pièce, et actionna deux commutateurs.

— Ces quatre écrans à infrarouge permettent de surveiller l'extérieur de la maison. Le garage, la porte d'entrée, la façade nord et la façade ouest. Il n'y a pas d'accès sur l'arrière ; la maison est adossée à la montagne. J'ai paramétré les détecteurs de mouvement à une distance de vingt mètres sur tout le pourtour de la maison, et j'ai mis en service l'alarme antivol au cas où quelqu'un forcerait la porte d'entrée ou briserait un carreau.

Dans les méandres brumeux de sa mémoire, Jack sut qu'il avait déjà vu ce genre d'équipement.

— C'est une installation ultrasophistiquée que vous avez là.

— Le fin du fin. J'ai été tellement contrarié d'avoir été cambriolé que je me suis bâti une vraie petite forteresse… En réalité, je l'avoue, c'est surtout parce que j'adore bidouiller tous ces gadgets.

— Il a toujours été comme ça, commenta Caitlyn qui avait déjà ouvert l'ordinateur portable. S'il n'avait pas été professeur d'anglais, il aurait sans doute été ingénieur en mécanique ou en électronique.

— C'est vrai. Et j'aurais été un excellent mécanicien. D'ailleurs, regardez l'état de ma Ford Fairlane de 1957.

— Je suis impressionné, dit Jack.

Le vieil homme lui était éminemment sympathique.

— Et attendez d'avoir goûté à mes sandwichs au fromage ! Mais j'ai autre chose à vous montrer avant d'aller en cuisine…

Il ressortit dans le couloir et désigna une porte fermée.

— Ça, c'est la chambre de Caitlyn. Vous me suivez ?

— Oui, monsieur.

Jack avait espéré qu'ils dormiraient dans la même chambre. De toute évidence, son vœu ne serait pas exaucé ce soir.

Il ferma la porte derrière Woodley et rejoignit Caitlyn, penchée sur l'écran de l'ordinateur.

— Je cherche Nicholas Racine ou Nick Racine ?

— Peu importe, je ne suis ni l'un ni l'autre.

— Mais beaucoup de gens semblent penser le contraire et, puisque nous avons accès à internet…

— J'ai une meilleure idée. Entrez donc « Tony Perez ».

Quelques instants plus tard, le visage de Jack s'affichait sur l'écran. Il avait les cheveux plus longs et une mouche sur le menton.

— C'est bien vous, apparemment. J'adore la mouche.

Involontairement, il porte la main à son menton, désormais recouvert d'une barbe de quelques jours.

— Eh bien, on sait à quoi s'en tenir maintenant.

— Vous rappelez-vous avoir été Tony Perez ?

Il revoyait distinctement Mark Santoro s'effondrer, mort, sur le trottoir.

— Je me souviens de certaines choses.

Caitlyn désigna l'écran.

— Regardez, c'est votre adresse à Chicago. Décrivez-moi l'endroit où vous viviez.

Elle parlait d'un ton ferme, exigeant. Autoritaire, pour tout dire. Et il n'avait pas envie de s'entendre dicter des ordres.

— C'est un interrogatoire ?

— J'essaie d'obtenir des réponses, oui.

— A quoi bon ? On sait que Rojas veut me tuer pour m'empêcher de témoigner. Qu'il a soudoyé les marshals et qu'eux aussi veulent me voir mort pour garder leur travail. Ça, ce sont les faits. Mon nom n'y change rien.

Elle se leva et lui fit face, ses yeux bleus brillant de curiosité.

— Vous n'êtes pas curieux de savoir qui vous êtes ?

— L'identité de Jack Dalton me convient plutôt bien. Un homme sans passé, sans regrets.

— S'il vous plaît, montrez-vous un peu coopératif.

— Pourquoi ? Est-ce important pour vous sur le plan personnel ou professionnel ?

— Les deux. Je reconnais que c'est un sujet d'article passionnant, mais je suppose que je tiens à vous…

Elle leva la main et écarta le pouce et l'index de quelques centimètres.

— Au moins comme ça.

— Ce n'est pas beaucoup.

Elle leva les yeux au ciel.

— Vous n'êtes jamais content ! On ne vous a jamais dit que vous étiez un vrai casse-pieds ?

— J'aimerais pouvoir vous répondre, mais… je ne me souviens pas.

— Parlez-moi de l'endroit où vous habitiez à Chicago, insista-t-elle.

Il se mit à faire les cent pas, comme si cela pouvait stimuler sa mémoire.

— C'était un F1, dit-il au bout d'un moment. Dans un vieil immeuble, avec un ascenseur à l'ancienne. J'habitais au troisième étage.

Une image se forma dans son esprit.

— Il y avait un canapé marron. Un téléviseur. Une table de bois toujours encombrée. Et un très grand lit. J'aime les grands lits.

— Et ce grand lit, vous le partagiez avec une compagne ?

Sur l'écran de son esprit, il vit une femme avec de longs cheveux, trop maquillée.

— Je me souviens d'une blonde. C'est mon type de femme. Les blondes avec de longues jambes. Un peu comme vous.

— Quelle chance j'ai ! Continuez.

— Cette femme… Ce n'était pas important pour moi. On est sortis ensemble, c'est tout.

— Et, avant cela, vous viviez où ?

Il jeta un coup d'œil à l'équipement de surveillance, dans le coin de la pièce. L'infrarouge donnait aux troncs des pins un aspect fantomatique.

— On s'en fiche ! se récria-t-il. Que cherchez-vous à savoir ?

— Je n'ai jamais interviewé un amnésique. J'essaie de déclencher des souvenirs, d'actionner les leviers qui pourraient vous faire retrouver la mémoire.

— Je m'appelle Tony Perez. J'ai passé mon enfance en Californie du Sud.

Sa biographie se déroula devant lui aussi clairement que si elle avait été consignée sur une feuille de papier.

— Je n'ai pas connu mes parents… J'ai grandi en famille d'accueil. A l'adolescence, j'ai failli mal tourner. J'ai fait des bêtises : vol à l'étalage, vol de voiture, ce genre de choses. Ensuite, j'ai vécu en Arizona. Alors, je m'en sors bien ?

— Etonnamment bien, compte tenu que nous sommes partis de zéro. Vous vous rappelez beaucoup de choses.

D'autres détails lui revenaient. Il visualisa son permis de conduire et récita son numéro de sécurité sociale. Mais rien de tout cela ne lui paraissait réel. C'était comme s'il avait vu ce Tony Perez dans un film et, pourtant, rien de ce qu'il disait n'était inventé.

— C'est étrange. Retrouver la mémoire ne m'apporte pas le soulagement que j'aurais imaginé.

— De quoi viviez-vous ?

Il mentionna une série de petits boulots.

— Ensuite, j'ai rencontré Santoro. Je me chargeais d'encaisser l'argent qu'on lui devait.

— Mmm… Ça se tient. Je vous ai vu à l'œuvre, vous pouvez être très intimidant.

— Je ne suis pas une brute épaisse, protesta-t-il. Obtenir des gens qu'ils fassent ce que vous voulez relève plus de la force de persuasion que de la violence physique. Je me suis fait une réputation. Les gens se sont mis à me craindre. Du coup, ensuite, la menace suffisait.

Il se dirigea vers le lit, redressa les oreillers bleu nuit contre les volutes de fer forgé de la tête de lit et retira ses boots pour ne pas salir le tissu. Puis il s'allongea et étendit les jambes, s'offrant enfin un moment de détente. Le premier de la journée. Seigneur, qu'il était fatigué !

Caitlyn se percha au bord du lit, prenant soin de ne pas le toucher.

— Ils ne se sont pas mis à avoir peur de vous par hasard. Comment vous y êtes-vous pris pour donner à penser que vous étiez tellement redoutable ?

— Le bouche à oreille. Des mensonges judicieusement placés.

— Allez-y, développez… Ça m'intéresse.

— Eh bien, comme je disais, il faut commencer par se forger une réputation. Il faut que des gens se passent le mot, disent de vous que vous êtes un coriace. A Chicago, j'ai utilisé une balance et un ou deux policiers pour répandre la rumeur. Les histoires qu'ils colportaient donnaient de moi l'image d'un sadique sans états d'âme.

— Des policiers ? Comment avez-vous obtenu de policiers qu'ils acceptent de servir vos plans ?

— En leur donnant ce qu'ils voulaient. Une enveloppe, une promesse, un cadeau. Exactement comme Rojas avec Patterson.

— Et ensuite ?

— Ensuite, il faut faire vos preuves. J'ai choisi le plus grand, le plus fort du gang, et je l'ai mis K.-O. Oh ! je ne l'ai pas tué, ni gravement touché, mais je me suis arrangé pour qu'il sache que j'aurais pu le faire. D'une certaine façon, il me devenait ainsi redevable de l'avoir épargné.

— Ça commence à ressembler à *L'Art de la guerre*

de Sun Tzu. « Garde tes amis près de toi, et tes ennemis encore plus. »

— « Toute guerre est fondée sur la tromperie », cita Jack.

— Eh bien ! La vie de Tony Perez me semble avoir été bien compliquée. Pourquoi vous être donné la peine de monter un stratagème aussi élaboré ?

Bonne question.

— Je venais d'arriver en ville. J'avais besoin de pénétrer les sphères du pouvoir. C'est mon rôle.

Il croisa les doigts derrière la tête et se renfonça contre l'oreiller. Ses paupières s'alourdissaient.

— O.K., donc, vous avez établi votre réputation, vous vous êtes livré à une petite démonstration de force. Et ensuite ?

— Il me fallait un allié. Je l'ai trouvé en la personne de Mark Santoro. Au début, je ne faisais que me servir de lui. Mais, ensuite, il est devenu un ami.

Santoro n'était pas un saint, loin de là. Il dirigeait un clan mafieux. Mais il était loyal vis-à-vis des siens et avait une personnalité attachante. Il avait deux filles — des jumelles qui grandiraient sans leur père.

— Vous le pleurez encore.

— Sa mort n'a servi à rien, ni à personne. J'aurais dû savoir ce que tramait Rojas, j'aurais dû voir venir cette attaque.

— Parce que votre rôle était de protéger votre patron ?

Il hocha lentement la tête, mais il y avait autre chose, il le savait. Quelques heures plus tôt, Rojas l'avait regardé bien en face et l'avait appelé « Nick Racine ». Et cela l'avait perturbé au point qu'il en avait oublié de tirer. Il voulait voir Rojas payer pour la part qu'il avait prise dans la mort de Santoro et dans celle de…

Il serra les poings. Quelqu'un d'autre avait été tué. Et,

tant qu'il ne saurait pas qui, rien ne comblerait le vide de son âme. Sa vie n'aurait pas de sens.

S'il avait joué ce jeu de dupes avec Santoro, ce n'était pas sans raison. Il devait trouver des réponses.

— Il nous faut des renseignements sur Nick Racine, dit-il sombrement.

15

A minuit, Jack, yeux grands ouverts, contemplait le plafond dans l'obscurité. Il était rompu par l'épuisement, mais son cerveau se refusait à trouver le repos. Les écrans de contrôle, dans le coin de la pièce, diffusaient une étrange lueur grise sur toute chose. De nouveaux souvenirs affleurèrent à sa mémoire.

Il voyait le numéro huit inscrit en caractères beige sur la porte du motel. La nuit était très noire, il faisait froid. L'homme aux cheveux roux déverrouillait la porte et entrait, chargé d'un sac de sport noir.

Jack cligna les paupières. Il savait ce qui allait suivre ; il aurait dû penser à autre chose, mais il ne pouvait s'empêcher de se rejouer la scène. Il *se* regardait.

Il se garait à une centaine de mètres et gagnait subrepticement le parking du motel. Là, il attendait, tapi dans l'ombre, le Beretta M9 automatique à la main. Ce n'était pas un meurtre ; c'était l'exécution d'un hors-la-loi. L'homme s'appelait Eric Deaver et il avait commis des actes épouvantables.

Les rideaux n'étaient pas totalement fermés. Dans l'interstice, il vit un écran de télévision allumé. Deaver était-il sur le lit, en train de rire des plaisanteries idiotes des invités d'un talk-show tardif ?

La porte s'ouvrit brusquement. La silhouette de Deaver

se découpa dans l'embrasure. Il avait un revolver dans chaque main. Il rugit : « Je sais que tu es là ! »

Un coup. Un seul. En pleine tête. C'était fini. Justice était rendue.

L'esprit encore tout à son souvenir, Jack entendit tourner la poignée de la porte. Il bondit tel un fauve, prêt à lutter pour sa vie.

Caitlyn hésita, la main sur la poignée. Revenir dans la chambre de Jack n'était peut-être pas une bonne idée. Elle déplaça le poids de son corps d'une jambe sur l'autre ; le plancher craqua sous ses pieds. Peut-être ferait-elle mieux d'aller passer une autre tenue ? Non que le T-shirt trop grand pour elle et le peignoir en éponge rouille de M. Woodley puissent s'assimiler à un séduisant négligé, mais elle ne voulait pas que Jack se méprenne sur ses intentions.

Elle ne venait pas pour faire l'amour avec lui. Ils ne se connaissaient que depuis une journée et aucune relation future n'était envisageable entre eux.

Seulement, si elle le laissait seul, elle était à peu près sûre de trouver le nid vide et l'oiseau envolé, au matin. Il lui avait suffisamment répété qu'il ne voulait pas de partenaire à cause de l'omniprésence de la menace, de la dangerosité de la situation, etc. Or, elle ne l'entendait pas de cette oreille. S'il prenait la fuite, elle serait à son côté. Elle avait la ferme intention de suivre l'histoire jusqu'au bout.

Enfin, elle ouvrit la porte et passa la tête à l'intérieur. Avant d'avoir eu le temps de murmurer son nom, elle se sentit prise à la gorge par une poigne de fer. Elle ne pouvait plus bouger ni respirer ; elle se sentait glisser dans le néant.

Lorsque l'étau se desserra d'un seul coup, elle s'affaissa sur le sol, cherchant son souffle.

— Vous avez perdu la tête ? Ne vous avisez plus jamais de me prendre par surprise, comme ça. Plus jamais, vous m'entendez ?

Elle acquiesça tant bien que mal, secouée par une quinte de toux. Il avait raison, mais tout de même… Il aurait pu l'aider à se relever. Mais non, silencieux, il lui tournait le dos. Une impression d'hostilité se dégageait de sa large carrure, de ses épaules musclées.

Elle s'assit sur le lit et rajusta sa robe de chambre sur ses seins — bien qu'elle eût conservé son soutien-gorge de sport sous le T-shirt, en guise de protection supplémentaire.

— Navrée de n'avoir rien trouvé concernant Nick Racine sur internet.

— Vous n'y êtes pour rien, grommela-t-il.

Dieu sait pourtant qu'elle n'avait pas ménagé sa peine… De par sa formation de journaliste, elle avait appris à tirer le meilleur parti des ressources informatiques. Mais elle avait eu beau éplucher toutes les bases de données, passer en revue des dizaines de sites et de blogs, rien de concluant n'en était sorti. Si elle avait trouvé plusieurs Nick Racine, aucun ne correspondait à la description de Jack.

— C'est comme si on avait effacé toute trace de Nick Racine.

— C'est peut-être bien ce qui s'est passé.

Il lui tournait toujours le dos, et elle se laissa distraire par le boxer qui moulait son postérieur musclé. Il avait de longues jambes athlétiques. Ses pieds nus et ses longs orteils lui parurent curieusement vulnérables.

Détournant les yeux, elle replia ses pieds sous elle. Elle portait des chaussettes de coton blanc.

— Il nous faut décider de ce que nous allons faire

demain. M. Woodley ne nous chassera pas, mais il faut nous attendre à ce que les marshals quadrillent tout le secteur.

— Je serai parti avant l'aube.

— Je viens avec vous.

Il se retourna, l'air courroucé. Le fait qu'il fût à moitié dénudé le faisait paraître plus impressionnant encore.

— Il n'y a pas de raison que vous vous mettiez en danger. Mieux vaut que vous demandiez à l'agent du FBI que connaît M. Woodley de vous faire placer sous protection jusqu'à ce que Rojas soit sous les verrous.

— Où comptez-vous aller ?

Il releva le menton.

— Je préfère que vous ne le sachiez pas. C'est plus sûr.

Elle n'était pas disposée à se laisser écarter si facilement. Trop de questions demeuraient sans réponse.

— Si ça ne vous ennuie pas, laissez-moi juge de ce qui est bon ou pas pour moi.

Quelque chose avait changé dans son attitude, mais elle ne parvenait pas à déterminer précisément ce que c'était. Une sorte d'amertume…, de colère rentrée.

— Ecoutez, Jack, vous m'avez demandé si je m'intéressais à vous parce que votre histoire était un bon sujet. Eh bien, c'est le cas. Si je peux faire sauter les verrous qui bloquent votre mémoire et entrer dans votre tête, l'article que j'écrirai sur vous pourrait me valoir un prix Pulitzer.

Il l'épingla de son regard vert.

— Entrer dans ma tête ? Vous n'aimerez pas ce que vous y trouverez, dit-il en s'asseyant dans le fauteuil, devant le bureau, avant de prendre appui des coudes sur ses genoux. J'ai tué un homme.

Etait-ce un aveu ? Ce n'était pas ce qu'elle avait espéré entendre. Pas du tout.

— Vous en êtes certain ? Vous vous êtes souvenu de quelque chose ?

— Je me rappelle avoir vu la balle percuter sa tête, l'étincelle s'éteindre dans ses yeux. Et j'étais content que ce salaud soit mort. Je n'en éprouvais ni culpabilité ni remords.

Ça ne cadrait pas avec ce qu'elle connaissait de lui.

— Je ne sais pas pourquoi il fallait que je le tue, mais je crois que c'est lié à Rojas.

— En quoi ?

Il fronça les sourcils, le regard lointain.

— A la cache, si je n'ai pas tiré sur Rojas quand l'occasion m'en a été donnée, c'est parce que, en me voyant, il a dit « Nick Racine », comme s'il me reconnaissait. Ça a provoqué un déclic dans mon esprit. Subitement, tout était clair : la confusion, la tristesse et la rage qui me taraudaient depuis des années… Je savais. Je connaissais la réponse.

Sa voix n'était plus qu'un chuchotement. Suspendue à ses lèvres, Caitlyn n'osait pas rompre le silence. Qu'avait-il compris ? Quelle vérité lui était donc soudain apparue ?

— Je sais que Greg Rojas est la clé de tout. Maintenant, c'est ce « tout » qu'il faut que je me rappelle.

— Bribe par bribe, vous reconstruisez votre passé. C'est encourageant. Tout va finir par vous revenir.

Il secoua la tête.

— Cette quête, je la mène depuis longtemps, bien avant mon amnésie. C'est elle qui m'a conduit à travailler pour Santoro, à accepter de témoigner. En fait, tout est lié.

Elle devait absolument démêler cet imbroglio. Jamais, au cours de sa carrière, un challenge ne s'était imposé à elle avec une telle évidence.

— Par où commençons-nous ?

Il se leva, lui prit la main et, avec une galanterie qui

détonnait chez un homme vêtu seulement d'un boxer et d'un T-shirt, il l'escorta jusqu'à la porte.

— Allez vous coucher, Caitlyn. Nous avons tous les deux besoin de dormir.

— Promettez-moi de ne pas partir sans moi.

— Je ne veux pas vous mentir, Caitlyn. Ne m'y forcez pas.

L'ombre d'un sourire joua sur ses lèvres et elle crut qu'il allait l'embrasser, mais il s'écarta et retourna vers le lit.

— Bonne nuit, Caitlyn.

Si vous croyez vous débarrasser de moi ainsi... Elle revint sur ses pas et se pencha au-dessus de lui, assez près pour l'embrasser mais sans le toucher.

— Je suis contente que vous vous refusiez à me mentir, dit-elle d'un ton onctueux.

— Je vous dois bien ça.

— Et même un peu plus.

Discrètement, elle plongea la main dans la poche droite de la robe de chambre, où se trouvaient les menottes. Vive comme l'éclair, elle emprisonna le poignet droit de Jack dans un bracelet métallique et referma l'autre autour de son propre poignet gauche.

Le regard vert s'abaissa sur les menottes, remonta vers son visage. Le sourire sexy naquit lentement sur ses lèvres.

— Si vous vouliez tellement coucher avec moi, il suffisait de demander.

Elle dut se faire violence pour s'en tenir à sa résolution.

— Ne vous faites pas de fausses idées : nous allons dormir.

— Je ne vous crois pas, répondit-il d'une voix basse, feutrée. Pour m'empêcher de partir, il vous suffisait de m'attacher à ces jolies circonvolutions en fer forgé.

— Pour que vous trouviez le moyen de forcer la serrure ? Non, pas question. Nous attacher ensemble était le meilleur moyen de m'assurer que vous ne fileriez pas sans moi.

Elle brandit la clé sous son nez, puis glissa la main sous son peignoir et la fit disparaître dans son soutien-gorge.

— Parce que vous vous imaginez que ça va m'arrêter ?

— Je sais que vous êtes incapable de me faire du mal.

Il roula sur le côté et darda sur elle un regard de braise.

— Vous avez raison, chérie… Je ne vous veux pas de mal.

Il l'attrapa par le poignet droit et la fit basculer au-dessus de lui.

Elle se débattit comme un beau diable, mais ne réussit qu'à dénouer la ceinture de sa robe de chambre. Les pans s'écartèrent et ses jambes dénudées se retrouvèrent en contact avec celles de Jack. Elle savait que ceci allait arriver. Qu'avait-il bien pu lui passer par la tête ?

La réponse n'était pas difficile à trouver. Sans vouloir se l'avouer, elle avait peut-être bien… souhaité ce qui était en train de se produire.

Il roula au-dessus d'elle et elle sentit la tiédeur de son corps au travers de la mince étoffe du T-shirt. Une bouffée de chaleur l'envahit. Le visage de Jack était à quelques centimètres du sien. C'était tellement tentant… Mais, si elle l'embrassait, les dés seraient jetés, se dit-elle au désespoir. Elle ne pourrait plus s'arrêter.

Elle tourna résolument la tête vers l'oreiller, le regard fixé sur le mur. Les dents serrées, elle déclara :

— Arrêtez. Tout de suite.

Il se laissa retomber à côté d'elle. Ils se retrouvèrent sur le dos, leurs mains reliées par les menottes entre leurs deux corps.

— Vous ne pouvez pas dire que c'est ma faute. Quand une femme débarque dans votre chambre au milieu de la nuit avec une paire de menottes…

— Je sais de quoi ça a l'air. Mais c'est purement professionnel.

Sa voix tremblait d'excitation ; son cœur battait la chamade.

— Oh ? Et de quelle profession peut-il donc bien s'agir ? s'enquit-il avec amusement.

— Reporter ! Si je veux remettre ma carrière sur ses rails, il faut que je fasse la preuve de mes capacités de journaliste d'investigation. Vous savez très bien de quoi je parle… C'est vous qui m'avez assuré que tout irait bien, qu'il suffisait que j'aie confiance en moi.

— Ça n'était pas très difficile. N'importe qui se rendrait compte que vous êtes faite pour ce métier. Mais, vous avez raison, Caitlyn, je crois en vous.

Quand il dévoilait ainsi sa sensibilité, il devenait absolument irrésistible. Elle ferma les yeux.

— Si nous voulons dormir, dit-elle d'une voix contrainte, il vaudrait mieux éteindre la lumière.

Elle tendit son bras libre et la pièce se retrouva plongée dans l'obscurité. A la lueur bleutée des écrans de contrôle, elle contempla la forme de Jack, allongé à côté d'elle.

Ils s'installèrent aussi confortablement que le leur permettaient les menottes, face à face. Malgré la pénombre, elle vit qu'il avait les yeux fermés. De longs cils frangeaient ses paupières, noirs et épais, mais il n'y avait rien de féminin dans son visage. L'ombre de sa barbe mettait en valeur sa bouche pulpeuse ; ses pommettes saillantes et sa mâchoire se découpaient en lignes dures.

Elle n'était pas près de trouver le sommeil. Au bout d'un moment, n'y tenant plus, elle demanda :

— Vous avez un plan pour demain ?

— Rien de précis pour l'instant, répondit-il. Juste quelques vagues idées. Sillonner le coin pour essayer d'en apprendre un peu plus. Il me reste trois jours avant le procès, autant en profiter. J'ai parlé avec Woodley : il possède un quad à quatre roues motrices qui me sera bien utile ; il m'a donné les clés.

— Oh ! parfait. Je monterai derrière vous. Vous verrez, vous serez bien content de m'avoir comme copilote.

Pendant un long moment, il la dévisagea. L'envie de se rapprocher de lui submergea Caitlyn, plus puissante que jamais. Elle brûlait de le toucher, de se pelotonner contre son corps d'athlète. Physiquement, il représentait tout ce qu'elle aimait chez un homme : il était grand, mince, musclé. Elle aimait jusqu'aux cicatrices que dissimulait son T-shirt.

— Pourquoi ne voulez-vous pas que nous fassions l'amour ?

— Je ne sais pas qui vous êtes — Tony, Nick, ou quelqu'un de complètement différent.

— Vous me connaissez sous le nom de Jack.

Oui, en effet. Jack, l'étranger qui avait débarqué chez elle, celui qui lui avait sauvé la vie et croyait en elle.

— Depuis seulement une journée, rappela-t-elle.

— Oh… C'est donc une affaire de temps.

Elle ne s'était jamais fixé de règles stupides comme ne jamais embrasser un homme lors d'un premier rendez-vous, mais elle tenait à ne rien précipiter. Faire l'amour avec lui était un risque qu'elle n'était pas encore prête à prendre.

— Le temps, c'est important.

— Demain, dit-il. D'ici à demain, nous aurons eu deux fois plus le temps de nous connaître. Ça devrait suffire.

Elle ferma les yeux et fit semblant de dormir.

16

En dépit des volets qui obturaient la fenêtre, Jack sentit que l'aube approchait. Son horloge intérieure le lui disait. Il souleva sa tête de l'oreiller et regarda la pendule à affichage digital, au-dessus du bureau. 4 h 47. L'heure de se mettre en route.

Il avait bien dormi, malgré les menottes. La présence d'une femme à son côté lui avait rappelé ce que c'était que de mener une vie normale. Son parfum, les petits soupirs qu'elle poussait dans son sommeil, tout cela lui avait donné l'impression de revivre. Ses yeux s'étaient accoutumés à la pénombre créée par les écrans du système de surveillance et il la voyait assez bien. Son T-shirt était remonté, offrant une vue imprenable sur ses longues jambes. Son bras libre déplié formait un arc gracieux au-dessus de sa tête. Pour une femme mince, elle en prenait de la place ! Il sourit. *Une vraie marmotte.*

Se penchant vers elle, il étudia ses traits délicats. Des mèches de cheveux blonds et lisses couvraient en partie sa joue. Elle avait la bouche entrouverte et sa respiration était calme. Elle dormait encore à poings fermés.

C'était le moment de tenter sa chance. Car il devait l'empêcher de risquer sa vie en l'accompagnant. Pour cela, il fallait d'abord déverrouiller les menottes.

Il effleura du bout des doigts sa peau nue sous sa clavicule. Le rythme de sa respiration ne changea pas.

Sous le T-shirt informe, sa poitrine continua à s'abaisser et à se soulever régulièrement.

Lentement, ses doigts s'insinuèrent sous le tissu, en direction de la vallée qui se creusait entre ses seins. Sa peau était douce et chaude. Il déglutit péniblement. C'était un vrai supplice pour lui qui n'avait pas approché une femme depuis des mois. Il lutta contre l'envie de la toucher, de s'emparer de ses lèvres, de sa gorge, de ses seins… Ce qu'il aurait aimé sentir ses longues jambes s'enrouler autour de lui ! D'où lui venait cette idée ridicule d'attendre un certain délai avant de faire l'amour avec lui ? Tous deux étaient des adultes consentants, de toute évidence attirés l'un par l'autre. Rien ne les empêchait de saisir l'opportunité de ce moment.

Ses doigts avaient atteint le soutien-gorge. Un peu plus bas et…

Elle ouvrit d'un coup les yeux.

— Dites donc, est-ce que vous essayez de me peloter ou de vous emparer de la clé ?

— Les deux.

— Eh bien, oubliez ! fit-elle en lui assenant une tape sur la main.

— Il est l'heure de partir. A moins que vous n'insistiez pour m'accompagner aux toilettes, il va falloir que vous nous détachiez.

Elle jeta un coup d'œil à la pendule tout en récupérant la clé.

— Il n'est même pas 5 heures !

— Rien ne vous empêche de rester dormir.

— Ça aussi, oubliez. Bon, je passe à la salle de bains la première. J'en ai pour cinq minutes.

— N'allumez pas !

Toujours prévoir le pire. Les marshals pouvaient être en train de surveiller la maison. Rojas, de l'avis de Jack, devait déjà être loin. Riche comme il l'était, il avait sans doute quitté à bord d'un hélicoptère le secteur désormais infesté de policiers. Lorsqu'il se fut lui aussi débarbouillé à la hâte dans le noir, il revint dans la chambre enfiler les vêtements propres que lui avait prêtés Woodley.

Ensemble, ils longèrent le couloir sur la pointe des pieds. Jack se prit à espérer que Woodley ne vouait pas aux quads la même vénération qu'aux voitures anciennes.

Faisant le tour de la maison, ils pénétrèrent dans l'abri où était garé le quad. Ils refermèrent la porte derrière eux et allumèrent la lumière. Le véhicule n'était pas tout récent, mais il avait moins de dix ans. A en juger par les rayures et les petits chocs que présentait sa carrosserie, Woodley n'avait pas dû le ménager. Mais un mécanicien dans l'âme comme lui devait entretenir avec un soin méticuleux ses véhicules, Jack en était certain. Un casque bleu pervenche était posé sur le siège. Le couvercle du coffre situé sous le deuxième siège était ouvert. Caitlyn regarda à l'intérieur.

— Oh ! comme c'est adorable ! Il a mis un sac de couchage et une petite cantine avec de la nourriture.

— Woodley est un homme bien.

Elle se mit à fureter dans les placards de l'abri.

— Il ne savait pas que je partirais avec vous. Il nous faudrait un second casque et un autre sac de couchage. Et peut-être une tente.

— Nous ne partons pas pour un week-end de camping.

— Certes, et d'ailleurs où allons-nous, exactement ?

La meilleure façon, selon lui, de savoir pourquoi il avait exécuté l'homme roux, était d'en apprendre plus sur Nick Racine. Puisque Patterson et Bryant pensaient que c'était lui, il s'était dit qu'il trouverait peut-être des indices dans la maison où il avait été retenu.

— Nous retournons à la cache.

— C'est une scène de crime. Vous ne pensez pas que la police aura bouclé le secteur ?

— Nous verrons.

Elle dénicha un autre casque sur une étagère et le fourra dans le coffre avec le sac de couchage qu'elle avait trouvé en haut d'un meuble.

— Vous avez déjà conduit un quad ?

— Oh ! oui, quand j'étais dans le désert, avec mon mentor.

Et ce quad-là, avec son châssis solide et ses larges pneus, était le grand frère musclé du véhicule qu'il avait piloté dans les dunes. Jack était impatient de le mettre à l'épreuve par les bois et les collines. Il sortit l'engin de l'abri et referma la porte derrière lui.

— En route, dit-il en fixant son casque.

Une fois casquée elle aussi, elle grimpa derrière lui. Elle n'était pas assez proche de lui pour enrouler ses bras autour de sa taille comme sur une moto, mais elle pouvait tapoter son casque en se penchant.

— Qu'y a-t-il ? s'enquit-il en tournant la tête.

— Rien. C'est excitant. Allez-y, foncez.

Il tourna la clé de contact. Le moteur vrombit comme ils s'éloignaient, piquant entre les buissons vers la montagne, à l'opposé de la route. Dans la lueur grise de l'aube, il n'avait pas une bonne visibilité et il dut ralentir l'allure.

Lorsqu'ils atteignirent le sommet de la colline qui surplombait la maison de Woodley, Caitlyn claqua des doigts près de son casque pour attirer son attention.

— Vous devriez aller vers l'est. C'est en descendant, à votre droite.

Dans un grondement de tonnerre, le quad s'élança sur un étroit sentier. Ce véhicule était tout sauf discret ; il leur faudrait se garer à bonne distance de la cache.

Tandis qu'ils zigzaguaient entre les arbres, l'aurore teinta de rose et d'or les longs rubans des cirrus qui traversaient le ciel. Peu à peu, les vallonnements recouverts de forêt prirent forme.

Ils arrivèrent bientôt en vue d'un grand champ, libre de tout obstacle. Après le slalom précautionneux qu'il venait d'opérer entre les souches d'arbres, les buissons et les rochers, Jack eut soudain envie de vitesse. Il fit ronfler le moteur et mit le pied au plancher. Ils volèrent au-dessus du terrain inégal, le vent tournoyant autour d'eux. Savourant l'exaltante sensation de liberté, il se retourna à demi pour regarder Caitlyn. Elle poussait de petits cris et riait.

Lorsqu'il s'arrêta à l'autre bout du champ, elle mit pied à terre en se tenant les reins.

— Ça va ?

— Rouler sur ces touffes d'herbe m'a rompu le dos.

Elle s'étira, grimaça, s'étira encore.

— Mais ça ira. Il n'y a pas mort d'homme. Il suffirait d'un bon massage pour régler le problème.

— Je me porte volontaire.

— Ça, je n'en doute pas.

La lumière du jour nouveau scintillait dans ses cheveux blonds et elle le dévisageait en souriant. Il se sentit tout à coup transporté par la beauté de la nature combinée à l'énergie vitale qui se dégageait de Caitlyn. La vitesse faisait encore pulser son sang dans ses veines. Il était… heureux.

Il baissa les yeux, se rappelant confusément avoir déjà éprouvé ce sentiment de plénitude. Que ce soit sous l'identité de Tony, de Nick, de Jack ou peut-être même d'un autre, il avait connu le bonheur. Une émotion dangereuse, souvent suivie du plus profond désespoir.

— Quelque chose ne va pas ? fit-elle en s'approchant.

— Non, rien. A quelle distance sommes-nous de la cache ? Je ne voudrais pas arriver trop tard.

— Plus très loin, dit-elle en jetant un regard à la ronde. Voyons… La cache et la maison de M. Woodley sont toutes deux à l'est de Pinedale…

Elle tendit le bras sans hésitation.

— Du haut de cette butte, nous devrions l'apercevoir.

Quand elle eut repris place sur l'engin, il se dirigea vers l'endroit qu'elle avait indiqué. Il avait le véhicule bien en main désormais et il le manœuvra avec une dextérité telle qu'ils ne heurtèrent qu'une racine en chemin.

Elle frappa sur son casque.

— Garez-vous !

Il coupa le moteur, mit pied à terre et retira son casque.

— Il va falloir que vous cessiez de taper continuellement sur mon casque.

Elle haussa les épaules.

— La force de l'habitude, désolée. C'est comme ça que je procédais avec mon chauffeur, au Moyen-Orient. Nous portions un lourd équipement de protection et c'était la seule façon d'attirer son attention.

Jack scruta les alentours.

— Peut-être, mais je n'aime pas ça, répondit-il en se dirigeant vers le bord de la barre rocheuse.

Au sud, on distinguait la route principale et la bifurcation qui conduisait à la cache. Des arbres masquaient la maison elle-même.

Debout auprès de lui, les poings sur les hanches, Caitlyn claironna :

— Alors ? Ce n'est pas du beau travail, ça ?

Sans sa connaissance du terrain, il aurait pu tourner en rond pendant des heures dans ces montagnes.

— Vous avez un excellent sens de l'orientation.

— Je rendais souvent visite à M. Woodley à cheval ;

j'en profitais pour explorer les environs. Pas une fois je ne me suis perdue.

Cette dangereuse sensation de bonheur semblait vouloir s'installer en lui et il prit conscience que Caitlyn en était pour une grande part à l'origine. Aussi directive et irritante qu'elle puisse être par moments, elle le stimulait, l'incitait à se dépasser. Il réprima l'envie soudaine de la prendre dans ses bras.

— L'endroit doit fourmiller de policiers, reprit-elle en regardant en bas. Je suppose qu'ils vont devoir passer au peigne fin toute la scène de crime.

— Nous sommes dans la vie réelle, pas dans un épisode des *Experts*. Il n'y a pas toujours à disposition une équipe de pointe de la police scientifique. A mon avis, le gros des troupes est concentré sur la recherche de Rojas.

— A ce propos…, continua Caitlyn, l'air songeur. Quand le shérif verra la configuration des lieux, il comprendra que la version des marshals ne tient pas, non ? Ils pourront bien invoquer tous les prétextes de la terre, ça saute aux yeux. Par conséquent, je me demandais… si vous n'auriez pas intérêt à vous rendre aux autorités ? Ils ne sont pas idiots : ils comprendront que vous ayez voulu échapper à la garde de flics corrompus.

Un long moment s'écoula.

— Bien raisonné.

Elle sonda son expression.

— Si vous vous rendez, vous serez conduit à Chicago et placé en lieu sûr jusqu'au procès. Ensuite, vous serez pris en charge par le programme de protection des témoins.

Les yeux dans les siens, elle marqua un temps d'arrêt avant d'ajouter :

— Et il est probable que je ne vous reverrai plus.

Il ne put lui résister plus longtemps. Il la saisit par la taille et la serra contre lui.

— Si vous voulez me retrouver, vous y arriverez.

— Mais vous connaissez le règlement...

— Depuis quand vous laissez-vous arrêter par les règlements ?

C'était une battante, qui faisait ce qu'elle estimait juste, sans se soucier des conventions ni des restrictions.

Elle renversa la tête en arrière. Ses lèvres s'entrouvrirent. Il écrasa sa bouche sur la sienne en un baiser vorace. Le temps pressait, il en avait bien conscience, mais il voulait savourer encore un instant ce moment. Il brûlait de lui faire l'amour dans la lumière douce du petit matin et il sentait que c'était ce qu'elle désirait, elle aussi.

Il murmura :

— Est-ce que nous nous connaissons depuis assez longtemps ?

— Pas encore, chuchota-t-elle contre ses lèvres. Bientôt.

Forcément, se dit-il. Ils étaient faits l'un pour l'autre, il le savait.

17

Il y avait un seul véhicule devant la cache : le 4x4 noir, pare-chocs enfoncé et pneus à plat. Etant donné que la police n'avait aucune raison de dissimuler sa présence, Jack en conclut que l'endroit n'était pas gardé. Il se gara donc à une centaine de mètres de la bâtisse.

Tandis qu'ils finissaient le chemin à pied, Caitlyn observa, intriguée :

— C'est bizarre. Ils n'ont même pas délimité le périmètre avec un ruban jaune.

Jack n'avait pas l'impression qu'il s'agissait d'un piège. Il ne sentait aucune menace.

— A mon avis, c'est simplement que le shérif est débordé.

Entre l'arrestation la veille de cinq dangereux truands à la cache, la mort du marshal Hank Perry et la traque de Rojas, les forces de l'ordre du comté ne devaient plus savoir où donner de la tête. Sans compter les médias, qui devaient faire le siège de leur ligne téléphonique.

— Je pense qu'il va solliciter le concours de la police scientifique de Denver, ajouta-t-il. Peut-être même du FBI

La porte d'entrée était fermée à clé ; mais les carreaux des fenêtres ayant volé en éclats sous les balles, ils n'eurent aucune difficulté à s'introduire dans le bâtiment.

En dépit des dégâts causés la veille par les échanges de tirs, Jack reconnut sans peine la pièce principale et la cuisine attenante, avec ses deux murs lambrissés. Il se revit, assis à la table, jouant au poker avec les marshals ; il avait soupçonné Patterson de tricher.

Il longea ensuite le couloir, poussa la porte de la chambre qui lui avait été attribuée et alluma la lumière. Le volet de la petite fenêtre était fermé. Le mobilier réduit à sa plus simple expression se composait d'un lit une place, d'une commode et d'un petit bureau.

— Charmant, ironisa Caitlyn. On dirait une cellule monastique… Ou une cellule de prison.

— C'est une cache provisoire. Le service des marshals ne dispose pas de décorateurs d'intérieur. Il s'agit de mettre des témoins à l'abri, point. C'est pourquoi les volets restent en permanence fermés.

— Peut-être, mais rien n'empêche d'accrocher un tableau au mur ou de poser un ficus dans un coin.

Elle se dirigea vers le bureau et en ouvrit le tiroir.

— Qu'est-ce qu'on cherche ?

— J'aimerais bien retrouver mon portefeuille, répondit-il en fouillant parmi ses T-shirts et ses vêtements dans les tiroirs de la commode. Je n'ai pas eu le temps d'emporter quoi que ce soit quand l'attaque a eu lieu.

— Vous êtes amateur de science-fiction ? demanda-t-elle en brandissant un livre de poche.

— Des histoires d'androïdes, surtout. Et n'allez pas y lire je ne sais quelle interprétation farfelue.

— Mais c'est tellement approprié ! Je ne suis pas du tout surprise que vous aimiez les créatures humanoïdes dotées de superpouvoirs et dénuées d'émotions.

Pourtant, Dieu sait que des émotions il en avait à revendre ! Elles étaient là, il le sentait, juste à la péri-phérie de sa conscience, prêtes à montrer le bout de leur vilain nez.

Lorsqu'il dormait ici, il était Nick Racine. Des bribes de cette identité lui revenaient par fragments.

— J'ai eu tort de vouloir venir ici. C'était une erreur.

— Vous vous souvenez de quelque chose. De quoi ?

De beaucoup de choses. Beaucoup trop.

— Allons-nous-en.

Elle se posta devant la porte, lui barrant le passage.

— Non. Tôt ou tard, il faudra bien que vous cessiez d'usurper l'identité d'un pauvre type qui devait venir faire des travaux chez moi.

Elle avait raison, une fois de plus.

— Si vous le dites.

— Bien… Que s'est-il passé quand vous avez été attaqués ? Il était près de minuit, c'est ça ?

— Oui, fit-il à contrecœur.

Il pivota sur ses talons et regarda les impacts de balles au-dessus de la tête de lit. Six au total, probablement dus à une arme semi-automatique.

— Je dormais. Un claquement de porte m'a réveillé, suivi d'un cri. J'ai sauté du lit. J'ai passé à la hâte mon pantalon, une chemise, enfilé mes boots. Et puis ça a été le chaos. Des coups de feu se sont mis à retentir de tous les côtés…

— Est-ce que quelqu'un est entré dans la chambre ?

— La porte s'est ouverte. Perry m'a jeté au sol…

Dans sa tête, les images défilaient. Les balles qui sifflaient autour de lui ; la lame d'un couteau. Une vive douleur.

— Perry a été touché, mais il s'est relevé. On a réussi à courir le long du couloir, à sortir…

— Et Patterson et Bryant ? Où étaient-ils ?

— Je ne les ai pas vus.

Il fronça les sourcils.

— Je n'avais pas d'arme. Je n'avais pas eu le temps de la prendre.

— Pourquoi est-ce important ?

Il plongea les yeux dans son regard bleu vif.

— Vous êtes vraiment dans votre élément quand il s'agit de poser des questions.

— C'est mon travail, Jack. Allons, n'essayez pas de changer de sujet. Pourquoi cette arme était-elle importante ?

— D'une part, en tant que témoin protégé, je n'aurais pas dû en posséder une.

— C'est vrai. C'est étrange.

— D'autre part, si je n'avais pas cherché à cacher cette arme, je l'aurais eue à portée de main, près de mon lit.

Une erreur qu'il ne commettrait plus.

— J'aurais réagi plus vite. Perry n'aurait pas été tué.

Il traversa la pièce et ouvrit le placard. S'agenouillant, il souleva sans hésitation une lame du plancher, qui céda facilement, découvrant la cachette qu'il y avait ménagée. Un sac de flanelle grise apparut.

— Oh ! s'exclama Caitlyn. Très ingénieux. Vous aviez pris vos précautions.

Il ouvrit le sac et en sortit son Beretta M9. Cette arme appartenait à Nick Racine ; elle était chargée de souvenirs. En la prenant dans sa main, il eut l'impression de retrouver une vieille connaissance.

Il y avait autre chose au fond du sac, un petit objet rond d'environ trois centimètres de diamètre qu'il sentait à travers le tissu. Il retourna le sac et le secoua. Avec un tintement métallique, un objet brillant tomba sur le sol.

— Une boucle d'oreille, dit Caitlyn.

Il la ramassa et l'éleva devant lui. Un cercle d'argent, renfermant un délicat motif filigrané qui formait une sorte de toile : un attrape-rêves.

Il s'assit sur le sol, le revolver dans une main et l'anneau d'argent dans l'autre, submergé par les souvenirs.

Il la voyait de loin — belle et unique comme une oasis au milieu d'un désert aride. Elle se tenait sur le pas de la porte d'une maison de pisé, les boucles luisantes de ses cheveux noirs cascadant sur ses épaules. Il se garait, descendait de voiture et elle se précipitait vers lui. Ses yeux sombres semblaient éclairés par une lumière intérieure.

Elle se jetait dans ses bras.

— Oh ! Nick ! Tu m'as tellement manqué !

Il aimait cette femme. Elena.

Un sanglot monta dans sa gorge, qu'il ravala. Des océans de larmes ne ramèneraient pas celle qui avait été son épouse. L'œil rivé sur la boucle d'oreille, il dit d'une voix sans timbre :

— Elle n'aimait pas les bijoux. Les bagues la gênaient quand elle travaillait l'argile, et les colliers lui faisaient l'effet d'une laisse. Mais elle portait toujours ces boucles d'oreilles. Vous connaissez la légende des attrape-rêves ?

D'une voix douce, Caitlyn répondit :

— La toile est censée servir de filtre : elle laisse passer les rêves heureux et stoppe les mauvais.

— Je les lui avais offertes pour qu'elle dorme tranquille quand je n'étais pas là pour la protéger.

Il revit l'anneau d'argent scintillant contre l'ébène de ses cheveux.

— Mais ça ne l'a pas sauvée. Quand je l'ai trouvée morte, elle ne portait plus qu'une boucle d'oreille.

Il avait cherché partout, remué la maison de fond en comble, il n'avait jamais retrouvé la seconde. Son assassin avait dû l'emporter…

Mais l'homme aux cheveux roux ne l'avait pas.

Il soupira.

— Je les ai perdus tous les deux, ma femme et son

père, mon mentor. C'était il y a quatre ans. Mais Elena n'est pas morte à cause de moi. Elle séjournait chez son père, à ce moment-là, et il avait des ennemis, lui aussi.

— C'est Rojas qui les a tués ?

— Je n'en étais pas sûr. C'est pourquoi je me suis fabriqué une fausse identité : celle de Tony Perez. Par le biais de Santoro, j'espérais pouvoir approcher les frères Rojas et découvrir s'ils étaient responsables.

Mais il avait échoué. La familière sensation de vide l'assaillit. Vivre ou mourir, quelle importance ?

— Voilà l'histoire de Nick Racine.

Une identité qu'il ne voulait plus jamais faire sienne.

Caitlyn s'agenouilla à côté de lui, brûlant de le serrer dans ses bras. Elle était là s'il avait besoin d'elle. S'il voulait parler, elle l'écouterait. S'il éprouvait le besoin de pleurer, elle lui offrirait son épaule.

Mais il ne fit pas un geste. Le regard lointain, il s'était retiré dans son monde intérieur.

Cette attitude ne la surprit pas. Elle n'avait pas été épargnée par la tragédie lorsqu'elle était au Moyen-Orient et elle avait déjà vu des gens réagir ainsi après avoir été confrontés à une mort violente. Chacun s'arrangeait comme il le pouvait face à la douleur incommensurable de la perte soudaine d'un proche. Et, dans le cas de Jack, c'était de sa femme qu'il s'agissait. Et non seulement elle, mais il avait aussi perdu celui qui avait été son maître et son beau-père.

Pas étonnant qu'il ait été frappé d'amnésie. Oublier ce lourd passé avait dû être un soulagement pour lui.

Un crissement de pneus la tira tout à coup de ses pensées. Quelqu'un arrivait. C'était peut-être pour lui l'occasion de se rendre, mais la décision appartenait à Nick, pas à elle.

Doucement, elle prononça son nom.

— Nick ?

Il ne parut pas l'avoir entendue.

— Jack ! dit-elle plus fort.

Il la regarda comme s'il la voyait pour la première fois. Puis il pressa la boucle d'oreille contre ses lèvres avant de la glisser dans sa poche. Lentement, il se redressa.

— Voyons qui c'est avant de décider ce qu'il convient de faire.

Il l'entraîna dans le couloir vers la porte de derrière, qu'il déverrouilla. Puis ils coururent jusqu'à un bosquet d'où on voyait l'avant de la maison. Dissimulé derrière un arbre, Jack se pencha pour regarder et jura sous cape.

Caitlyn tendit le cou. Bryant et Patterson émergeaient de leur véhicule. La chance leur avait souri jusqu'à présent ; manifestement, elle était en train de tourner.

— Qu'est-ce qu'on va faire ?

Avant que Jack ait eu le temps de répondre, Bryant ôta son chapeau de cow-boy et fourragea nerveusement dans ses cheveux.

— Je ne comprends pas, dit-il. Pourquoi as-tu tellement insisté sur le fait que cette maison relevait de notre juridiction ?

— Parce que cette cache appartient au service des marshals, lui répondit Patterson. Et que je ne tiens pas à ce que la police scientifique vienne fouiner par ici. Ils trouveraient des indices compromettants.

— De toute façon, on est cuits. Les types que le shérif a coincés vont parler.

— Les hommes de Rojas ? Sûrement pas. Ils ont trop peur des représailles.

— C'est fini, je te dis. On ne s'en sortira pas, répéta le

grand Texan en s'adossant contre la voiture. Je ne veux pas aller en prison. Il faut qu'on prenne la fuite.

— Il y a une autre possibilité.

Patterson ouvrit le hayon du véhicule et prit quelque chose dans le coffre. Quand il se redressa, il avait un revolver à la main.

— C'est le SIG Sauer de Perry, murmura Jack.

L'arme dont il s'était servi à la cabane.

Patterson contourna la voiture et éleva l'arme devant lui.

— Désolé, mon garçon, tu ne me laisses pas le choix.

— Quoi ? Mais que… qu'est-ce que tu fais ?

— Tu ne comprends vraiment rien à rien. J'en ai assez de devoir tout t'expliquer. C'est pourtant simple. Il faut que je persuade le chef que Racine a perdu les pédales, qu'il est devenu dangereux. Je dirai que c'est lui qui t'a tué. La ballistique confirmera que les projectiles ont bien été tirés par la même arme.

— Ne fais pas ça, plaida Bryant. On peut s'enfuir. Rojas nous protégera. Il…

— La ferme. Je ne vais pas passer ma vie en cavale. J'ai une famille. Une pension de retraite qui m'attend. Tu crois que je vais renoncer à tout ça ?

La main de Bryant se porta vers son holster.

Vif comme l'éclair, Jack pointa son arme et tira. Patterson chancela. Le SIG lui échappa des mains.

Bryant se retourna, le revolver à la main.

— Lâchez votre arme ! lança Jack.

Le Texan hésita un instant. Caitlyn entendait presque les rouages tourner dans sa tête tandis qu'il prenait sa décision.

La mauvaise décision.

Il fit feu.

La balle siffla et alla se loger dans un arbre, derrière eux.

Jack riposta. Par deux fois.

Le Texan s'écroula.

18

Il y avait beaucoup de sang, mais les deux marshals étaient en vie. Caitlyn s'étonna de ne pas être restée figée entre les arbres, paralysée par la frayeur, à attendre Jack. Puis elle se rendit compte qu'elle n'avait pas peur. Parce qu'elle avait confiance en lui et qu'elle savait qu'il la protégerait quoi qu'il arrive.

Patterson recula pour prendre appui contre la voiture. De son bras valide, il tenta de prendre l'arme qu'il portait à la ceinture.

— N'essaie même pas, dit durement Jack. Tu bouges encore d'un centimètre et ma prochaine balle te traverse la tête.

L'homme aux cheveux gris laissa retomber sa main. Son blouson sombre avec l'inscription « U.S. Marshal » imprimée en grosses lettres dans le dos était poisseux de sang.

Par terre, Bryant essayait de s'asseoir. Le visage contorsionné par la douleur, il gémissait. Sur le beige de son uniforme, les blessures étaient plus visibles. Une balle l'avait touché à l'épaule et l'autre à la cuisse.

— Que va-t-on faire d'eux, maintenant ?

— D'abord, je vais m'assurer qu'ils sont totalement désarmés. Et je vais prendre leurs portables.

— Vous allez les tuer ?

— Pas à moins d'y être obligé. Vous, vous allez retourner au quad et m'attendre là-bas.

Elle aurait aimé rester, mais ils étaient seuls, ici. Il n'y avait pas, comme en Afghanistan, des troupes en renfort de l'autre côté de la colline, prêtes à se porter à leur secours. Le plus sage était donc d'obéir à Jack.

— D'accord.

Elle contourna la maison et la grange et se dirigea au pas de course vers l'endroit de la forêt où ils avaient caché leur véhicule. Jack allait-il finir ce qu'il avait commencé ? Allait-il les supprimer maintenant qu'elle s'était éloignée ?

S'il n'hésitait pas à recourir à la violence, depuis le début de cette histoire, elle ne l'avait encore vu tuer personne. Qu'avait-il dit ?… Que ce n'était pas son travail. Pourtant, c'était un tireur d'élite et il savait se battre.

Bientôt, elle écartait les taillis sous lesquels ils avaient camouflé le quad. Il y avait encore tant de choses qu'elle ne savait pas sur Nick Racine…

Mais, pour l'instant, il y avait plus urgent. Ironie du sort, en tirant sur les marshals pour les empêcher de s'entretuer, Jack avait apporté de l'eau au moulin de Patterson, qui cherchait à le discréditer. Les marshals seraient trop heureux d'accuser Jack de leur avoir tendu un piège. Toutes les forces de police qui travaillaient sur l'affaire se lanceraient à leurs trousses.

Il était hors de question de se rendre à la police, à présent. Elle se prit à regretter de n'avoir pas veillé à garder ses contacts aux Etats-Unis pendant son absence prolongée. A un moment donné, elle avait eu des relations très haut placées. Elle en connaissait bien encore quelques-unes… Un plan commença à se former dans sa tête.

Elle vit Jack revenir en courant. Il n'y avait pas eu de détonation, donc il ne les avait pas achevés d'une balle.

Une arme blanche ? Il n'avait pas la moindre trace de sang sur lui.

Il sauta sur le siège avant du quad.

— Allez, en route.

— Je sais exactement où aller.

La première difficulté serait de franchir l'autoroute sans être repérés. Tôt, un dimanche matin, il n'y aurait sans doute pas beaucoup de trafic, mais la police devait surveiller les voies de circulation. Se penchant et criant pour dominer le ronflement du moteur, elle lui fit prendre la direction d'une colline qui dominait une portion d'autoroute dépourvue de rails de sécurité.

A quelques mètres du sommet, Jack se gara au bord du sentier et coupa le moteur.

— Prenez votre portable et appelez les secours, dit-il. Demandez-leur d'envoyer une ambulance à la cache.

— Quoi ? Vous êtes sûr ?

— Ces deux salauds ne m'inspirent aucune sympathie, mais ce sont malgré tout des marshals. Ils ont sûrement fait quelque chose de bien dans leur vie.

Elle jugea cette appréciation bien généreuse, mais elle s'exécuta. Quand elle eut remis son téléphone dans sa poche, elle le regarda.

— Vous auriez pu les abattre.

— Oui, j'aurais pu…

Il retira son casque et se retourna sur son siège. Elle scruta son expression, s'attendant à y lire la terrible tristesse qu'elle lui avait vue tandis qu'il était assis par terre, dans la cache, l'attrape-rêves à la main. Son visage était un masque indéchiffrable.

— Mais, même si j'ai déjà ôté la vie, je ne suis pas un tueur.

Elle savait bien qu'ils devaient partir, qu'il n'avait pas

le temps de répondre à toutes les questions qui se bousculaient dans sa tête, mais elle dit quand même :

— Je veux en savoir plus sur Nick Racine.

Tel le soleil sortant de derrière un nuage, le sourire enjôleur illumina son beau visage viril.

— Appelez-moi Jack.

Elle lui retourna son sourire.

— Vous voulez dire… Comme si vous étiez né à la minute où vous êtes arrivé à ma cabane ?

— Quelque chose comme ça, oui.

Quelle histoire inouïe ! Hier encore, focalisée sur la réparation du toit de sa grange, elle était bien loin de songer à un éventuel compagnon. Toutefois, si on lui avait demandé de décrire l'homme de ses rêves, elle aurait répondu : beau, fort, intelligent, énergique. Complexe, aussi. Et sexy. En bref… le portrait craché de Jack.

Son cœur cogna contre sa cage thoracique. Elle ne pouvait nier qu'il l'attirait irrésistiblement. Qui il était et ce qu'il avait fait était-il si important ? Le destin l'avait placé sur son chemin. Il était écrit qu'elle devait le rencontrer.

Elle empoigna son casque.

— Allons-y. Il faut que nous réussissions à passer de l'autre côté de la route sans qu'on nous voie.

— Accrochez-vous.

Il tourna la clé de contact et dévala la colline. La route, à cet endroit, était relativement droite et offrait une bonne visibilité dans les deux sens. Il n'y avait pas le moindre véhicule en vue. Moteur ronflant, le quad plongea dans le fossé, rebondit sur le bas-côté et traversa la chaussée. L'opération n'avait pas pris plus de quelques secondes. Elle poussa un soupir de soulagement. Ils avaient, semble-t-il, franchi l'obstacle avec succès, mais mieux valait en avoir le cœur net.

— Mettez-vous à couvert sous les arbres et arrêtez-vous.

Il suivit ses instructions et coupa de nouveau le moteur. Mettant pied à terre, il alla jeter un coup d'œil à la route en contrebas puis il revint vers elle.

— Nous ne sommes pas suivis.

Une vieille camionnette Dodge apparut alors, dépassant allégrement la vitesse autorisée — ce qui n'avait rien de particulièrement surprenant : pour les montagnards, les limitations de vitesse constituaient davantage un ordre de grandeur qu'une règle à observer strictement. Puis le hurlement d'une sirène retentit et une ambulance passa à vive allure, suivie d'un véhicule arborant le logo du shérif sur sa portière. Encore quelques minutes et Patterson débiterait ses mensonges aux officiers de police du comté.

— Aïe, murmura-t-elle. Ça va se corser.

Il encercla sa taille et, de l'autre main, lui souleva le menton.

— C'est peut-être le moment de nous séparer. Il vaudrait mieux que vous réapparaissiez. Quand Patterson leur aura raconté que je suis devenu fou et que je leur ai tiré dessus, la situation va devenir vraiment dangereuse.

— Non. De toute manière, vous pensez bien qu'il signalera que j'étais là.

Elle passa son bras autour de lui. Leurs corps s'étaient accoutumés l'un à l'autre ; ils s'accordaient à la perfection.

— Et puis, vous avez besoin de moi. J'ai un plan, figurez-vous, et il est tout simplement génial.

— Génial, rien que ça ?

Il passa tendrement les doigts dans ses cheveux.

— Dites-moi tout.

— Eh bien, vous rendre à la police n'est qu'une étape, en réalité. Votre objectif véritable, c'est d'assister à ce procès. Donc, nous avons besoin de quelqu'un qui puisse faciliter les choses et faire en sorte que vous puissiez comparaître.

Il l'embrassa sur le front. Elle tâcha de ne pas se laisser distraire.

— Il se trouve que j'ai un contact. Quelqu'un qui me connaît et qui a confiance en moi.

— Qui ?

— Un colonel de l'armée de l'air, en poste à l'académie de la Force férienne. Une fois que nous serons sur la base, à Colorado Springs, nous dépendrons de la juridiction militaire. Personne ne pourra plus nous arrêter, ni la police ni les marshals.

Jack s'écarta légèrement d'elle et la contempla avec un mélange de surprise et d'admiration qui lui réchauffa le cœur.

— Vous êtes vraiment une petite maligne.

— Vous avez vos talents, j'ai les miens.

— Et qui vous dit qu'il ne nous dénoncera pas ?

— C'est un homme juste. A tout le moins, il écoutera mes arguments. Nous avons passé assez de temps ensemble au Moyen-Orient pour qu'il sache que je suis digne de foi.

— D'accord. Appelez-le.

— C'est inutile. Techniquement, il n'a aucun pouvoir tant que nous ne sommes pas dans l'enceinte de la base. Il faut que nous nous rendions là-bas. Mais ce n'est pas loin, à seulement une soixantaine de kilomètres.

— Oh ! Alors, c'est simple comme bonjour. Il nous suffit de parcourir soixante kilomètres en pleine montagne, sur un quad. Avec le shérif, les policiers, le service des marshals et le FBI à nos trousses.

— Et peut-être bien Rojas, ajouta-t-elle.

Il la pressa très fort contre lui.

— Ça ne devrait pas être bien compliqué.

Il déposa un bref baiser sur ses lèvres. L'heure n'était

pas aux effusions prolongées. Ils devaient mettre le plus de kilomètres possible entre eux et leurs poursuivants.

Ils enfourchèrent leur engin.

— Des instructions particulières ? s'enquit-il.

— Gardez le cap au sud-est. Evitez les routes, les clôtures et les chalets, si nous en rencontrons.

Devenir invisibles pour quelques heures leur aurait été bien utile ; hélas, ni elle ni Jack ne possédaient de baguette magique. Il ne leur restait plus qu'à s'en remettre à sa mémoire et à son sens de l'orientation pour atteindre leur destination.

Au lieu de s'enfoncer en pleine forêt, Jack suivit la lisière des arbres, longeant une clôture de fil de fer barbelé et un petit sentier troué d'ornières — que d'autres véhicules tout terrain devaient emprunter.

Lorsque la distance entre les arbres et la clôture se rétrécit, Jack obliqua pour entrer dans la forêt. Ils progressaient lentement et avec difficulté. Le véhicule n'était pas adapté à de longs trajets et le bas du dos de Caitlyn commençait à en ressentir les effets.

Après ce qui lui parut être une éternité, Jack arriva dans une zone déserte, sans la moindre route ni habitation en vue. Il s'arrêta.

— Vous savez où nous sommes ?

— Je sais surtout où est mon dos : en enfer ! grommela-t-elle en se massant les reins. Pour ce qui est de notre position, on aborde les contreforts des Rocheuses.

— Tout à l'heure, j'ai vu un panneau de signalisation indiquant le Roxborough State Park et Sedalia.

— Oui, c'est ça, maugréa-t-elle en grimaçant de douleur.

Leur progression aurait été beaucoup plus rapide s'ils avaient emprunté la South Platte River Road, mais elle avait préféré éviter ce secteur très prisé des pêcheurs.

Ceux-ci auraient pu aller signaler le passage d'un gros quad bruyant qui avait effrayé les truites.

Jack ouvrit le compartiment de rangement, au-dessous du siège passager, et en sortit les victuailles que M. Woodley avait eu la bonne idée d'y placer.

Ce cher, cher M. Woodley, songea Caitlyn, attendrie. Elle espérait que les mensonges de Patterson n'entameraient pas la confiance qu'il avait en elle. Tôt ou tard, il préviendrait certainement ses parents. Elle frémit à l'idée de leur réaction. Son affectation au Moyen-Orient avait déjà mis sa mère dans tous ses états. Si maintenant ils apprenaient que leur fille était en cavale avec un fugitif...

Elle sortit son téléphone.

— Je vais appeler M. Woodley.

La main de Jack se posa sur son bras.

— Il vaut mieux que nous ne nous servions plus de cet appareil, dorénavant. Le FBI est probablement sur l'affaire, et ils ont peut-être des dispositifs de traçage capables de le localiser, même s'il est sécurisé.

L'air chagrin, elle remit le téléphone là où elle l'avait pris.

Il lui tendit un sandwich.

— Tenez, mangez. Ça vous fera oublier vos lombaires.

Logique qui, du point de vue de Caitlyn, laissait beaucoup à désirer, mais elle accepta quand même la nourriture.

Jack engloutit son sandwich en quatre énormes bouchées et se mit à fouiller dans leurs provisions.

— Il y a des oranges et des bananes, annonça-t-il. Et tout un tas de barres énergétiques.

Il releva la tête et lui jeta un regard interrogateur.

— Qu'est-ce que vous avez, vous, les gens de la montagne, avec les barres de céréales ?

— C'est nourrissant, facile à transporter et c'est bon. Donnez-m'en une.

Après avoir bu et mangé, elle se sentit incommensurablement mieux — presque comme si elle était redevenue humaine, en fait. Si bien que, lorsque Jack suggéra de gravir à pied la butte au milieu de laquelle ils se trouvaient pour se repérer, elle acquiesça avec enthousiasme. Au point où elle en était, elle aurait accueilli avec joie toute activité n'impliquant pas de rester assise des heures à se faire secouer comme un prunier.

Ses muscles s'étirèrent tandis qu'elle marchait. Elle balançait les bras et avançait d'un bon pas. Finir le restant du trajet à pied lui aurait presque paru préférable à un nouveau séjour sur le siège arrière du quad.

Elle rejoignit Jack sur la crête nue. Le vent emmêlait ses cheveux, déjà ébouriffés. Elle devait ressembler à un épouvantail, mais elle s'en moquait. Le panorama à couper le souffle qui s'étalait sous leurs yeux lui redonnait courage et vigueur. Au loin, Pikes Peak scintillait, couvert de neige.

L'activité physique contribuait apparemment à clarifier les idées car, tandis qu'elle contemplait la beauté sauvage du paysage, elle sut soudain exactement quoi faire.

Elle tendit le doigt.

— On va par là-bas. Nous sommes tout près de Rampart Range Area. La zone est sillonnée de dizaines de sentiers de randonnée et de pistes autorisées à la circulation des quads. Avec nos casques sur la tête, nous nous fondrons dans la masse des autres amateurs de tout-terrain.

Il ne répondit pas tout de suite. Il observait un point dans le ciel, les yeux plissés.

— Je vois un hélicoptère.

— Normal. On verra de plus en plus d'avions et d'hélicoptères au fur et à mesure qu'on approchera de la base. Il n'y a pas de quoi s'inquiéter.

— Vous avez sans doute raison, convint-il dans un

haussement d'épaules. Votre plan me plaît. Sur une piste, on pourra rouler plus vite.

— Alors, qu'est-ce qu'on attend ? *Let's hit the road, Jack.*

Il arqua un sourcil, amusé.

— Depuis combien de temps rêviez-vous de la caser, celle-là ?

— Depuis des heures ! En plus, j'adore cette chanson.

Elle ne pouvait tout de même pas penser uniquement à fuir ; il fallait bien se détendre un peu.

19

Malgré plusieurs haltes en chemin, Jack commençait à fatiguer, lui aussi. Manœuvrer ce lourd engin dans la végétation dense et sur les cailloux, c'était un peu comme chevaucher un taureau de rodéo dans un labyrinthe.

Lorsqu'ils atteignirent la Rampart Range Area, tout devint cent fois plus facile. Après les à-coups et les secousses du tout-terrain, les pistes lui parurent de vraies autoroutes. Il avait l'impression tout à coup de rouler sur des avenues pavées de marbre lisse. Enfin, leur horizon s'éclaircissait. Ils approchaient de la dernière phase de leur expédition.

Sitôt confié à la garde du colonel de Caitlyn, il serait pris en charge par le système et envoyé à Chicago, et la jeune femme et lui seraient séparés. Oh ! bien sûr, ils se promettraient de se revoir après le procès. Ils échafauderaient des plans. Mais elle serait de nouveau happée par le tourbillon de sa carrière. Quant à lui, il serait placé sous le programme de protection des témoins.

Il ne voulait pas la perdre.

Des quads et des motos vrombissaient autour d'eux, prenant à fond de train des virages serrés et volant au-dessus des trous de la piste. Le quad de Woodley était un véhicule utilitaire, plus qu'un engin de loisir. Il n'était pas fait pour les acrobaties. En vitesse de pointe, ils roulaient à soixante kilomètres à l'heure, et Jack allait nettement plus doucement.

Un adolescent maigrichon arborant un casque orné de flammes les doubla à toute allure et cria :

— Allez, papy ! Ecrase le champignon !

— C'est toi que je vais écraser, maugréa Jack.

Il donna un coup d'accélérateur, puis se ravisa. Ce n'était pas le moment de se mesurer dans une course de cross-country.

Parvenu à une fourche, il ralentit. Un panneau de bois gravé indiquait deux directions.

Derrière lui, Caitlyn n'hésita pas.

— Prenez à gauche. Il y a un camping par là.

Il n'aimait guère les sites de camping ; la promiscuité avec d'autres campeurs ôtait tout charme à l'expérience.

— Et s'il faut s'inscrire ? Nous n'avons pas de papiers d'identité.

— Rien ne nous oblige à y dormir. On pourra au moins remplir la bouteille d'eau et utiliser les sanitaires.

Un kilomètre et demi plus loin, ils débouchaient sur une grande surface plane. Plusieurs petits campements y étaient installés, dont deux par des adeptes du quad. L'odeur caractéristique du feu de bois embaumait l'air. Ses inquiétudes se révélèrent infondées : il n'y avait pas le moindre bureau d'accueil, ni le moindre garde forestier en vue, seulement un petit refuge aux allures de cabane en rondins servant, d'un côté, de zone de repos et, de l'autre, de sanitaires.

Il inspecta les alentours tandis que Caitlyn entrait dans la cabane. Etaient-ils en sécurité ? A plusieurs reprises, il avait vu des hélicoptères traverser le ciel, telles des libellules géantes. *Surveillance aérienne ?* Ce n'était pas exclu, mais les appareils ne s'étaient pas attardés, n'avaient pas cherché à se poser.

Le casque sous le bras, il se promena sur la vaste étendue dégagée à l'intention des campeurs, encerclée par la dense forêt de sapins et de grands pins Douglas. L'endroit avait été épargné par les incendies, si bien que les frondaisons étaient vertes et robustes. Une petite rivière délimitait l'une des extrémités de la zone de campement. Il s'en approcha et écouta le bruit de l'eau.

Le soleil de la fin d'après-midi faisait miroiter la rivière, qui courait gaiement rejoindre un cours d'eau plus important ou un lac, ou serpenter tranquillement jusqu'au golfe du Mexique. Toute chose, en ce monde, avait une destination. Toute personne avait un avenir, même les hommes sans passé.

Il avait été Nick Racine, identité dont il ne voulait plus aujourd'hui. Ses souvenirs avaient beau rester flous, il ne se rappelait que trop bien l'atroce détresse dans laquelle il avait sombré à la mort d'Elena. Il avait connu les abîmes du désespoir. Puis la rage. Et enfin, mû par le désir de vengeance, obnubilé par cette idée, il s'était embarqué dans cette folle croisade qui l'avait conduit à devenir un meurtrier.

L'amnésie avait remis les compteurs à zéro, le libérant du passé. Il ne savait pas quel tour du destin l'avait amené à la cabane de Caitlyn, mais il ne pouvait qu'en remercier le ciel. Elle ne l'avait pas abandonné à son sort. Elle avait cru en lui.

— J'ai trouvé des cartes des sentiers de randonnée dans un présentoir, annonça Caitlyn. J'en ai pris une.

Elle la déplia devant lui.

— Regardez. Nous sommes ici.

Elle suivit du doigt le tracé d'un sentier.

— Et nous allons nous diriger vers Woodland Park… ici. De là, le chemin nous mènera pratiquement tout droit à l'arrière de la base de l'armée de l'air. Mais il est tard. Je crois que nous ferions bien de nous arrêter pour la nuit.

Ce n'était pas nécessaire. Leur véhicule était équipé de phares et Jack se savait capable de tenir bon jusqu'à la base. Toutefois, il se déclara lui aussi favorable au campement, tant il était hostile à l'idée de devoir se séparer d'elle. Il désigna un point sur la carte.

— Nous nous installerons là.

— A Devil's Spike ? Les pictogrammes indiquent qu'il n'y a pas de sanitaires.

— Justement. Il n'y aura personne, donc, pas de témoins.

En réalité, il voulait se retrouver seul, vraiment seul avec elle.

En grommelant, Caitlyn remonta sur le quad. En moins de quinze minutes, ils gravirent la côte en zigzag qui conduisait à Devil's Spike. Le site se composait de plusieurs espaces de campement, chacun équipé d'une table et d'un cercle de pierre destiné à faire du feu. Pendant que Caitlyn s'asseyait sur le coin de la table de bois, les pieds sur le banc, Jack sortit les sacs de couchage et les étendit. Puis, se saisissant de la bouteille d'eau qu'ils venaient de remplir, il vint s'asseoir près d'elle, sur la table. D'ici, la vue sur le moutonnement des collines boisées, parsemées de formations rocheuses, était spectaculaire. A l'ouest, le soleil commençait à disparaître, colorant le ciel de magenta et bordant la base des nuages d'or fondu.

Pour une fois, Caitlyn était silencieuse.

Après avoir eu pour fond sonore permanent le vrombissement du moteur, le calme environnant était un vrai soulagement. Le vent était agréablement frais, sans être froid.

Il tourna la tête. Les rayons du soleil couchant éclairaient ses pommettes et illuminaient les mèches plus claires de ses cheveux. Il lui avait dit qu'elle était intelligente, courageuse et intrépide, mais il avait oublié une autre qualité importante : elle était belle.

Elle exhala un soupir et s'étira, remuant les épaules et tournant la tête d'un côté puis de l'autre.

— Des courbatures ?

— De la tête aux pieds. Et j'ai le dos en compote !

— J'ai un remède.

Il balaya les épines de pin de la surface de la table.

— Allongez-vous. Je vais vous masser.

Elle hésita une seconde avant de retirer son blouson, qu'elle replia grossièrement pour en faire un oreiller. Elle s'étendit à plat ventre.

— Allez-y doucement.

Il commença par malaxer lentement les muscles tendus de ses épaules et de son cou. Le tissu de son T-shirt se froissait sous ses doigts. Elle aurait dû être dévêtue.

Peu à peu, ses mains descendirent le long de son dos. Il pouvait compter ses côtes, mais son corps était doux et féminin, avec une taille fine et des hanches au renflement sensuel. *Vraiment belle*. Il fallait qu'il le lui dise.

Lorsqu'il remonta vers ses épaules, elle poussa un petit gémissement — du genre de ceux que laissent échapper les amants. Plusieurs minutes durant, il poursuivit son massage, et ses gémissements se firent plus rapprochés, plus sensuels.

— Oh ! Jack, c'est fantastique.

Il était entièrement d'accord.

Comme il passait les mains à la hauteur de la ceinture de son jean, elle se crispa.

— Attention, ça me fait mal.

Avant qu'elle ait pu élever une objection, il passa les bras autour d'elle, déboutonna son jean et l'abaissa sur ses hanches. Une marque bleuâtre se détachait sur la blancheur laiteuse de sa peau, en bas de sa colonne vertébrale.

— Vous avez fini de vous rincer l'œil ?

— Vous avez une belle ecchymose.

— Oh ! fit-elle, se retournant à demi. Où ça ?

— Inutile de vous déboîter la tête, vous ne pouvez pas la voir sans miroir. Elle est là, ajouta-t-il en appuyant légèrement sur le bleu.

— Aïe !

— C'est ce que je vous disais. Une sacrée ecchymose.

— Que puis-je faire ? Nous n'avons pas de pharmacie.

— Je peux vous donner un baiser pour la guérir.

Elle roula sur le dos et le regarda. Ses yeux étaient les plus bleus qu'il lui eût jamais été donné de voir. C'était le moment ou jamais de la complimenter sur sa beauté. Mais aucun son ne franchit ses lèvres. Que lui arrivait-il ? Il n'était pourtant pas inexpérimenté avec les femmes ; mais, avec elle, tout à coup, c'était comme si c'était la première fois.

— Je… Il y a quelque chose que… que je dois vous dire, bredouilla-t-il enfin.

Elle détourna les yeux.

— Quoi donc ? s'enquit-elle d'un ton méfiant.

Il ne pouvait lui en vouloir de s'alarmer. Elle redoutait probablement de l'entendre s'accuser du crime du siècle.

— Ce n'est rien de grave.

— O.K.

— Je voulais juste vous dire que… je vous apprécie vraiment.

Quelle éloquence, Jack ! Bravo !

— Moi aussi, je vous apprécie.

Un échange entre deux confrères collaborant en bonne entente n'aurait pas été moins intime. Il prit son courage à deux mains.

— J'aime la façon dont vos cheveux ne cessent de s'échapper de votre queue-de-cheval. Et la façon dont vous plissez les yeux quand vous réfléchissez. Et ce petit bruit d'arrière-gorge que vous avez quand vous riez.

Elle le dévisagea, offusquée.

— Un bruit d'arrière-gorge ?

— Oui, vous retenez votre souffle, comme si votre rire vous prenait par surprise. C'est plutôt joyeux.

Se sentant plus en confiance, il laissa glisser sa main le long de son bras.

— J'aime vos épaules et vos hanches. Et vos longues jambes. Enfin, en bref, ce que j'essaie de vous dire, Caitlyn, c'est que vous êtes belle.

Levant le bras, elle lui caressa la joue.

— Hier soir, j'estimais que je ne vous connaissais pas encore assez, vous vous souvenez ? Mais maintenant…

C'était tout ce qu'il voulait entendre. D'un baiser, il effaça le sourire de ses lèvres douces.

Enfin, il l'embrassait ! Caitlyn s'accrocha à lui. Ses massages avaient allumé en elle une étincelle qui ne cessait de croître.

Elle s'était attendue à ce que Jack manifeste sa passion avec la même énergie qu'il montrait en toute chose, mais il avait paru si peu sûr de lui, soudain… Sa maladresse était attendrissante, mais ce n'était pas ce qu'elle recherchait. Elle voulait être soulevée de terre, emportée dans un tourbillon.

Son baiser se fit plus fervent et elle sentit le changement qui s'opérait en lui. C'en était fini des timidités d'adolescent ; il redevenait l'homme viril et dominateur qu'il était profondément. D'un mouvement fluide et puissant, il la prit dans ses bras.

— Oh ! Caitlyn, tu es tellement belle.

— Toi aussi.

— Les hommes ne sont pas beaux.

— Si. Toi, tu l'es.

Il l'emporta jusqu'à la clairière où les attendaient les duvets. Lentement, il plia les jambes et la déposa sur le tissu. Ce n'était pas exactement un lit de plumes, mais elle avait l'habitude de dormir à la dure.

Impatiemment, elle l'attira à elle, mais il s'assit sur ses talons. Sa silhouette massive se découpait contre les teintes adoucies du crépuscule. Ses yeux scintillèrent tandis qu'il la contemplait, attisant le feu qui la consumait. Puis il tendit le bras et lui retira doucement ses chaussures et ses chaussettes.

Elle baissa les yeux, parcourant du regard son corps musclé, puis l'observa comme il caressait longuement, langoureusement la plante de ses pieds, ses orteils. Encore un massage. Incroyable ! Il fallait supplier la plupart des hommes pour qu'ils consentent à vous masser les pieds. Une onde de choc sensuelle se propagea dans ses chevilles, ses mollets, jusqu'en haut de ses cuisses. Elle laissa échapper un soupir d'aise.

Il remonta le long de ses jambes jusqu'à son jean déjà ouvert. Frissonnant d'anticipation, elle arqua les reins ; ce faisant, elle appuya son bassin contusionné contre le sol.

— Aïe.

Il s'interrompit et la regarda.

— C'est ton bleu ?

— Oui, mais tant pis… Ne t'arrête pas.

— Il y a une solution, murmura-t-il.

Il se glissa à sa place sur le duvet, la faisant rouler sur lui. Ce fut si rapide et inattendu qu'elle retint son souffle. Elle adorait la souplesse féline de ses mouvements.

— Oh ! je vois, je me place au-dessus.

Cela lui plaisait. Alors qu'ils se déshabillaient l'un l'autre, elle songea qu'elle aimait l'idée d'avoir le contrôle.

Elle décida du moment où leurs peaux nues entrèrent en contact, puis se délecta longuement de la sensation de son corps contre le sien. La fraîche brise de la montagne qui effleurait son échine contrastait avec la chaleur que générait l'union de leurs deux corps.

Bien qu'au-dessous d'elle, Jack n'en était pas pour autant passif. Il la guidait, modifiant sa position par de douces manœuvres ou des pressions plus directives. Les mains sur ses hanches, il accompagnait ses mouvements, l'aidant à accorder son rythme au sien.

Ils étaient tous deux hors d'haleine lorsqu'il déclara :

— Je n'ai pas de préservatif, tu sais.

— Je prends la pilule.

Elle mourait d'envie de poursuivre cette expérience, mais elle hésita. Il avait pu être exposé à toutes sortes de dangers dans la peau de Nick Racine, puis dans celle de Tony Perez, le mafioso.

— Est-ce qu'il y a des choses que je devrais savoir ?

— Il n'y a aucun risque de mon côté. Je n'ai pas fait l'amour depuis mon séjour à l'hôpital.

Les doigts de Caitlyn coururent le long de la cicatrice qui traversait son torse.

— Tu étais Tony Perez quand on t'a tiré dessus.

— C'était il y a longtemps… dans une autre vie.

Lorsqu'il l'attira contre lui, elle sut de façon certaine qu'une nuit ne suffirait pas. Elle n'imaginait plus sa vie sans Jack.

20

Caitlyn ne s'était pas trompée en imaginant que Jack serait un merveilleux amant ; il lui avait même fait découvrir quelques nouveautés qui l'avaient surprise et ravie. Ils avaient fait l'amour une première fois avec fougue et ferveur, sauvagerie, presque. La deuxième fois, c'étaient la tendresse et la sensualité qui avaient donné le ton.

Caitlyn se roula en boule dans les sacs de couchage, qu'ils avaient reliés pour n'en faire qu'un, tout en observant Jack qui, nu à l'exception des boots qu'il avait chaussés, préparait un feu dans le foyer prévu à cet effet.

Bien que le spectacle n'eût rien pour lui déplaire, elle observa :

— On n'a pas vraiment besoin de feu. Nous n'avons rien à faire cuire.

Accroupi dans l'obscurité, il attisa les flammes.

— Se réchauffer, c'est un besoin primaire. Un truc d'homme des cavernes.

Son long corps athlétique était bien trop admirablement sculpté pour avoir quoi que ce soit de commun avec celui d'un être primitif. Elle lui avait dit qu'il était beau et c'était la vérité. Beau au point qu'en le regardant elle s'imaginait contempler la perfection d'une statue.

— On n'en a pas vraiment besoin non plus pour avoir chaud.

La nuit de ce début d'été en altitude était un peu

fraîche, mais ils avaient des duvets résistant à de basses températures.

— Alors, disons que c'est pour l'atmosphère. Ou pour se protéger des ours. Quand on campe, on fait un feu.

Sur cette sentence définitive, il ajouta une grosse bûche sur les braises rougeoyantes et revint se glisser dans le duvet.

Sa peau était froide et elle poussa un petit cri. Il y eut des rires et des chahuts avant qu'ils ne finissent par trouver une position confortable, blottis l'un contre l'autre, tous deux regardant les flammes danser dans l'obscurité.

Levant la tête, elle aperçut, entre les ramures des arbres, l'immensité noire du ciel piquetée d'une multitude d'étoiles brillantes. Tout aurait dû être pour le mieux dans le meilleur des mondes, et elle aurait dû savourer un bonheur sans mélange ; mais ce n'était pas le cas.

Parce que, demain, cette nuit magique ne serait plus qu'un souvenir.

Se placer sous la protection du colonel était la meilleure chose à faire, aucun doute là-dessus, mais ensuite, lorsque son ami l'aurait fait transférer à Chicago ?

En tant que journaliste, elle pourrait utiliser sa carte de presse pour rester en contact avec lui tant qu'elle n'aurait pas terminé l'article qu'elle écrirait à son sujet. Mais elle ne pourrait pas violer les règles strictes de la procédure de mise sous protection des témoins, à moins de renoncer, elle aussi, à son identité pour disparaître avec lui. Or, comment se résoudre à faire une chose pareille ? Rompre tout lien avec sa famille et ses amis… S'il était une chose que l'expérience qu'elle venait de vivre avait démontré, c'était l'importance des liens d'amitié. Jack et elle n'auraient jamais pu s'échapper sans l'aide incondi-tionnelle de Heather, de Danny et de M. Woodley.

— Une fois que tu auras témoigné, dit-elle tout haut, entreras-tu aussitôt dans le programme de protection ?

— Ah. Je me demandais combien de temps ça prendrait.

— Quoi donc ?

Il effleura tendrement le lobe de son oreille.

— Combien de temps s'écoulerait avant que tu ne poses cette question.

— Je ne veux pas te dire au revoir demain.

Un lien s'était tissé entre eux, quelque chose de très fort, qui ne ressemblait à rien de ce qu'elle avait connu auparavant. Peut-être bien qu'elle était en train de tomber amoureuse.

— J'ai envie que nous passions plus de temps ensemble.

— Je me demande de combien d'argent je dispose…, dit-il d'un ton songeur.

Elle se retourna, tirant le duvet sur ses épaules, pour lui faire face.

— Pourquoi ? A quoi penses-tu ?

— Je me demande si j'étais riche ou pauvre, quand j'étais Nick Racine. Ou bien dans la moyenne.

— Je ne peux pas t'aider. Tu sais bien que je n'ai rien trouvé sur internet. Dans les bases de données, tu n'existes pas.

— Ce qui peut évoquer plusieurs possibilités : soit j'étais quelqu'un qui vivait complètement déconnecté du réseau ; soit j'ai un compte numéroté en Suisse.

— C'est ça, ton idée ? Soit tu es un criminel, soit tu es un nabab ?

— Personnellement, je vote pour la seconde éventualité. Parce que, dans ce cas, plus besoin de programme de protection : je m'achèterais une île isolée quelque part, sous les tropiques, avec une cascade, et nous vivrions là-bas au soleil, en mangeant des noix de coco et des mangues.

— Ce n'est pas le meilleur choix pour une journaliste.

— Tu t'adapterais. Et je t'achèterais un journal. Le *Caitlyn Daily News*.

A la lueur tremblotante du feu, il était d'une beauté renversante.

— Malheureusement, nous ne savons pas si tu es un truand ou un milliardaire. On se retrouve à la case départ. Il faut d'une façon ou d'une autre qu'on parvienne à lever le voile sur ton passé.

Elle était épuisée et avait faim. Et l'avoir là, nu, à côté d'elle lui donnait envie de l'embrasser jusqu'au matin. Mais cette conversation était cruciale. Ils touchaient au cœur du problème. Et leur avenir en dépendait.

— Essaie de te souvenir… Quel était ton travail ?

— Je ne sais pas. Rien ne me vient.

Du bout des doigts, elle frôla la trace qu'avait laissée sa blessure par balle. Son corps était marqué de nombreuses cicatrices. De toute évidence, il avait vécu dangereusement.

— Je pense que nous pouvons éliminer certaines activités, comme instituteur ou militant pour la paix.

— Je pourrais très bien militer pour la paix, protesta-t-il. Il y a aussi de la douceur en moi. J'aime les fleurs, par exemple.

— Les fleurs, hein ?

Ça ne les mènerait sûrement pas très loin, mais toute piste était bonne à suivre.

— Lesquelles ?

— Les orchidées.

Son sourire ravageur étira les coins de ses lèvres.

— C'est bon signe, non ? Les orchidées sont hors de prix.

Des fleurs de serre ? Ça ne lui correspondait pas du tout. Mais elle poursuivit son raisonnement.

— Passons à ta formation et à tes compétences. Dans

quel métier est-il important d'être tireur d'élite ? Et de maîtriser le corps à corps ?

— Dans l'armée, répondit-il. Mais ça ne cadre pas. Je ne me rappelle pas avoir suivi un entraînement militaire ni avoir jamais revêtu un uniforme. Et, de toute façon, tu n'as trouvé aucune trace d'un Nick Racine.

Mais il existait des missions, chez les militaires, qui demeuraient secrètes. Et s'il avait été entraîné à des opérations spéciales, du genre de celles qui ne figurent pas dans les dossiers ? Il pouvait aussi avoir travaillé pour des sociétés militaires privées.

— Tu étais peut-être mercenaire.

— Peut-être.

Ceux qu'elle avait rencontrés étaient cruels et cyniques, des personnages au regard aussi froid que l'était leur cœur.

— Tu en as le profil, mais pas le tempérament.

Il saisit sa main et la caressa sous le duvet.

— Tu vois qu'essayer de trouver qui j'étais ne sert à rien. Les procureurs fédéraux combleront les blancs que nous n'arrivons pas à remplir. Je suis sûr qu'ils doivent avoir un dossier épais comme un dictionnaire sur Nick Racine et Tony Perez.

Il porta sa main à ses lèvres.

— Vendredi, je témoignerai.

Comme si cela pouvait la satisfaire ! Elle détestait cette façon de voir les choses, comme si l'histoire était… écrite d'avance, inéluctable.

— Et moi ? Et nous ?

— Nous nous reverrons.

Il parlait bas, mais avec une profonde détermination.

— Avant de te rencontrer et de devenir Jack Dalton, je me moquais bien de ce qui pouvait m'arriver. Vivre ou mourir m'importait peu. Mais c'est différent, maintenant.

Elle n'avait jamais été la raison de vivre de qui que

ce fût. Une émotion subite s'empara d'elle et ses yeux s'embuèrent.

— Mais… comment faire ?

— Il existe une infinité de possibilités, chérie.

Une larme roula sur la joue de Caitlyn et il la sécha d'un baiser. Elle ne voulait pas qu'il parte. Quoi qu'il arrive, elle ne lui dirait pas au revoir. Pas question.

Au matin, Jack étudia la carte afin de trouver l'itinéraire le plus direct pour Woodland Park. Le quad n'avait plus beaucoup de carburant et il ne voulait pas voir leur plan contrecarré par une banale panne d'essence.

Ses intentions étaient claires, désormais. Il voulait en finir au plus vite avec cette affaire afin de pouvoir commencer une nouvelle vie. Débarrassé des fantômes du passé, il était prêt à se tourner résolument vers l'avenir.

Caitlyn prit place sur le siège arrière.

— Tu sais ce dont je rêve ?

Il l'enlaça et l'embrassa.

— De ceci ?

La main de Caitlyn glissa le long de son torse puis, s'insinuant sous son T-shirt, vint tapoter son abdomen.

— D'œufs au plat, suivis d'un steak saignant et d'une assiette débordant de pommes de terre rissolées.

— Je suis sûr que ton colonel pourra arranger ça.

— Pas étonnant que je meure de faim, dit-elle en enfilant son casque. J'ai brûlé beaucoup de calories hier soir.

— Moi aussi.

Si leurs ébats n'avaient pas été particulièrement athlétiques, l'expérience avait dépassé en intensité tout ce que Jack avait pu connaître. Et il était à peu près sûr qu'il en allait de même pour elle.

— C'est un bon exercice physique, continua-t-il. Et tellement plus agréable que de s'entraîner pour le triathlon.

Elle rit sous son casque, puis se figea.

— Pourquoi parles-tu de triathlon ? Tu en as fait ?

Il fronça les sourcils. Oui, il se rappelait avoir nagé, pédalé, couru sous un soleil de plomb.

— Je visais une place dans les vingt premiers.

— Et as-tu atteint ton objectif ?

— Mmm… Seizième.

— C'est un signe positif, Jack. La mémoire te revient petit à petit.

Lorsqu'ils se mirent en route, la jauge d'essence plongea dans la réserve. Pourvu qu'ils ne manquent pas d'essence avant d'avoir atteint leur destination ! D'après Caitlyn, de Woodland Park, il ne leur resterait plus qu'une douzaine de kilomètres à parcourir avant la base, mais elle n'était pas certaine de la distance.

Les sentiers étaient clairement signalés, si bien qu'il ne leur fallut pas longtemps pour rejoindre l'itinéraire le plus direct : une piste à deux voies, recouverte de terre rouge. Il y avait peu de circulation, mais le parcours était manifestement emprunté tant par des deux-roues et des quads que par des voitures classiques à deux roues motrices. A un moment donné, ils croisèrent une pimpante Jeep Wrangler rouge vif roulant avec le toit ouvert ; Jack la regarda passer avec envie. C'était le véhicule idéal sur une route panoramique comme celle-ci. Par comparaison, le gros quad de Woodley se traînait comme une tondeuse autoportée.

Ils n'étaient pas en promenade, se rappela-t-il. Caitlyn et lui étaient toujours les cibles d'une chasse à l'homme. Hier soir, il s'était senti en sécurité après leur étrange et exténuant parcours de cross, mais, aujourd'hui, c'était différent. Sur cette piste à découvert, ils étaient aisément repérables depuis le ciel. Patterson avait parlé d'un hélicoptère… Les marshals avaient très bien pu décider d'utiliser cet appareil pour les localiser.

La piste serpentait le long de la montagne. A la sortie de chaque nouveau virage, un panorama somptueux se déployait. En un point élevé, Jack stoppa sur l'accotement et descendit du quad. Il s'approcha du bord du ravin et regarda en contrebas.

— Quelque chose ne va pas ? s'enquit Caitlyn en le rejoignant.

— J'ai un mauvais pressentiment… Toujours cette histoire de surveillance aérienne.

— Avec nos casques, on ne peut pas nous identifier, objecta-t-elle.

Mais, fidèle à sa tactique d'anticipation du pire, il balaya du regard le ruban rouge de la route sinueuse qui montait vers eux.

Tout à coup, son regard s'arrêta sur un gros véhicule noir. Il roulait trop vite ; ses roues arrière soulevaient des nuages de poussière à chaque tournant.

— Je crois que je ne me suis pas trompé… Ce véhicule ne te rappelle rien ?

Caitlyn suivit son regard.

— Le 4x4 noir… Rojas.

Jack remonta prestement sur le quad et, sortant de la piste, alla le dissimuler derrière un gros rocher.

Embusqués derrière le bloc de pierre, ils retirèrent leurs casques et attendirent. Jack avait saisi son Beretta.

Quelques minutes plus tard, le volumineux 4x4 passa devant l'endroit où ils étaient cachés. Derrière les vitres teintées, on ne voyait pas les occupants, mais il était évident qu'ils n'étaient pas là pour admirer le paysage.

— Ils sont fous, dit Caitlyn. S'ils croisent un véhicule, ils risquent de le faire basculer dans le ravin.

— C'est nous qu'ils espèrent rencontrer, répliqua sombrement Jack.

— Comment ont-ils retrouvé notre trace ?

— Je suppose que le shérif a compris comment nous avions réussi à prendre la fuite. Ils doivent savoir, pour le quad de Woodley. Il ne restait plus qu'à demander à l'hélicoptère de localiser deux personnes sur un gros quad, munies de casques bleu vif.

— Mais Rojas ? Comment a-t-il su où nous chercher ?

— Patterson. C'est lui qui l'a informé.

Le marshal avait probablement mystifié tout le monde. Il devait toujours faire partie des forces de l'ordre.

Si un doute subsistait encore dans l'esprit de Jack quant à l'identité des occupants du 4x4 noir, il s'évapora lorsque la voiture repassa en sens inverse, plus lentement.

21

Une impression de déjà-vu assaillit Jack. Il avait vécu des situations similaires. Les souvenirs affluèrent : il se revit, tapi au fond d'un ravin, attendant le coucher du soleil ; courant sur un toit à San Diego pour échapper à ses poursuivants ; sautant depuis un pont autoroutier sur une corniche, en contrebas.

Mais, aujourd'hui, il n'était pas seul. Et il ne voulait pas faire courir de risques à Caitlyn.

— Nous ne pouvons pas compter sur le quad pour leur échapper, dit-il.

Elle sortit son téléphone portable.

— Il nous faut de l'aide. Je vais appeler le colonel et lui dire que je suis en danger.

L'intervention de renforts ne pouvait que leur être utile, mais, dans l'immédiat, il devait se débarrasser du 4x4. Tirer dans les pneus d'un véhicule en mouvement avec une arme de poing était pratiquement impossible, même pour un bon tireur comme lui. Il allait quand même essayer.

Toujours embusqués dans leur cachette, ils virent le véhicule repasser une troisième fois, à vitesse réduite, et disparaître dans le virage.

— Tu restes cachée ici, dit-il. Si jamais quelque chose tourne mal, tu pars en courant dans les bois.

— N'y compte pas. Je reste avec toi.

Il plongea le regard dans l'eau limpide de ses yeux

bleus. La peur ne la paralysait plus, mais elle ne possédait ni son expérience ni son entraînement.

— Ce n'est pas toi qu'ils veulent coincer. Caitlyn, j'ai perdu ma femme. Je ne veux pas risquer de perdre de nouveau la femme que j'aime.

Il fallut un moment à Caitlyn pour assimiler le sens de ses paroles. Il l'aimait.

Elle avait voulu se persuader qu'elle était avec lui parce qu'il était le sujet principal de l'article qu'elle voulait rédiger, mais elle avait violé la règle cardinale du journalisme : conserver son objectivité vis-à-vis de son objet d'étude ; ne pas s'impliquer personnellement.

S'impliquer ! Ce terme était loin de décrire ce qui s'était passé entre eux la veille… Ç'avait été tout simplement époustouflant. A quoi bon continuer à se mentir ?

— Moi aussi, je t'aime.

Le sourire qui la troublait tant étira la bouche de Jack.

— Tout ira bien, chérie. Ne bouge pas. Reste à l'abri.

Il se retourna et prit son casque. Courbé en deux, il se mit à courir entre les arbres et les rochers.

Le téléphone toujours à la main, elle le regarda s'éloigner, incapable de passer son appel tant qu'elle n'avait pas compris ce qu'il voulait faire. Prenant soin de rester à couvert, elle se pencha pour jeter un œil entre les arbres. Elle vit son blouson kaki disparaître derrière des buissons, au bord de la piste, à l'endroit où celle-ci s'incurvait en un virage en épingle à cheveux.

Un bruit de moteur la fit se retourner. Le cœur battant, elle vit le 4x4 redescendre vers lui.

Elle avait souvent entendu dire que, dans les instants précédant une catastrophe, tout se déroulait comme au ralenti. Elle n'en avait jamais jusqu'alors fait elle-même l'expérience, mais ce fut ce qui se produisit.

Le 4x4 aux vitres teintées semblait presque faire du sur place. Jack se releva. Dressée au bord de la falaise, sa haute silhouette se découpait sur fond de montagnes et de forêts. Lentement, il mit le véhicule noir en joue.

Les vitres du 4x4 s'abaissèrent du côté du passager. Un homme apparut, une arme à la main.

Elle dut se faire violence pour ne pas hurler. *Oh, mon Dieu ! Jack ! Jack ! Attention !*

Le 4x4 avançait, avançait, se rapprochant un peu plus de Jack à chaque tour de roue.

Elle entendit deux coups de feu.

Le pare-brise explosa, mais la voiture continua à avancer inéluctablement. Le conducteur allait bien être forcé de dévier de sa trajectoire, songea-t-elle, au désespoir.

La calandre n'était plus qu'à quelques mètres de Jack… Les bras tendus devant lui, agrippant des deux mains son revolver, il vida son chargeur sur le véhicule, puis il sauta sur le côté juste au moment où le 4x4 amorçait le virage. Celui-ci était au milieu de la courbe lorsque son pneu avant mordit sur le gravier du bas-côté. Déséquilibré, le véhicule bascula sur le côté et plongea dans le ravin.

— Jack ! cria Caitlyn en se ruant vers l'endroit où il avait disparu. Jack ! Tu vas bien ?

Elle ne le voyait pas.

Accroché à un pin chétif, Jack baissa la tête pour se protéger des morceaux de rocher qui pleuvaient sur lui. A quelques mètres de lui, le 4x4 dévalait la pente presque verticale. Un gros rocher l'arrêta dans sa chute, mais, emporté par son élan, le véhicule bascula sur le toit, les roues tournant dans le vide.

Puis ce fut le silence. Un nuage de poussière s'éleva tandis qu'une odeur d'essence emplissait l'air.

Le Beretta à la main, Jack se rétablit d'un mouvement souple et se mit à descendre dans les rochers.

Le toit du véhicule était cabossé, mais pas aplati. Rojas avait peut-être survécu, Jack devait faire très attention. Même blessé, l'homme demeurait dangereux et pouvait tirer.

Gardant ses distances, il attendit sans quitter du regard le 4x4.

— Jack !

Il leva les yeux. Caitlyn, penchée au bord du précipice, ressemblait à un ange — un ange mort d'inquiétude.

D'un geste de la main, il lui fit signe.

— Je vais bien. Reste où tu es.

Mais elle avait déjà commencé à descendre.

Un bras passa par la vitre ouverte de la voiture, côté passager. Rojas essayait de s'extraire du véhicule. Il avait le visage en sang et son autre bras était bizarrement tordu.

— A l'aide...

— Jetez votre arme, lança Jack.

— Sortez-moi de là ! Cette fichue voiture va exploser.

— Où est le chauffeur ?

— Il a le cou brisé. Il est mort.

Centimètre par centimètre, Rojas s'efforçait toujours de ramper hors du véhicule.

— Nick Racine. Espèce d'ordure !

Rojas réussit enfin à se libérer du carcan de ferraille. Sa jambe gauche était en mauvais état. Respirant avec difficulté, il roula sur le dos. Son visage se fronça en un masque de douleur.

Jack s'approcha lentement de lui.

— Appelle les secours, Caitlyn.

Il tenait toujours son ennemi en joue.

— Un geste et je te tue, Rojas.

Rojas le dévisageait. La haine flambait dans son regard.

— Vous avez voulu détruire ma famille, toi et ces maudits fédéraux.

Des fédéraux... Quels fédéraux ?

— De qui parles-tu ?

— Comme si tu ne le savais pas... Les types de la D.E.A.

La D.E.A. L'agence de lutte antidrogue. C'était ça ! La pièce qui manquait depuis le début à son puzzle. Mentalement, il visualisa son badge et sa carte officielle. Il était un agent de la D.E.A. De grands pans de son passé resurgirent du tréfonds de sa mémoire où ils étaient restés si longtemps enfouis.

— Salaud ! reprit Rojas en grimaçant. Tu as envoyé mon frère en prison. Et tu as essayé de m'avoir !

— C'est ce qui arrive quand on dirige un cartel de drogue. On finit par se faire prendre.

De sa main valide, Rojas tâtonna dans la poche de sa veste.

Jack se tendit, prêt à tirer.

Mais la main de Rojas ressortit, le poing fermé. Il brandit le bras vers Jack, lui montrant quelque chose.

— J'ai gagné quand même.

Dans sa main ensanglantée, scintillait un attrape-rêves d'argent, le pendant de celui que Jack conservait précieusement. Cela valait une confession. Rojas était responsable des meurtres d'Elena et de son père ; l'homme aux cheveux roux avait été son bras armé.

Jack affermit l'emprise de ses doigts autour du revolver et visa le cœur. Si un homme méritait la mort, c'était bien Rojas.

— Pourquoi ? fit-il, les dents serrées.

— Son père... C'était mon ennemi juré.

Rojas avait pâli ; ses paupières s'abaissèrent.

— Je ne savais pas que c'était ta femme. Mais je suis content.

— Pourris en enfer.

Il aurait pu presser la détente, mais survivre serait plus douloureux pour Rojas. Il s'avança, prit la boucle d'oreille des mains de l'homme inconscient et s'éloigna.

Caitlyn courut vers lui et se jeta dans ses bras.

— Ne fais plus jamais une chose pareille ! Plus jamais !

— Je ne peux pas te le promettre.

Elle le dévisagea, des questions plein les yeux, puis jeta un regard inquiet par-dessus son épaule.

— Dépêchons-nous de filer. J'ai appelé les secours. Donc, la police ne va pas tarder à arriver.

— Nous n'avons plus besoin de fuir, Caitlyn. J'ai retrouvé la mémoire. Je me souviens de tout.

Il inspira à fond.

— Je suis un agent de la D.E.A. Je travaille sous couverture, la plupart du temps. Ce qu'on appelle une « taupe ». C'est le père d'Elena qui m'a formé, en Arizona.

Elle pencha la tête sur le côté.

— La D.E.A ? Une taupe ?

— Oui, voilà pourquoi je n'existe pas sur internet. Ma véritable identité doit rester secrète. C'est aussi ce qui explique que j'aie su comment me glisser dans la peau de Tony Perez.

— Et dans celle de Jack Dalton, ajouta-t-elle, songeuse. J'y pense, c'est pour ça que les marshals parlaient de renforts quand ils ont failli nous trouver, dans la grotte… Ils devaient se demander pourquoi tu n'appelais pas tes collègues de la D.E.A. à la rescousse.

Il soupira.

— Ce que je n'aurais pas manqué de faire si je n'avais pas été amnésique. Ça nous aurait évité bien des ennuis.

Ecoute, Caitlyn, je suis désolé de t'avoir fait peur. De t'avoir fait courir tant de risques. D'avoir mêlé tes amis à cette affaire. Mais, au fond, il y a du bon dans tout cela…

Elle regarda l'épave du 4x4.

— Vraiment ?

— Oui. Je suis tombé amoureux de toi.

Elle pinça les lèvres.

— C'est Jack Dalton qui parle ? Ou bien Nick Racine ?

— Quelle importance ? Puisque je suis les deux.

Une étincelle s'alluma dans les yeux de la jeune femme.

— Est-ce que ça signifie que tu n'auras pas à avoir recours au programme de protection des témoins ?

— Oui. Si mes souvenirs sont bons, l'accord que j'ai passé avec les procureurs fédéraux prévoit que je témoignerai à huis clos sous l'identité de Tony Perez. Après le procès, Tony disparaîtra de la circulation. Et, moi, je reprends le cours normal de ma vie.

— Et plus rien ne nous empêche d'être ensemble ?

Il lui prit les mains et l'attira à lui.

— Plus rien… Sauf si tu te lasses de moi, évidemment.

— Aucune chance, répliqua-t-elle en posant la tête sur son épaule. Je ne te lâcherai pas avant d'avoir décroché mon prix Pulitzer avec le récit de ton histoire. Et elle devient de plus en plus captivante, avec tous ces rebondissements… Au début, j'avais un témoin fédéral en cavale, et voilà que je me retrouve avec un agent secret de la D.E.A. frappé d'amnésie !

Jack fronça les sourcils.

— Caitlyn… tu ne peux pas publier cette histoire.

Il avait beau lui expliquer, rien n'y faisait. Caitlyn refusait d'entendre raison. Dans le hangar de l'aérodrome où ils attendaient l'avion privé qui devait emmener Jack à Chicago, elle faisait les cent pas devant lui, cherchant mille et un arguments pour contrer ceux qu'il lui avait exposés.

— Mais enfin, si je n'utilise ni ta véritable identité ni tes faux noms, il ne devrait pas y avoir de problème !

— Tu serais toujours en danger, répéta-t-il en changeant de position sur la banquette de cuir. Ceux qui veulent ma peau — des gens comme Rojas — sauraient qu'ils peuvent m'atteindre par ton biais.

Elle se laissa tomber sur le sofa à son côté. Deux marshals et un agent de la D.E.A. se tenaient près de l'entrée du hangar. Tous trois portaient des lunettes de soleil et étaient armés.

Il ne lui restait plus beaucoup de temps… L'avion avait atterri et roulait en ce moment même vers le hangar.

— Quand nous serons ensemble, que dirons-nous aux gens qui voudqQue je suis un fervent militant pacifiste. Ou un nabab qui vit de ses rentes.

— Même à mes amis ?

— *Surtout* à tes amis.

— Ça ne me plaît pas du tout.

Dire que l'essence même de son travail, c'était la quête de la vérité, et qu'elle allait devoir mentir à tout son entourage !

Il se pencha, posant les coudes sur ses genoux.

— Il y a bien une solution : fais publier ton article sous un faux nom.

— Et qui irait chercher mon Pulitzer ?

L'objectif de cet article était de se repositionner sur le marché du travail en tant que journaliste d'investigation. Si elle se cachait derrière un pseudonyme, tout le bénéfice de l'opération serait réduit à néant.

— J'ai une meilleure idée : change de travail, toi.

Il secoua la tête.

— Sans vouloir être prétentieux, je crois que je suis réellement doué dans ce que je fais.

— C'est aussi mon cas.

Qui aurait imaginé qu'ils se trouveraient dans une telle impasse, précisément au moment où tous leurs ennuis semblaient résolus ?

L'agent de la D.E.A. s'avança vers eux.

— C'est l'heure de partir, annonça-t-il.

Ecartelée, elle songea à l'alternative qui se présentait à elle : rester avec lui et renoncer à son projet d'article, ou bien l'écrire quand même et lui dire adieu.

Ils se levèrent et il se pencha pour l'embrasser.

— J'espère te revoir une fois le procès terminé, murmura-t-il à son oreille.

Elle en aurait pleuré.

L'amour n'était pas censé être si difficile.

22

Nick Racine, alias Tony Perez, demeura sous haute protection pendant les deux semaines que dura le procès Rojas à Chicago, avec interdiction de passer des appels téléphoniques, d'échanger des e-mails et de rencontrer qui que ce soit. Il aurait pu solliciter une exception pour Caitlyn s'il avait insisté, mais il avait préféré la laisser libre de réfléchir.

Elle lui manquait terriblement. A chaque heure qui passait, son absence lui était plus douloureuse. Il avait tant à lui dire.

Pendant ces deux semaines, la mémoire avait continué à lui revenir. Le reste, on le lui avait appris.

Il préférait ne pas s'attarder sur son enfance... Un père alcoolique. Une mère qui l'avait abandonné à la naissance. Des années passées en famille d'accueil. Le seul point positif qu'il en retirait était qu'il avait appris à se battre très tôt.

Quant à sa situation financière, sans être millionnaire, elle était plus que confortable. S'il ne possédait pas de biens immobiliers, il détenait effectivement un compte numéroté en Suisse, sous un nom d'emprunt.

En dépit de la multitude de fausses identités qu'il avait utilisées, la seule à laquelle il était réellement attaché était celle de Jack Dalton, l'homme qui était aimé de Caitlyn Morris.

Et maintenant, assis dans le couloir du tribunal fédéral de Chicago, devant la salle d'audience, il attendait que le jury ait fini de délibérer.

En tant que témoin, il n'était pas autorisé à assister à l'annonce du verdict concernant Tom Rojas. Gregorio Rojas n'avait pas survécu à l'accident de voiture. Si son frère était déclaré coupable, le cartel se trouverait décapité. Jack serait vengé.

Non, rectifia-t-il. Nick Racine avait été un homme rongé par le désir de vengeance. Mais ce n'était pas le cas de Jack. L'avenir lui tendait les bras ; un avenir radieux… si seulement Caitlyn voulait bien se montrer raisonnable.

Sentant sa présence, il tourna la tête. Elle était là, avançant d'un pas décidé vers lui. Ses cheveux blonds fraîchement raccourcis dansaient de part et d'autre de son visage, juste au-dessus de ses épaules. Elle portait un tailleur de lin blanc dont la jupe était juste assez courte pour être intéressante. Ses pieds étaient chaussés d'escarpins rouges à hauts talons.

Il se leva pour l'accueillir et, lorsqu'elle s'arrêta devant lui, il eut envie de la serrer dans ses bras, de décoiffer le rideau lisse de ses cheveux et d'effacer d'un baiser le rouge à lèvres qui rehaussait sa bouche.

Avec un sourire, il observa :

— Tu t'es bien débarbouillée depuis notre raid dans la montagne.

— Toi aussi.

Elle avança la main et lissa le revers de sa veste.

— Un costume de couturier…

— Eh bien, j'ai découvert que j'avais bon goût.

— Ça, je le savais. Puisque je t'ai plu.

L'avoir là juste devant lui et ne pas la toucher le rendait fou.

— Ce n'est pas le terme approprié. Ce que j'éprouve pour toi est bien plus profond qu'une simple attirance.

La porte de la salle d'audience s'ouvrit sur ces entrefaites. C'était le moment de vérité, le moment qu'il avait tellement attendu. Une femme sortit et se dirigea vers lui. D'un mot, elle mit le point final à la longue quête qui avait conduit Nick Racine à devenir Tony Perez.

— Coupable.

Jack aurait dû exulter, mais il ne put que plonger un regard empli d'espoir dans les yeux bleus de Caitlyn.

— C'est fini. Je suis un homme libre.

Elle plaça un journal dans sa main.

— En une, il y a un article sur la corruption au sein du service des marshals. Patterson et Bryant ne sont pas épargnés.

Ils étaient déjà en prison et il espérait bien qu'ils y resteraient encore longtemps. Jack lut l'article en diagonale, puis reporta son regard sur Caitlyn.

— Je suppose que tu as pris ta décision.

— Oui.

Elle pointa du doigt la signature.

— C'est mon ami. Il n'est nulle part fait mention de toi ou de moi dans l'article. Je suis seulement une « source bien informée, et anonyme ».

— Alors, c'est moi que tu as choisi.

— J'ai choisi les deux. En fait, j'ai vendu une série de quatre articles de fond à un magazine sur un sujet que j'ai découvert grâce à toi : l'amnésie.

— Tu y parleras de mon cas ?

— Tout ne tourne pas autour de ta petite personne, figure-toi !

Un large sourire fendit son visage.

— J'ai interviewé des psychiatres, des neurologues, des tas de témoins… Un type qui a perdu la mémoire pendant treize ans, qui a refait sa vie, s'est marié, avant de se réveiller un beau jour en se rappelant qui il était ! Et une femme qui...

— Mademoiselle Je-sais-tout.

— Il fallait que j'écrive quelque chose sur ce sujet. A cause de toi. Parce que tu es... inoubliable.

Il l'enlaça tendrement et posa ses lèvres sur les siennes. Les merveilleux souvenirs qu'il avait de leurs baisers étaient peu de chose comparés à celui-ci.

Quoi qu'il advienne, désormais, leur amour serait indestructible.

Le 1er juillet

Black Rose n°213

Le manoir des secrets - Jana DeLeon

En entrant dans le manoir qu'elle a loué dans le bayou pour écrire son prochain roman, Olivia ressent immédiatement un profond malaise. Elle en a l'intime conviction : quelqu'un l'épie dans l'ombre. Mais qui ? John Landry, le gardien du manoir ? En effet, depuis son arrivée, cet homme mystérieux et bien trop séduisant pour ne pas intriguer Olivia met tout en œuvre pour la convaincre de repartir au plus vite. Comme s'il cachait un secret, qu'elle est bien décidée à percer...

Coopération forcée - Meredith Fletcher

Eryn a d'abord cru à un canular. Alors qu'elle animait un enterrement de vie de garçon, un groupe d'hommes cagoulés et armés a fait irruption dans la salle pour enlever le futur marié... Mais, maintenant, la voilà pour de bon lancée à leur poursuite. Avec elle, il y a un certain Callan, le frère de la future épouse. C'est un militaire bâti comme un roc, qui lui a jeté un regard dédaigneux quand elle lui a appris qu'elle est garde du corps. Et si d'habitude elle se contrefiche des machos dans son genre, cette fois, elle ressent le besoin de prouver à celui-ci qu'elle a autant de courage que lui...

Black Rose n°214

Et si c'était elle ? - Beth Cornelison

Se pourrait-il que Grace, sa fille, soit toujours en vie ? Cette idée folle obsède Elise depuis que les Harrison, un couple qu'elle a rencontré dans un groupe de soutien psychologique et qui, comme elle, a perdu un bébé à la naissance, lui ont révélé soupçonner l'hôpital où Elise a accouché de se livrer à un trafic de bébés... Et si Grace est vivante, se pourrait-il qu'elle ne soit autre qu'Isabel, le bébé adopté par Jared Coleman, lequel fréquente lui aussi le groupe de soutien ? En effet, les deux fillettes sont nées le même jour, et se ressemblent étrangement... Mais comment aborder le sujet avec Jared ? Il risque de de vouloir lui voler sa fille...

Un dangereux partenaire - Debra Webb

Envoyée au Mexique pour enquêter sur un criminel, Casey enrage de découvrir que Levi Stark, un autre agent américain, est chargé de la même mission qu'elle. A deux, ils vont forcément attirer l'attention et se faire repérer ! Mais Levi n'entend pas lui céder le terrain. Contre toute attente, cette détermination se révèle une chance pour Casey quand Levi la sauve d'une embuscade. Désormais rassurée par sa présence, elle se surprend aussi à se laisser séduire par le charme et le charisme de son rival...

Attirance coupable - Elle Kennedy

Le suspect numéro un... C'est en ces termes qu'on lui a décrit Cole Donovan – un millionnaire soupçonné d'avoir assassiné son ex-femme. Mais selon Jamie, psychologue au FBI, les choses ne sont pas si simples. C'est vrai, tout semble accuser Cole, mais aucune preuve tangible ne le confond réellement. Et puis, l'instinct de Jamie ne l'a jamais trahie et, dès le premier entretien, elle a *su* que Cole était innocent. A moins qu'elle ne se laisse perturber par l'attirance inexplicable qu'elle a immédiatement ressentie pour lui ?

Une enfant pour enjeu - Cindy Dees

Quand Jagger Holtz, l'homme avec qui elle a passé la plus belle nuit de sa vie deux ans plus tôt – avant qu'il ne disparaisse sans jamais plus lui donner de nouvelles –, vient frapper à sa porte et lui demande de l'aider, Emily se retrouve confrontée au choix le plus difficile de sa vie. Car si la détresse de Jagger, blessé et poursuivi par de dangereux criminels, la pousse à lui offrir son secours, elle sait aussi qu'en l'hébergeant, elle risque gros : Jagger ignore qu'elle a eu un enfant de lui, la petite Michelle, et en le faisant de nouveau entrer dans sa vie, c'est son enfant qu'elle met en danger...

Troublante dissimulation - Julie Miller

Pour Josie, c'est le choc : une seule nuit passée entre les bras de Rafe Delgado –, le policier qui a promis à son père sur son lit de mort de toujours veiller sur elle –, aura suffi pour que la vie grandisse en elle. Une vie qu'elle veut garder secrète car elle sait que, pour Rafe, leur nuit d'amour a été une erreur. Mais, alors qu'elle s'efforce de tout faire pour l'éloigner d'elle et lui laisser croire qu'elle ne veut plus le voir, elle assiste à un meurtre qui complique ses plans : placée, en tant que témoin, sous la surveillance de Rafe, combien de temps pourra-t-elle se taire, et lui dissimuler qu'il est le père de son bébé ?

Retour à Three Rivers - Aimée Thurlo

Dix ans qu'elle n'a pas mis les pieds à Three Rivers... Laura est bouleversée. Elle se serait bien passée de ce pénible retour en arrière. Mais Nancy, sa meilleure amie de lycée, vient d'être assassinée, et Laura en est persuadée : il s'agit de l'œuvre macabre d'un tueur en série. Puisque les autorités refusent d'envisager cette hypothèse, elle a décidé de mener sa propre enquête. Quitte à s'accommoder de la pénible présence de Travis Blacksheep, dont on lui impose l'autorité. Pénible, car Travis n'est pas un inconnu pour Laura : il lui a autrefois brisé le cœur, précipitant ainsi son départ de Three Rivers...

Best-Sellers n°510 • thriller

Le lys rouge - Karen Rose

Par une froide nuit de mars, à Chicago, une jeune fille se jette du vingt-deuxième étage. Chez elle, telle une signature macabre, la police découvre le sol jonché de lys. Quand il arrive sur les lieux, et qu'il y croise Tess Ciccotelli, psychiatre de la victime, l'inspecteur Aidan est sur la défensive, car des indices laissent penser que la jeune fille a été poussée au suicide par sa thérapeute. Soupçonnée de meurtre, Tess est interrogée par les policiers, puis libérée grâce à l'intervention de son avocate. Mais d'autres patients se suicident à leur tour. Lettres, empreintes, messages téléphoniques : tout accuse Tess. Etrangement, plus les preuves s'accumulent contre elle, plus Aidan est convaincu de son innocence. Quant à son avocate, elle refuse d'assurer sa défense. Seuls désormais face à la méfiance de leur entourage, Aidan et Tess vont devoir découvrir quel esprit manipulateur et pervers se cache derrière le piège diabolique qui se resserre autour de Tess…

Best-Sellers n°511 • suspense

Les disparus de Shadow Falls - Maggie Shayne

Le meilleur ami de son fils Sam a été retrouvé mort. Assassiné dans la forêt de Shadow Falls. Et pour le Dr Carrie Overton, cette tragédie fait soudain ressurgir les terreurs du passé. Depuis seize ans, en effet, Carrie est hantée par le souvenir de cette femme désespérée à qui elle a porté secours. Une inconnue qui a bouleversé sa vie à jamais en lui confiant son nouveau-né. Avant d'être assassinée, elle aussi… Depuis, Carrie porte seule le poids de ce lourd secret. Et aujourd'hui, elle se sent complètement désemparée. D'autant que Gabriel Cairn, récemment arrivé en ville, multiplie les questions sur son passé. Carrie doit-elle se méfier de cet homme mystérieux en qui elle a pourtant eu spontanément confiance ? Ou bien le jour est-il venu de mettre enfin un terme à son mensonge ?

Best-Sellers n°512 • suspense

L'île de la lune noire - Heather Graham

Quand deux jeunes acteurs sont assassinés sur un tournage, dans une petite île isolée de Floride, le thriller que réalise Vanessa Loren devient réalité. D'autant que le meurtrier demeure introuvable et que des phénomènes étranges conduisent Vanessa à se demander si l'île n'est pas hantée, comme le prétend la légende. Deux ans plus tard Vanessa, toujours bouleversée par ce crime impuni, revient à Key West où elle a appris que se préparait un documentaire sur l'histoire de la région. Elle souhaite absolument convaincre le réalisateur, Sean O'Hara, de l'embaucher pour inclure dans son film le récit du tournage tragique. Déterminée à surmonter les réticences de Sean qui semble se méfier d'elle, Vanessa le conduit sur les lieux du crime tout en lui faisant part de ses hypothèses. Mais elle est loin d'imaginer que le passé est sur le point de se répéter et que le tueur, accompagné d'ombres mystérieuses et inquiétantes, la guette déjà dans l'ombre.

Best-Sellers n°513 • thriller

Un danger dans la nuit - Lisa Jackson

Je sais ce que tu as fait, confesse tes péchés…
En écoutant ce message sur son répondeur, la psychologue Samantha Leeds plonge en plein cauchemar. Car l'appel lui rappelle le drame qui a marqué sa vie : le suicide d'Annie, une jeune auditrice perturbée qu'elle n'a pas pu sauver. Terrifiée, Samantha l'est d'autant plus que le harceleur est devenu un tueur qui viole et étrangle ses victimes en écoutant son émission. Tandis que les inspecteurs Bentz et Montoya pistent le meurtrier, Samantha se réfugie auprès de Ty Wheeler, son nouveau voisin, le seul homme auquel, croit-elle, elle peut encore faire confiance…

Best-Sellers n°514 • roman

L'écho de la rivière - Emilie Richards

Artiste peintre mariée à un avocat et mère d'une petite fille, Julia Warwick est un pur produit de l'aristocratie de Ridge's Race. Cette femme à qui tout semble sourire voit pourtant son monde s'écrouler lorsqu'elle perd la vue de manière inexpliquée. Les médecins ayant conclu à une cécité psychosomatique, Julia entreprend de fouiller son passé à la recherche d'un traumatisme qu'elle aurait pu enfouir au plus profond de sa mémoire. Ce faisant, elle ouvre peu à peu les yeux sur son mari, sa famille, et surtout sur elle-même. Faisant bientôt émerger, avec l'aide de Christian Carver, son amour de jeunesse, des secrets que beaucoup ont intérêt à ne jamais voir divulgués.

Best-Sellers n°515 • suspense

Noirs soupçons - Brenda Novak

Revenue à Stillwater avec sa petite Whitney pour oublier un passé difficile, Allie McCormick, brillant officier de police, est fermement décidée à faire toute la lumière sur le drame qui a bouleversé la ville durant son adolescence : la mystérieuse disparition du révérend Barker, dix-neuf ans plus tôt. Depuis, les soupçons les plus noirs, les rumeurs les plus graves, n'ont cessé de circuler dans la région... Des rumeurs terribles, accusant Clay Montgomery, le fils adoptif du révérend, d'avoir tué son beau-père et dissimulé son corps. Mais un soupçon n'a rien d'une preuve pour Allie, quels que soient ses doutes et la surprise qu'elle éprouve en découvrant, au lieu de l'adolescent au charme ténébreux dont elle a gardé le souvenir, un homme taciturne et solitaire, qui semble porter le poids d'un lourd secret. Intriguée, Allie veut à tout prix découvrir s'il est ou non l'assassin qu'elle est venue démasquer.

Best-Sellers n°516 • thriller

Le collectionneur - Alex Kava

Albert Stucky. On l'appelle le Collectionneur – parce qu'il aime collectionner les jeunes femmes, avant d'en disposer à sa manière. La plus horrible qui soit. Pour l'arrêter, Maggie O'Dell, profiler et agent du FBI, a payé le prix fort : enlevée et torturée par ce fou dangereux, elle n'a échappé à la mort que de justesse. Mais aujourd'hui, huit mois après les faits, la jeune femme apprend que Stucky est parvenu à s'évader. Pour elle, le cauchemar recommence...

Un face à face redoutable entre Maggie O'Dell, un des meilleurs profilers du FBI, et Albert Stucky, un tueur en série particulièrement intelligent et pervers, dont chaque crime marque une escalade dans l'horreur.

Best-Sellers n°517 • historique

Le prix du scandale - Kat Martin

Angleterre, 1855.

Depuis la disparition de son richissime époux, Elizabeth Holloway n'a qu'une inquiétude : se voir retirer la garde de son fils par sa cupide belle-famille, prête à tout pour s'emparer de l'héritage de l'enfant. Désespérée, et impuissante face aux Holloway, elle décide de faire appel au seul homme qu'elle ait jamais aimé, et qu'elle a pourtant trahi malgré elle... Reese Dewar. Reese, qui ne lui a jamais pardonné d'en avoir épousé un autre alors qu'elle lui avait promis sa main des années plus tôt. Reese, qui ignore tout de son secret et des raisons qui l'ont poussée à se détourner de lui...

www.harlequin.fr

Découvrez dans la collection *Azur*

la nouvelle Saga

BAD BLOOD

SECRETS ET SCANDALES AU CŒUR D'UNE PUISSANTE DYNASTIE

8 ROMANS À DÉCOUVRIR À PARTIR DE JUIN 2012

GRATUITS !

2 romans
et 2 cadeaux surprise !

Pour vous remercier de votre fidélité, nous vous offrons 2 merveilleux romans **Black Rose** (réunis en 1 volume) entièrement GRATUITS et 2 cadeaux surprise ! Bénéficiez également de tous les avantages du Service Lectrices :

- **Vos romans en avant-première**
- **5% de réduction**
- **Livraison à domicile**
- **Cadeaux gratuits**

En acceptant cette offre GRATUITE, vous n'avez aucune obligation d'achat et vous pouvez retourner les romans, frais de port à votre charge, sans rien nous devoir, ou annuler tout envoi futur, à tout moment. Complétez le bulletin et retournez-le nous rapidement !

☐ **OUI !** Envoyez-moi mes 2 romans Black Rose (réunis en 1 volume) et mes 2 cadeaux surprise gratuitement. Les frais de port me sont offerts. Sauf contrordre de ma part, j'accepte ensuite de recevoir chaque mois 3 volumes doubles Black Rose inédits au prix exceptionnel de 6,75€ le volume (au lieu de 7,10€), auxquels viennent s'ajouter 2,95€ de participation aux frais de port. Dans tous les cas, je conserverai mes cadeaux.

N° d'abonnée (si vous en avez un) ⊔⊔⊔⊔⊔⊔⊔⊔⊔⊔ | IZ2F09 |

Nom : .... Prénom : ....

Adresse : ....

CP : ⊔⊔⊔⊔⊔ Ville : ....

Téléphone : ⊔⊔⊔⊔⊔⊔⊔⊔⊔⊔

E-mail : ....

☐ Oui, je souhaite être tenue informée par e-mail de l'actualité des éditions Harlequin.
☐ Oui, je souhaite bénéficier par e-mail des offres promotionnelles des partenaires des éditions Harlequin.

Renvoyez cette page à : Service Lectrices Harlequin – BP 20008 – 59718 Lille Cedex 9